BESTSELLER

[!]

Biblioteca

NORA ROBERTS

Un sueño atrevido

daring
bold
risque

Traducción de
Francisco Javier Calzada

ᒪ DeBOLS!LLO

Roberts, Nora
    Un sueño atrevido - 1a ed. - Buenos Aires : Debolsillo, 2006.
    432 p. ; 19x13 cm. (Best seller)

    Traducido por: Francisco Javier Calzada

    ISBN 987-566-150-3

    1. Narrativa Estadounidense. I. Francisco Javier Calzada, trad. II. Título
    CDD 813

Primera edición en la Argentina bajo este sello: mayo de 2006

Título original: _Daring to Dream_
Diseño de la portada: Departamento de diseño de Random
    House Mondadori
Fotografía de la portada: © Getty Images

© 1996, Nora Roberts
© 2006 de la presente edición para todo el mundo:
    Random House Mondadori, S.A.
    Travessera de Gràcia, 47-49. 08021 Barcelona
© 2006, Francisco Javier Calzada, por la traducción
© 2006, Editorial Sudamericana S.A.®
    Humberto I 531, Buenos Aires, Argentina
Publicado por Editorial Sudamericana S.A.® bajo el sello Debolsillo
con acuerdo de Random House Mondadori

Impreso en la Argentina.
Queda hecho el depósito que previene la ley 11.723
ISBN 10: 987-566-150-3
ISBN 13: 978-987-566-150-9

Fotocomposición: Anglofort, S. A.

www.edsudamericana.com.ar

A los viejos amigos

PRÓLOGO

California, 1840

Nunca volvería. La guerra se lo había arrebatado. Ella lo sentía; sentía su muerte en el vacío que se había extendido por su corazón. Felipe se había ido. Lo habían matado los estadounidenses…, o tal vez su propia necesidad de ponerse a prueba a sí mismo. Pero mientras Serafina contemplaba el agitado oleaje del Pacífico desde las altas peñas del acantilado, sentía la certeza de haberlo perdido para siempre.

La bruma se arremolinaba a su alrededor, pero no se arrebujó en su capa. El frío que sentía lo tenía en su sangre, en los huesos. Jamás conseguiría vencerlo.

Su amor se había ido, a pesar de sus oraciones, a pesar de las muchas horas que había pasado ante la Virgen Madre, suplicando su intercesión y que protegiera a su Felipe una vez se hubo puesto en camino para luchar contra aquellos estadounidenses que tanto codiciaban California.

Había caído en Santa Fe. La noticia llegó en un mensaje dirigido al padre de Serafina, en el que le daban cuenta de que su joven protegido había muerto en la batalla, con la vida segada en flor cuando combatía para defender la ciudad del asalto de los estadounidenses. Allí, tan lejos, habían enterrado su cuerpo. Ella ya nunca vería de nuevo su rostro, jamás volvería a oír su voz ni a compartir sus sueños.

No había hecho lo que le había pedido Felipe: no había

embarcado de regreso a España para aguardar allí hasta que en California reinara de nuevo la seguridad. En lugar de ello, había escondido su dote, el oro que hubiera podido ayudarles a formar juntos una familia…, a hacer realidad aquella vida con la que habían soñado tantos días luminosos en aquellos mismos acantilados. Su padre la habría casado con Felipe en cuanto volviera de la guerra convertido en un héroe: así se lo había dicho él mismo mientras enjugaba con besos las lágrimas que le corrían a ella por las mejillas. Construirían una hermosa casa, tendrían muchos hijos, plantarían un jardín… Le había prometido volver pronto para empezar a hacerlo juntos.

Y ahora él no estaba.

Quizá fuera suya la culpa por haber sido egoísta. Había querido quedarse cerca de Monterey para no interponer un océano entre los dos. Y, cuando los estadounidenses llegaron, escondió su regalo de boda, temiendo que pudieran quitárselo como habían robado tantas otras cosas.

Pero ahora le habían arrebatado todo lo que importaba. Y ella se sentía culpable, temerosa de que hubiera sido su pecado lo que le había arrebatado a Felipe. Porque había mentido a su padre para robarle todas aquellas horas pasadas con su amor. Porque se había entregado a él antes de que su matrimonio fuera santificado por Dios y por la Iglesia. Y, lo más grave aún, como pensaba cuando inclinaba la cabeza para protegerse de las fuertes ráfagas del viento…, lo más grave de todo era que no podía arrepentirse de sus pecados. Que no se arrepentiría nunca de ellos.

No le quedaban sueños, ni esperanzas, ni amor. Dios le había quitado a Felipe. Y, por ello, desafiando dieciséis años de formación religiosa, en contra de toda una vida de fe, irguió la cabeza y maldijo a Dios.

Y saltó por el acantilado.

Ciento treinta años después, aquellas mismas rocas estaban bañadas por la luz dorada del verano. Revoloteaban gaviotas sobre el mar, volviendo su blanco plumaje a las aguas más intensamente azules antes de girar desde lejos emitiendo largos y resonantes chillidos. Flores tenaces y fuertes a pesar de sus frágiles pétalos se abrían paso a través del duro terreno, luchaban por los rayos del sol entre las finas grietas de las rocas y transformaban la aspereza en un capricho. La brisa era suave, como la caricia de la mano de un amante. El cielo, arriba, tenía el azul perfecto de los sueños.

Había tres niñas sentadas en lo alto del acantilado, contemplando el mar y pensando en la leyenda. La conocían bien, y cada una de ellas tenía su propia imagen personal de Serafina cuando se la representaba allí de pie en los instantes finales de su desesperación.

Para Laura Templeton, Serafina era una figura trágica; la imaginaba allí con los ojos anegados en lágrimas, sola en aquella altura barrida por los vientos y con una flor silvestre en la mano en el momento de caer.

Laura lloraba ahora por ella y sus ojos grises observaban el mar con tristeza, mientras se preguntaba qué hubiera hecho ella en su lugar. Porque, para Laura, el amor iba estrechamente unido a la tragedia.

Kate Powell, en cambio, veía en todo aquello un miserable error. El sol la hacía fruncir el ceño mientras arrancaba con su fina mano el tallo grueso de una hierba. La historia, ciertamente, conmovía su corazón, pero lo que la turbaba era aquella impulsiva reacción de Serafina. ¿Por qué acabar con todo, cuando la vida encierra mucho más?

En esta ocasión le había tocado a Margo Sullivan narrar la leyenda, y lo había hecho con un rico sentido dramático. Como siempre, concebía una noche tormentosa con gran aparato eléctrico…, vientos de tempestad, lluvia intensa, centelleantes relámpagos. El enorme desafío que encerraba aquel gesto la emocionaba y la turbaba a un tiempo. Ella siempre vería a Serafina con el rostro levantado hacia el cielo y una maldición en los labios en el momento de saltar.

—Hacer eso por un chico fue una estupidez —comentó Kate.

Llevaba el pelo de color caoba recogido hacia atrás en una tensa cola de caballo, que acentuaba los rasgos angulosos de su rostro, dominado por unos grandes ojos castaños en forma de almendra.

—Le amaba —dijo sencillamente Laura, con una voz que sonó grave y pensativa—. Él era el amor de su vida.

—No veo por qué solamente puede haber un amor —observó Margo, estirando sus largas piernas. Ella y Laura tenían doce años, y Kate era un año menor que las dos. Pero el cuerpo de Margo había empezado a revelar la mujer que despuntaba dentro. Se le marcaban ya los pechos y era algo de lo que se sentía complacida—. Yo no voy a tener solo un amor —proclamó con una nota de confianza—. Tendré docenas de ellos.

Kate soltó un bufido. Era una muchacha delgada, con el busto aún liso, pero no le importaba: tenía cosas mejores que hacer que pensar en chicos. El colegio, el béisbol, la música…

—Desde que Bill Leary te metió la lengua por la garganta, estás completamente chiflada —sentenció.

—Me gustan los chicos.

Segura en su feminidad, Margo sonrió pícaramente y se pasó la mano por sus largos cabellos rubios. Su melena, densa y ondulada, le llegaba más abajo de los hombros y tenía el color del trigo maduro. Al minuto siguiente de haber escapado de los ojos de águila de su madre, la había librado de la cinta de goma con que Ann Sullivan prefería que la llevara sujeta a la nuca. Al igual que su cuerpo y su voz ya áspera, sus cabellos correspondían ya más a una mujer que a una adolescente.

—Y yo les gusto a ellos —afirmó; lo cual, en su opinión, era lo mejor del asunto—. Pero ¡juro que jamás me mataría por alguno!

Laura, con un gesto maquinal, echó un vistazo a su alrededor para cerciorarse de que nadie hubiera oído aquel juramento de su amiga. Estaban solas, por supuesto, en un apacible día de verano: la estación del año que ella prefería. Su mirada no se apartaba de la casa encaramada en lo alto de la colina detrás de ellas. Era su hogar, su refugio seguro, y le gustaba contemplar sus caprichosos remates, sus ventanales en arco, las rojizas tejas de la cubierta, cuya arcilla seguía cociéndose bajo el sol californiano.

En ocasiones pensaba en la casa como si se tratara de un castillo, y ella una princesa. Últimamente había comenzado a imaginar la existencia de un príncipe que se presentaría un día montando su caballo para llevársela de allí al amor, al matrimonio y a un destino de eterna felicidad.

—Yo solo quiero a uno —murmuró—. Y, si algo le sucediera, partiría mi corazón para siempre.

—Pero nunca te arrojarías por un acantilado… —El carácter pragmático de Kate no concebía esa posibilidad. Puedes matarte por cometer un fallo en un vuelo de rutina o en el intento de bombardear un objetivo, pero… ¿por un chico? ¡Eso era ridículo!—. Tendrías que esperar a ver qué ocurría después.

También ella observaba la casa, Templeton House, que era ahora su hogar. Se decía que, de ellas tres, era la única que comprendía lo que era afrontar lo peor y esperar. Tenía ocho años cuando perdió a sus padres; había visto cómo se abría un abismo bajo sus pies y la ponía al borde del hundimiento. Pero los Templeton la habían acogido en su casa, le habían dado su cariño y, aunque no era más que una prima segunda de la inestable rama colateral de los Powell, la habían acogido como miembro de su propia familia. Siempre era prudente esperar.

—Yo sé bien lo que haría: gritaría y maldeciría a Dios —decidió Margo. Lo hizo así ahora, fingiendo con la facilidad de un camaleón una actitud de abrumador dolor—. Después, tomaría mi dote y me iría a navegar por el mundo, a verlo todo, a hacerlo todo. A ser todo lo que quisiera. —Alzó los brazos, satisfecha por la forma como el sol los acariciaba.

Se sentía feliz en Templeton House. Era el único hogar que recordaba. Tenía solo cuatro años cuando su madre dejó Irlanda y se trasladó a trabajar a California. Aunque siempre la habían tratado como a alguien de la familia, jamás olvidaba que era la hija de una sirvienta. Pero ambicionaba ser más. Mucho más. Sabía lo que quería su madre para ella: una buena educación, un buen trabajo, un buen marido. Sin embargo... ¿podía haber algo más aburrido? Ella no iba a parecerse a su madre... Por nada del mundo accedería a marchitarse y convertirse en una solterona antes de cumplir los treinta años.

Su madre era una mujer joven y bella, se decía Margo. Aun cuando ella restara importancia a ambas cosas, eran dos realidades. Sin embargo, jamás había sacado partido de su juventud o su belleza para salir con hombres o tener una vida social. Y, además..., ¡era tan terriblemente estricta! «No hagas esto, Margo; no hagas eso otro... Eres demasiado joven para ponerte lápiz de labios y colorete.» Preocupada, temerosa siempre de que su hija fuera demasiado apasionada, demasiado terca, demasiado ansiosa de elevarse por encima de su condición. Cualquiera que fuese esa condición, pensaba Margo.

Se preguntaba si su padre habría sido también un hombre apasionado. ¿Habría sido un buen mozo, además? Desde hacía algún tiempo, Margo había comenzado a preguntarse si su madre se había visto obligada a casarse con él..., como suele ocurrirles a las chicas. No podía haberse casado por amor porque, de haber sido así, ¿por qué no hablaba nunca de él? ¿Por qué no tenía fotos, recuerdos y anécdotas del hombre con el que se había casado y que había perdido durante una galerna en el mar?

Por eso ahora Margo miraba al mar y pensaba en su madre. Ann Sullivan no era una Serafina, se dijo. Ella no se dejó vencer por la pena y la desesperación: se limitó a volver la página y a olvidar.

Después de todo, tal vez no había obrado mal al hacerlo. Si permitías que un hombre significara demasiado para ti, sufrirías también demasiado cuando se marchara. Eso no implicaba que tuvieras que dejar de vivir. Pero, aun cuando no saltes por un acantilado, hay otras muchas formas de poner fin a la vida.

«¡Ojalá mamá lo pensara!», se dijo, y después sacudió resueltamente la cabeza y volvió la mirada hacia el mar. No quería pensar ahora en eso, en que nada de cuanto hacía o quería parecía merecer la aprobación de su madre. Esa idea la agitaba vivamente por dentro. Mejor no darle vueltas.

Pensaría más bien en los lugares que visitaría algún día, en las personas que conocería. Su vida en Templeton House, el hecho de formar parte del mundo en que se movían los Templeton con tanta naturalidad, le había permitido saborear ya los placeres del vivir a lo grande. Los hoteles de fábula que tenían en tantas ciudades excitantes… Algún día se alojaría en ellos y se movería como pez en el agua por las habitaciones de su suite…, como en el hotel Templeton de Monterey, con sus pasmosos dos niveles, muebles elegantes y flores por todas partes. Tenían una cama digna de una reina, con dosel y mullidos almohadones tapizados de seda.

Cuando le había comentado todo esto al señor T., él se había reído, la había abrazado y le había dejado dar saltos en aquella cama. Jamás olvidaría la sensación que le había producido acurrucarse entre aquellos almohadones blancos y perfumados. La señora T. le había dicho que aquella cama provenía de España y que tenía doscientos años de antigüedad.

Algún día ella poseería también cosas importantes y hermosas como aquella cama. No precisamente para cuidarlas, como hacía su madre, sino para tenerlas. Porque cuando las tienes y son tuyas, te hacen a ti también importante y hermosa.

—Cuando encontremos la dote de Serafina, seremos ricas —anunció Margo, y Kate soltó un nuevo bufido:

—Laura ya es rica —señaló con toda lógica—. Y, si la encontráramos, tendríamos que depositarla en el banco hasta que seamos mayores.

—Yo me compraré todo lo que quiera —anunció Margo, al tiempo que se incorporaba y ceñía sus rodillas con los brazos—. Vestidos, joyas y cosas hermosas. Y un coche.

—Aún no tienes edad para conducir —observó Kate—. Yo invertiré una parte, porque, como dice tío Tommy, hace falta dinero para ganar dinero.

—Eso es muy aburrido, Kate —le reprochó Margo propinando a esta una afectuosa palmada en el hombro—. Eres muy sosa. Te diré qué podemos hacer con ese dinero: realizar un viaje alrededor del mundo. Las tres. Iremos a Londres, a París y a Roma. Y nos alojaremos en los hoteles Templeton, porque son los mejores de todos.

—Será como una fiesta interminable, siempre juntas —dijo Laura, dejándose llevar por el impulso de la fantasía. Ella ya había estado en Londres, en París y en Roma, y le habían parecido ciudades espléndidas. Pero en ningún lugar había visto nada más hermoso que allí, en Templeton House—. Estaremos levantadas toda la noche, y bailaremos solo con los hombres más apuestos. Después volveremos a Templeton House y permaneceremos siempre juntas.

—¡Pues claro que estaremos siempre juntas! —exclamó Margo, pasando el brazo primero por los hombros de Laura y después por los de Kate. Para ella su amistad era algo fuera de toda cuestión—. Ya somos grandes amigas, ¿no? Pues cada día lo seremos más.

Se oyó de pronto el ruido de un motor y ella se levantó de un salto y puso enseguida cara de desdén.

—¡Ya está aquí Josh con uno de sus repelentes amigos!

—No dejes que te vea —dijo Kate tirando con fuerza de la mano de Margo. Josh podía ser hermano de Laura por nacimiento, pero por temperamento era también el vivo retrato de Kate, lo que hacía muy auténtico el desprecio de esta—.

Vendrá solo a incordiarnos. Se cree alguien ahora que sabe conducir.

—No viene a molestarnos —dijo Laura poniéndose en pie para ver quién viajaba a su lado en el pequeño y veloz descapotable. Al reconocer los cabellos oscuros y alborotados, hizo una mueca—: ¡Oh, es solo ese gorila de Michael Fury! No entiendo por qué Josh tiene que ir a todas partes con él.

—Pues porque es un tipo peligroso —Margo podía tener solo doce años, pero algunas mujeres nacen con la capacidad de reconocer y valorar a un hombre peligroso. Sin embargo, ella tenía ahora los ojos fijos en Josh.

Se decía a sí misma que era porque la irritaba con su actitud de heredero obvio, de príncipe dorado perfecto, empeñado en tratarla continuamente como a una hermana menor algo estúpida, cuando cualquiera que tuviese ojos podía ver que ya era casi una mujer.

—¡Eh, mocosas! —les gritó y, con la estudiada frialdad de sus dieciséis años, se reclinó en el asiento del conductor del vehículo, cuyo motor giraba ahora al ralentí. La radio del coche atronaba el espacio con las notas de «Hotel California» de Los Eagles, que danzaban en la brisa del verano—. ¿Todavía buscando el tesoro de Serafina?

—Solo estamos disfrutando del sol y de la tranquilidad —dijo Margo. Pero fue ella misma quien anuló la distancia, caminando despacio hacia ellos sin mirar atrás. Los ojos de Josh le sonreían por debajo de una mata de cabellos rubios, dorados por el sol y agitados por el viento. Los de Michael Fury, sin embargo, se escondían detrás de unas gafas de sol con cristales de efecto espejo, lo que le impedía saber hacia dónde miraban. Tampoco la interesaba demasiado, pero se inclinó sobre la portezuela del coche y dijo con su mejor sonrisa—: ¡Hola, Michael!

—Hola —respondió él.

—Estas chicas andan correteando siempre por los acantilados —informó Josh a su amigo—, convencidas de que cualquier día van a pisar un montón de doblones de oro. —Dedicó un gesto despectivo a Margo.

Era mucho más fácil burlarse de ella que considerar por un instante el aspecto que tenía con aquellos ajustados pantaloncitos cortos. ¡Joder! Era solo una cría y, prácticamente, una hermana suya además, así que corría el riesgo de ir a freírse en el infierno si albergaba aquellos extraños pensamientos acerca de ella.

—Algún día los encontraremos.

Margo se inclinó más aún, para que él pudiera oler su fragancia. Arqueó una ceja, atrayendo la atención del muchacho hacia el lunar que tenía en la punta de ella, coqueteando. Sus cejas tenían un tono algo más oscuro que el rubio más pálido de sus cabellos. Y sus pechos, que parecían abultarse más cada vez que un muchacho pestañeaba al mirarlos, se perfilaban claramente bajo la ajustada camiseta. Como notaba la boca dolorosamente seca, a Josh la voz le salió aguda y burlona.

—Deja de soñar, duquesa. Vosotras, chicas, volved a vuestros juegos. Nosotros tenemos cosas mejores que hacer. —Y, tras esto, pisó con fuerza el acelerador y se alejó de ellas sin dejar de seguir observando a Margo por el ojo, ya hecho al espejo retrovisor.

El corazón de mujer de Margo quedó palpitando confusamente. Se echó hacia atrás los cabellos y siguió con la vista al pequeño automóvil que se alejaba como una bala. Era fácil burlarse de la hija de un ama de llaves, pensó mientras la ira burbujeaba en su pecho. Pero, cuando fuera rica y famosa…

—Algún día lamentará haberse reído de mí.

—Tú ya sabes que no lo dice en serio, Margo —trató de apaciguarla Laura.

—No…, es solamente un hombre —dijo Kate encogiéndose de hombros—. Un perfecto asno.

Aquello hizo reír a Margo, y cruzaron juntas la carretera para comenzar la subida de la colina hasta Templeton House. «Algún día —se dijo de nuevo—. Algún día.»

1

A sus dieciocho años, Margo sabía exactamente lo que deseaba. Que era lo mismo que había querido a los doce: todo. Pero ahora ya había resuelto cómo haría para conseguirlo. Pensaba valerse para ello de su belleza, que era el mejor, y tal vez el único talento que creía tener. Se veía con cualidades para actuar o, como mínimo, para aprender a hacerlo. Tenía que resultarle más fácil que el álgebra o la literatura inglesa o cualquiera de las demás atosigantes materias de la escuela. Pero, en cualquier caso, de una forma u otra, iba a ser una estrella. Y lo haría por su cuenta.

Lo había decidido la noche antes. La noche antes de la boda de Laura. ¿Acaso era egoísmo por su parte sentirse tan mal por el hecho de que Laura estuviera a punto de casarse?

Era casi la misma sensación de abandono que había tenido cuando, el verano anterior, el señor y la señora T. habían viajado a Europa con Laura, Josh y Kate para pasar allí un mes entero. Ella había tenido que quedarse en la casa porque su madre había rechazado el ofrecimiento de los Templeton de llevarla. Margo se moría de ganas de ir, lo recordaba bien, pero ninguno de sus ruegos, ni los de Laura y Kate, habían conseguido que Ann Sullivan cediera un milímetro en su decisión.

—Tu puesto no está en recorrer Europa alojándote en hoteles de ensueño —le había dicho mamá—. Los Templeton ya han sido suficientemente generosos contigo para que ahora esperes de ellos algo más.

Y por eso se había quedado en la casa, ganándose la vida,

como decía su madre, quitando el polvo, abrillantando y aprendiendo a mantener la casa limpia. Y ella se había sentido muy desgraciada. Pero, como se decía a sí misma, eso no la hacía egoísta. Porque su sentimiento no nacía de que no quisiera que Kate y Laura pasaran unos días maravillosos: era, simplemente, que deseaba estar con ellas.

Tampoco ahora se trataba de no querer que el matrimonio de Laura fuera maravilloso. Simplemente: no soportaba perderla. ¿La hacía eso egoísta? Esperaba que no, porque, si se sentía desgraciada, no era solo por ella, sino también por Laura. Porque se le hacía insufrible la idea de ver que Laura se ataba a un hombre y al matrimonio sin haberse concedido a sí misma una oportunidad de vivir.

¡Dios…! ¡Y Margo deseaba tanto vivir!

Por eso había hecho ya su equipaje. En cuanto Laura partiera para su luna de miel, Margo se pondría en camino hacia Hollywood.

Echaría de menos Templeton House, y al señor y a la señora T., sí, y echaría también de menos a Kate y a Laura, e incluso a Josh. Añoraría, por supuesto, a su madre, aunque sabía que aún habría escenas desagradables entre las dos antes de que se cerrara la puerta. ¡Habían tenido ya tantas discusiones sobre el tema…!

En los últimos tiempos, la universidad había sido el centro de sus desavenencias. La universidad y la inflexible negativa de Margo a continuar su educación. Sabía que se moriría si hubiera de dedicar cuatro años más a libros y clases. ¿Y qué necesidad tenía de entrar en la universidad, si ya había decidido cómo quería vivir y hacer fortuna?

Ahora mismo, su madre estaba demasiado ocupada para discutir. En su condición de ama de llaves, Ann Sullivan solo tenía en la cabeza el banquete de bodas. El enlace se celebraría en la iglesia; desde allí todas las limusinas tomarían la autopista 1, como grandes y resplandecientes embarcaciones, y seguirían colina arriba hasta Templeton House.

La casa estaba ya impecable, pero Margo imaginaba a su madre batallando en algún lugar de ella con el florista por los adornos florales. Todo tenía que estar más que perfecto para la boda de Laura. Margo sabía lo mucho que quería su propia madre a Laura, y no sentía envidia por ello. Pero sí le sabía mal que su madre quisiera que ella se pareciera a Laura. Porque ella nunca podría serlo. Ni lo deseaba.

Laura era cariñosa, era dulce, perfecta. Margo era consciente de no poseer ninguna de esas cualidades. Laura jamás discutía con su madre tal como lo hacían Margo y Ann cuando regañaban como dos gatas. Pero, por otra parte, la vida de Laura carecía de problemas y de complicaciones. Jamás había tenido que inquietarse por su puesto, ni por su futuro. Conocía ya Europa, ¿no? Podía elegir entre quedarse para siempre en Templeton House, si quería… O bien, si deseaba trabajar, ahí estaban a su disposición todos los hoteles Templeton…, para elegir el que la apeteciera.

Margo tampoco era como Kate, tan estudiosa y decidida. No tenía el proyecto de salir corriendo para Harvard al cabo de unas semanas para ponerse a conseguir una titulación que la permitiera llevar libros de contabilidad y estudiar legislación fiscal. ¡Menudo aburrimiento! Pero así era Kate, que prefería leer las páginas del *Wall Street Journal* a hojear las seductoras ilustraciones de *Vogue,* y que se sentía feliz conversando durante horas con el señor T. a propósito de tasas de interés y rendimientos financieros.

No, ella no deseaba ser Kate ni Laura, por más que las quisiera a las dos. Deseaba ser Margo Sullivan. Y ahora pretendía disfrutar siendo Margo Sullivan. «Algún día tendré una casa tan hermosa como ésta», se decía a sí misma, al tiempo que bajaba por la escalera principal deslizando su palma por el brillante pasamanos de caoba.

La escalera trazaba una larga y elegante curva, y en lo alto, como un sol, colgaba una centelleante araña de cristal de Waterford. ¿Cuántas veces la había visto lanzar su seductora luz sobre las brillantes baldosas de mármol blanco y azul eléctrico del hogar, arrojando elegantes reflejos sobre los ya elegantes huéspedes que acudían a las maravillosas fiestas por las que eran famosos los Templeton?

Recordó ahora que la casa estaba siempre llena de risas y música en las fiestas de los Templeton, tanto cuando los invitados se encontraban sentados formalmente a la larga y estilizada mesa del comedor, bajo los candelabros gemelos, como cuando deambulaban libremente por las habitaciones, charlando mientras bebían champán o absortos en íntima conversación en un confidente.

Algún día ella daría también fiestas maravillosas, y confiaba en que sería una anfitriona tan cordial y agradable como lo era la señora T. ¿Se heredaban esas cualidades a través de la sangre o cabía aprenderlas? Porque, si se podían aprender, ella aprendería.

Su madre le había enseñado a disponer las flores así…, como aquellas resplandecientes rosas blancas que en el alto jarrón de cristal adornaban la mesita Pembroke del vestíbulo. «Fíjate cómo se reflejan en el espejo», pensó. Altas y puras, en el centro de un abanico de helechos.

«Estos son los detalles que hacen de una casa un hogar», se recordó a sí misma. Flores y jarrones hermosos, candelabros y madera barnizada con amor. Los olores, la forma como la luz se colaba por las ventanas, el tictac de los antiguos relojes… Todo eso era lo que recordaría cuando estuviera lejos de allí. No solo los pasillos abovedados que permitían el paso de una habitación a otra, o los intrincados y bellos motivos de cerámica dispuestos como decoración alrededor de la amplia y alta puerta de entrada. Recordaría el olor de la biblioteca después de que el señor T. hubiera encendido dentro uno de sus cigarros y la forma como resonaba la estancia cuando se reía.

También recordaría las veladas de invierno, cuando ella, Laura y Kate se tumbaban sobre la alfombra frente al fuego encendido en la chimenea de la sala de estar…, el rico brillo de la repisa de lapislázuli, la sensación de calor en sus mejillas, la manera como Kate se reía cuando iba ganando un juego.

Se imaginaría las fragancias de la salita de la señora T. Polvos, perfumes y ceras. Y su sonrisa cuando Margo entraba para hablar con ella. Porque Margo siempre tenía acceso a la señora T. cuando quería decirle lo que fuera.

¡Y su habitación! Siempre recordaría que los Templeton le habían permitido elegir el papel de las paredes cuando cumplió dieciséis años. Y que incluso su madre había sonreído y aprobado su elección de aquel papel de color verde pálido salpicado de lindas azucenas. ¡La de horas que había pasado en aquella habitación sola, o con Laura y Kate…! Charlando, charlando, charlando… Haciendo planes. Soñando despiertas.

«¿Estaré actuando bien ahora?», se preguntó con una leve punzada de pánico. ¿Cómo podía hacerse a la idea de dejarlo todo, todo cuanto conocía y amaba?

—¿Haciéndote la interesante otra vez, duquesa? —Josh acababa de entrar en el vestíbulo.

Aún no iba vestido para la boda, pues llevaba unos chinos y una camiseta de algodón. A sus veintidós años, se había convertido en un muchacho bien plantado, y su estancia en Harvard le había sentado de maravilla.

Margo pensó, malhumorada, que su apostura parecería algo acartonada cuando se cambiara. Seguía siendo el niño mimado de la casa, aun cuando su rostro hubiera perdido ya la inocencia infantil. Era astuto, con los ojos grises de su padre y la atractiva boca de la madre. Sus cabellos se habían oscurecido para adoptar el tono del bronce, y el estirón final de su último año de instituto había elevado su estatura hasta casi el metro noventa.

Margo deseaba que fuera feo. Deseaba que la apariencia no fuera importante. Que la mirara, siquiera una vez, como si fuera algo más que un simple incordio.

—Estaba pensando… —respondió, pero se quedó en la escalera como estaba, con la mano apoyada en la barandilla.

Era consciente de que jamás había tenido mejor aspecto. Su vestido de dama de honor de la novia era el modelo más precioso que había poseído jamás. Precisamente por eso se lo había puesto temprano, para disfrutar de él todo cuanto le fuera posible.

Laura había elegido el azul celeste para que hiciera juego con los ojos de Margo, y una seda frágil y fluida como si fuera agua. El amplio vuelo destacaba la espléndida figura de la muchacha, y las largas y exageradas mangas daban realce a su piel marfileña y cremosa.

—Te estás apresurando, ¿no crees? —Las palabras se le atropellaron porque, como cada vez que la miraba, sentía el ramalazo del deseo al igual que un puñetazo ardiente en sus entrañas. Tenía que ser solo deseo por la misma facilidad con que se le despertaba—. Aún faltan dos horas para la boda.

—Es casi lo que necesitaré para arreglar a Laura. La he dejado con la señora T… Pensé que… bueno, que necesitaban estar a solas un par de minutos.

—¿Llorando otra vez?

—Las madres lloran el día que las hijas se casan porque saben muy bien en dónde se meten.

Él se rió y le tendió la mano.

—¿Sabes, duquesa? Serías una novia interesante…

Margo tomó la mano que le ofrecía. A lo largo de los años, sus dedos se habían entrelazado cientos de veces. No pasó nada diferente esta vez.

—¿Es un cumplido? —le preguntó.

—Más bien una observación.

Josh la acompañó así a la sala, donde los candelabros de plata sostenían finas velas blancas y se habían dispuesto suntuosos arreglos florales: jazmín, rosas, gardenias… Todas blancas sobre fondo blanco y aportando su fragancia a la embriagadora atmósfera de la habitación en la que la luz entraba a raudales por las altas y arqueadas ventanas. En la repisa de la chimenea había varias fotos enmarcadas en plata. Ella estaba allí, pensó Margo, como parte de la familia. Sobre el piano estaba el frutero de cristal tallado de Waterford en el que Margo había gastado inconscientemente sus ahorros con ocasión de las bodas de plata de los Templeton.

Trató de grabarlo bien todo en su memoria, todos y cada uno de los detalles. Los suaves colores de la alfombra de Aubusson, la delicada talla de las patas de las sillas Reina Ana, la intrincada marquetería del mueble de música…

—¡Es tan hermoso todo…! —murmuró.

—¿Cómo dices? —Josh estaba ocupado en romper el precinto de estaño de una botella de champán que había traído de la cocina.

—La casa. ¡Está preciosa!

—Annie se ha superado —asintió él refiriéndose a la madre de Margo—. Va a ser una boda sensacional.

Fue su tono lo que hizo que Margo volviera la mirada a él. Conocía tan bien todos los matices de su expresión, los sutiles tonos de voz…

—No te cae bien Peter —dijo.

Josh se encogió de hombros y descorchó la botella con una diestra presión del pulgar.

—Yo no voy a casarme con Ridgeway. Es Laura quien se casa.

Margo sonrió:

—Yo no lo soporto. Estirado, siempre con aires de superioridad…

Él le devolvió la sonrisa, relajado de nuevo.

—Tú y yo solemos coincidir acerca de las personas, aunque no sea en mucho más.

—Probablemente coincidiríamos más si no disfrutaras metiéndote conmigo —replicó Margo al tiempo que, consciente de que él aborrecía aquel gesto, le daba un cachetito en la mejilla.

—Mi obligación es meterme contigo. —Le agarró la muñeca, torciéndosela—. Te sentirías desatendida si no lo hiciera.

—Te has vuelto más desagradable todavía, ahora que has conseguido un título de Harvard. —Tomó una copa—. Por lo menos, finge ser un caballero. Sírveme un poco de champán, anda. —Viendo que él la miraba con aire dubitativo, puso los ojos en blanco—. ¡Por amor de Dios, Josh…! Tengo dieciocho años. Si Laura tiene ya edad para casarse con ese memo, yo soy lo bastante mayor para beber champán.

—Solo una copa —replicó Josh, poniendo tono de hermano mayor—. No quiero que después vayas haciendo eses por el pasillo.

Notó con divertida desilusión que ella lo miraba como si hubiera nacido con una copa de champán en las manos…, y hombres a sus pies.

—Supongo que deberíamos brindar por la novia y el novio —dijo ella frunciendo los labios, como si estudiara las burbujas que surgían tan alegremente en la copa—. Pero temo atragantarme y me sabría mal echar todo a rodar. —Hizo una mueca y bajó la copa—. ¡Es todo tan rematadamente serio…! Odio ser vulgar, pero me parece que no puedo evitarlo.

—No es ser vulgar: es ser sincero —dijo él encogiéndose de hombros—. Quizá podamos ser vulgares y sinceros juntos. Y con Laura luego. Espero que sepa bien lo que está haciendo.

—Ella le quiere —dijo Margo, que bebió un sorbo y decidió que el champán sería en adelante su bebida predilecta—. Solo Dios sabe por qué, o por qué piensa que tiene que casarse para poder acostarse con él.

—¡Qué manera de hablar una señorita!

—Bueno…, seamos realistas. —Se acercó a la puerta del jardín y dejó escapar un suspiro—. El sexo es una razón estúpida para querer casarse. En realidad, yo no creo que exista ninguna buena razón para hacerlo. Bien es verdad que Laura no va a casarse con Peter solo por el sexo… —Impaciente, golpeó con el dedo el cristal y prestó atención al tintineo—. Es demasiado romántica. Él es mayor, tiene más experiencia, más encanto…, para quien le guste eso. Y, además, está ya metido en este negocio, de forma que podrá introducirse enseguida en el imperio Templeton y dirigirlo para que ella pueda seguir viviendo en esta casa o elegir alguna otra cerca. Probablemente es la solución perfecta para ella.

—No te eches a llorar ahora…

—No, no voy a hacerlo, de veras… —La ayudó, sin embargo, sentirse confortada por la mano que él había apoyado en su hombro y se inclinó hacia él—. Es que voy a echarla tanto de menos…

—Regresarán dentro de un mes.

—Yo ya no estaré aquí. —No había querido decirlo, al menos a él, y ahora que se le había escapado, dio al punto marcha atrás—. No se lo digas a nadie. Necesito decírselo yo personalmente.

—Decirles ¿qué? —A Josh no le hacía ninguna gracia la sensación de nudo que se le había formado en el estómago—. ¿Dónde demonios piensas ir?

—A Los Ángeles. Esta noche.

Muy propio de ella, pensó Josh, al tiempo que sacudía la cabeza.

—¿Qué ocurrencia es esta, Margo? —preguntó.

—No es ninguna ocurrencia. Lo he pensado mucho —tomó un sorbo más y se alejó de él. Le resultaba más sencillo ser clara cuando no podía apoyarse en él—. Tengo que empezar a vivir por mi cuenta. No puedo quedarme aquí para siempre.

—La universidad…

—Eso no es para mí. —Se le iluminaron los ojos con el frío fuego azul del centro de una llama. Iba a emprender algo por su cuenta. Y, si era egoísta, ¡pues que lo fuera!—. Eso es lo que quiere mamá, pero no lo que quiero yo. Y no puedo seguir viviendo aquí como la hija del ama de llaves.

—No seas ridícula. —Se sentía capaz de rechazar aquella idea como quien sacude una pelusilla en la tela—. Tú eres de la familia.

Margo no podía discutírselo, pero, con todo...

—He de empezar a vivir mi propia vida —dijo tercamente—. Vosotros habéis empezado a hacerlo. Tú vas a ir a la facultad de derecho. Kate irá pronto a Harvard a pasar allí todo un año gracias a su talento. Laura se casa.

Él la entendió ahora y su primera reacción fue desdeñosa:

—Estás compadeciéndote de ti misma... —le dijo.

—Quizá sí. ¿Tiene algo de malo? —Se sirvió más champán en su copa, desafiándolo—. ¿Por qué está mal sentir algo de compasión por una misma, cuando todos los que te importan van a hacer lo que quieren y tú no? Bueno.... Voy a hacer lo que quiero.

—Ir a Los Ángeles..., ¿y luego?

—Buscaré trabajo. —Bebió otro sorbo, considerando la pregunta, viéndose perfectamente a sí misma. Centrada bajo los focos de su excitación—. Trabajaré como modelo. Mi cara aparecerá en las portadas de todas las revistas importantes de allí.

Tenía cara para ello, pensó él. Y un cuerpo adecuado. Irresistible. Despampanante, de una belleza casi criminal.

—¿Y esa es toda tu ambición? —preguntó, fingiendo una media sonrisa—. ¿Conseguir que te fotografíen?

Margo levantó la barbilla y lo escrutó con la mirada.

—Voy a ser rica, y famosa, y feliz. Y lo voy a conseguir por mí misma, sin que papaíto y mamaíta tengan que pagar dinero para que yo salga adelante. Yo no tendré detrás una confortable fortuna para respaldarme.

Los ojos de Josh se contrajeron peligrosamente:

—No te metas conmigo, Margo. Tú no sabes lo que es trabajar, asumir responsabilidades para abrirte camino.

—¡Ah! ¿Y tú sí? Nunca has tenido que preocuparte por nada más que chasquear los dedos para que se presentara un criado con bandeja de plata y te sirvieras.

Herido como si hubiera sido insultado, le replicó furioso:

—Pues tú has comido de esa maldita bandeja durante la mayor parte de tu vida.

El rubor de la vergüenza encendió las mejillas de Margo.

—Puede que eso sea cierto, pero a partir de ahora compraré mis propias fuentes.

—¿Con qué? —preguntó él, abarcando con sus tensos dedos el rostro de la muchacha—. ¿Con tu linda cara? Mira, duquesa... Las calles de Los Ángeles están llenas de mujeres hermosas. Te engullirán y te escupirán antes de que sepas qué te ha golpeado.

—¡Que te crees tú eso! —dijo ella, sacudiendo la cabeza para liberarse—. Seré yo quien me las coma, Joshua Conway Templeton. Y ninguno va a poder detenerme.

—¿Por qué no nos haces a todos el favor de pensar por una vez en tu vida antes de meterte en algo de lo que todos tendremos que sacarte? ¡En mal momento te pones a actuar así! —Dejó su copa para poder meterse las manos en los bolsillos—. Es el día de la boda de Laura; mis padres están medio desquiciados porque piensan que es demasiado joven. Tu misma madre va de un lado para otro con los ojos rojos de llorar.

—No pienso estropear el día de la boda de Laura. Aguardaré a que hayan salido para la luna de miel.

—¡Cuánta consideración por tu parte! —Dio una vuelta sobre sí mismo echando chispas—. ¿Se te ha ocurrido pensar en cómo va a sentirse Annie si te vas?

Margo se mordió el labio inferior.

—No puedo ser lo que ella quiere que sea. ¿Es que no hay nadie capaz de entenderlo?

—¿Y qué crees que sentirán mis padres pensando que estás sola en Los Ángeles?

—No vas a conseguir que me sienta culpable —murmuró Margo, aunque era eso precisamente lo que sentía—. Ya me he decidido.

—¡Maldita sea, Margo! —la agarró por los brazos, haciéndole perder el equilibrio, de forma que fue a caer sobre él.

Con tacones altos, sus ojos quedaban a la misma altura que los de él.

El corazón le golpeaba dolorosamente contra las costillas. Pensó…, sintió…, que algo iba a ocurrir. Allí mismo. En aquel preciso instante.

—Josh… —dijo en voz baja, con la voz ronca y temblorosa.

Sus dedos se clavaban en los hombros de él y en su interior bullía todo, anhelante.

Un fuerte ruido de pasos en la escalera hizo que los dos se enderezaran. Cuando Margo pudo arreglárselas para recobrar la respiración, él tenía los ojos clavados en ella. Kate entraba en la habitación en aquel instante, taconeando con fuerza.

—¡No puedo creer que tenga que vestirme con algo semejante! Siento que parezco una idiota. Las faldas largas son muy poco prácticas y no haces más que tropezarte con ellas. —Kate dejó de tirarse del elegante vestido de seda que llevaba puesto y miró pensativa a Margo y a Josh. Por un momento le parecieron dos lustrosos gatos a punto de enzarzarse en una pelea—. ¿Estáis pensando vosotros dos en tener una riña ahora? Yo estoy al borde de un ataque. Dime, Margo… ¿Te parece a ti bien este vestido? Y, si es así, ¿por qué? ¿Es champán eso? ¿Puedo tomar un poco?

La mirada de Josh siguió fija en Margo unos instantes más, indecisa.

—Ahora iba a subírselo a Laura —respondió.

—¡Ponme un sorbo antes, corcho! —Contrariada, Kate siguió con la mirada a Josh mientras este abandonaba la sala—. ¿Qué diablos le pasa? —preguntó.

—Lo de siempre: que es un arrogante sabelotodo. No lo aguanto —dijo Margo rechinando los dientes.

—Ah, bueno…, si no es más que eso, hablemos de mí. Ayúdame —le pidió, extendiendo los brazos.

—Kate… —Margo se llevó las yemas de los dedos a las sienes y suspiró después—. Mira, Kate…, estás maravillosa. Salvo por ese corte de pelo que te han hecho.

—¿A qué te refieres? —Kate se remetió unos mechones por debajo del exiguo sombrerito negro—. El pelo es lo mejor que tengo. Apenas puedo peinarlo.

—Y que lo digas. Bueno..., en cualquier caso, lo taparemos bien con el sombrero.

—De eso precisamente quería hablarte: del sombrero.

—Te lo pondrás. —Instintivamente, Margo le tendió su copa de champán para compartirla entre ambas—. Te hace muy elegante. Muy a lo Audrey Hepburn.

—Lo haré por Laura —murmuró Kate, que luego se dejó caer con poca gracia en una silla y cruzó una sobre otra las piernas por debajo del vestido de seda, ayudándose con el brazo—. Tengo que decírtelo, Margo. Peter Ridgeway me da mala espina.

—¡Bienvenida al club!

Los pensamientos de Margo seguían puestos en Josh. ¿De verdad había estado a punto de besarla? No, aquella idea era ridícula. Lo más probable era que hubiera querido sacudirla como un chiquillo irritado porque su juguete no funcionaba a su antojo.

—No te sientes así, Kate. Arrugarás el vestido.

—¡Vaya por Dios! —dijo Kate, al tiempo que se incorporaba a regañadientes como un lindo potrillo de ojos desmesuradamente abiertos—. Sé que esto no les hace felices a tío Tommy y a tía Susie. Tratan de aparentarlo porque Laura es tan dichosa que prácticamente irradia felicidad. Y yo también quiero sentirme dichosa por ella, Margo.

—Lo seremos, pues. —Margo se sacudió de encima todas sus preocupaciones acerca de Josh, las de su futuro, las de Los Ángeles. Lo importante ahora era Laura—. Tenemos que apoyar a los que queremos, ¿no?

—Aun cuando hayan perdido la chaveta —dijo Kate suspirando, y tendió a Margo la copa de champán—. Entonces, supongo que deberíamos subir para estar a su lado.

Subieron al piso de encima. Ya en la puerta del cuarto de Laura se detuvieron un momento y unieron sus manos.

—No me explico por qué estoy tan nerviosa —murmuró Kate—. Se me revuelve el estómago.

—Es porque estamos juntas en esto —dijo Margo apretándole la mano—. Como siempre —añadió abriendo la puerta.

Laura estaba sentada ante el tocador, dando los últimos toques a su maquillaje. Con su larga bata blanca, parecía ya la novia perfecta. Llevaba recogidos sus cabellos rubios, pero algunos rizos le caían, coqueteando, alrededor de la cara. Susan estaba detrás, ataviada ya para la ceremonia con un vestido de color rosa intenso con aplicaciones de encaje.

—Son perlas antiguas —estaba diciendo sin darle importancia. En la superficie resplandeciente del espejo, enmarcado en palisandro tallado, sus ojos se encontraban con los de su hija—. De tu abuela Templeton. —Le ofreció a Laura unos preciosos pendientes—. Me los dio el día de mi boda. Ahora son tuyos.

—¡Oh, mamá! Vas a hacerme llorar otra vez.

—Ni hablar de eso ahora —intervino Ann Sullivan. Estaba muy elegante y discreta con su mejor vestido azul marino, con sus cabellos de color rubio oscuro cortos y ondulados—. Nuestra novia no puede tener hoy los ojos hinchados. Tienes que ponerte algo prestado, así que pensé… que podías llevar mi relicario bajo tu vestido.

—¡Oh, Annie…! —Laura se levantó de un salto para darle un abrazo—. Gracias, muchas gracias. ¡Me siento tan feliz!

—¡Ojalá puedas conservar el resto de tu vida la mitad de esa felicidad…!

Sintiendo que se le anegaban los ojos, Ann se aclaró la garganta y se apartó para alisar una vez más la colcha de flores de la cama con baldaquino de Laura.

—Será mejor que baje ahora a ver si la señora Williamson se está apañando con los proveedores.

—Seguro que a la señora Williamson le va bien —dijo Susan, reteniendo la mano de Ann, sabedora de que su cocinera de toda la vida era capaz de meter en cintura a los proveedores más quisquillosos—. Ah, aquí llegan las damas de honor; justo a tiempo para vestir a la novia. ¡Y qué guapísimas que están!

—Sí que lo están —asintió Ann, al tiempo que dirigía una mirada crítica a su hija y a Kate—. Señorita Kate, tendría usted que ponerse más lápiz de labios. Y tú menos, Margo.

—Bebamos antes una copa —dijo Susan tomando la botella de champán—, ya que Josh ha tenido la atención de subirnos esta botella.

—Nosotras hemos traído una copa —dijo Kate, omitiendo con pillería que ya habían bebido—. Por si acaso.

—Bueno…, supongo que la ocasión lo merece. Pero solo un sorbo —las previno Ann—. Os conozco, chicas, y sé que estaréis piripis cuando llegue la hora de la fiesta.

—Yo ya me siento un poco mareada —reconoció Laura observando las burbujas que se alzaban en su copa—. Pero quiero hacer un brindis, por favor. Por las mujeres de mi vida. Por mi madre, que me ha enseñado que el amor hace que florezca el matrimonio. Por mi amiga —añadió, volviéndose a Ann—, que me ha escuchado siempre. Y por mis hermanas, que han sido para mí la mejor de las familias. Os quiero muchísimo a todas.

—Ya está… —dijo Susan ocultando la cara en la copa—. ¡Adiós a mi maquillaje otra vez!

—Perdón, señora…, señora Templeton. —Una doncella acababa de asomarse a la puerta y miraba a Laura con los ojos muy abiertos. Después contaría en las habitaciones del servicio que había sido para ella algo parecido a una visión encontrarse de pronto con todas aquellas encantadoras mujeres de pie en la habitación y con la luz del sol entrando a raudales y trazando sobre ellas los delicados motivos de los ondulantes visillos de encaje—. Joe, el jardinero, está discutiendo con el hombre que ha venido a colocar las mesas y las sillas en el jardín.

—Ahora iré a ver —comenzó a decir Ann.

—Iremos las dos —dijo Susan, acariciando a Laura en la mejilla—. Trataré de estar ocupada para no andar con lloriqueos. Margo y Kate te ayudarán a vestirte, cariño. Es como debe ser.

—No os arruguéis los vestidos —ordenó Ann; pasó luego el brazo por los hombros de Susan, murmuró algo y salieron las dos de la habitación.

—¡No me lo puedo creer! —comentó Margo con una gran sonrisa—. Mamá estaba tan trastornada que ha dejado aquí la botella. ¡Bebamos, chicas!

—Bueno…, tal vez una copa más —decidió Kate—. Tengo tal tembleque en el estómago que temo vomitar.

—Como se te ocurra hacer eso, te mato —dijo Margo; luego, inconscientemente, bebió otro sorbo de champán. Le gustaba la singular sensación del cosquilleo bajando por la garganta y burbujeando después en su cerebro. Así quería sentirse el resto de su vida—. Vale, Laura…, veamos por fin cómo te queda ese maravilloso vestido.

—Está sucediendo realmente —murmuró Laura.

—Sí. Pero, si quieres volverte atrás…

—¿Volverme atrás? —Soltó una carcajada mientras Kate y Margo sacaban ya reverentemente de la funda protectora el vestido de seda color marfil, con su larga cola—. ¿Estáis locas? Esto es todo cuanto he soñado en la vida. Mi día de bodas, el comienzo de mi vida con el hombre que amo. —Con los ojos empañados, dio una vuelta sobre sí mientras se quitaba la bata—. ¡Es tan dulce, tan apuesto, tan amable y paciente!

—Está queriéndonos decir que no la ha presionado para darse el lote con ella —comentó Margo.

—Respetó que yo quisiera esperar a nuestra noche de bodas. —La expresión remilgada de Laura se trocó de pronto en un estallido de júbilo—. Yo no sé esperar.

—Ya te advertí que no era nada del otro mundo.

—Lo será cuando estés enamorada. —Se introdujo cuidadosamente en el vestido que Margo sostenía delante de ella—. Tú nunca estuviste enamorada de Biff.

—No, pero me moría de ganas de hacer el amor con él, lo que ya es algo. No estoy diciendo que no fuera agradable; lo fue. Pero pienso que es algo que requiere práctica.

—Tendré mucha práctica. —El corazón de novia de Laura palpitó con fuerza al pensarlo—. Como mujer casada, quiero decir. ¡Oh, miradme!

Se estaba viendo, atónita, en el espejo Chevel del dormitorio. Metros y metros de seda de color marfil en la que centelleaba el aljófar. Mangas de corte romántico abultadas en los hombros y ceñidas perfectamente después. Cuando Kate y Margo hubieron acabado de sujetar la cola, Kate la arregló para dejarla convertida en un artístico rebujo de seda bordada.

—El velo —dijo Margo conteniendo las lágrimas. Con la ventaja de su estatura, saltó con facilidad el montón de seda tendido limpiamente en el suelo y tomó de él unos metros de tul. Su amiga más querida, pensó mientras se le escapaba una lágrima. Su hermana del alma. En un momento crucial de su vida. No pudo contenerse—: ¡Oh, Laura…! Pareces la princesa de un cuento de hadas. De verdad que sí.

—Me siento hermosa. Absolutamente hermosa.

—Sé que he dicho muchas veces que era un vestido demasiado recargado —se las arregló Kate para decir, sonriendo con ojos llorosos—. Pero me equivocaba. Es perfecto. Ahora mismo voy a buscar mi máquina de fotos.

—¡Como si no fuéramos a tener un millón y medio de fotos una vez que concluya la ceremonia! —exclamó Margo cuando Kate salió apresuradamente del cuarto—. Yo iré a buscar al señor T. Ya te veré luego en la iglesia…, espero.

—Sí. Sé que algún día tú y Kate vais a sentiros tan felices como yo me siento ahora. Y ya estoy deseando participar de esa felicidad vuestra.

—Acabemos contigo primero.

Margo salió de la habitación, pero ya en la puerta se volvió de nuevo a mirar. Temía que nada ni nadie conseguiría hacerla sentir lo que fuera que iluminaba de esa forma los ojos de Laura. Por eso se dijo, mientras cerraba suavemente la puerta, que ella se contentaría con conseguir fama y fortuna.

Encontró al señor T. en su dormitorio, mascullando imprecaciones y tratando de hacerse el nudo de su corbata de etiqueta. Estaba muy apuesto con su chaqué gris perla, que parecía hacer juego con el color de sus ojos. Tenía unos hombros anchos que invitaban a una mujer a reclinarse en ellos, pensó Margo, y esa estatura maravillosamente masculina que Josh había heredado. Ahora fruncía el ceño mientras rezongaba, pero su rostro era perfecto con la nariz recta, el mentón firme y las arruguitas que se formaban alrededor de su boca.

«Un rostro perfecto —volvió a decirse en el mismo instante de entrar—. Un rostro paternal.»

—¡Ay, señor T…! ¿Cuándo aprenderá usted a lidiar con estas corbatas?

La cara ceñuda de él se transformó en sonrisa.

—Nunca —respondió—, mientras tenga a mano una linda mujer que se moleste en hacerlo por mí.

Con actitud amable, Margo se le acercó para arreglar el lío que él había hecho con la lazada.

—Está usted muy guapo.

—Con mis chicas allí, nadie me mirará dos veces, ni a mí ni a ningún otro hombre. Se te ve más hermosa que un sueño, Margo.

—Pues aguarde a ver a Laura. —Advirtió ella un temblor de inquietud en sus ojos, y le dio un beso en la tersa y rasurada mejilla—. No esté usted preocupado, señor T.

—Mi pequeña se ha hecho mayor ante mis propios ojos. Es duro dejar que él se la lleve de mi lado.

—Él nunca hará eso. Nadie podría hacerlo. Pero lo comprendo. También a mí se me hace duro. Llevo todo el día compadeciéndome de mí misma, cuando debería sentirme feliz por ella.

Se oyeron pasos apresurados en el salón.

Kate con su cámara, pensó Margo, o uno de los criados, ocupándose de un pequeño detalle de última hora. Siempre había gente en Templeton House, inundándola de sonidos, de luz y de movimiento. Jamás podías sentirte sola allí.

Su corazón palpitó de nuevo con fuerza ante la idea de marcharse, de estar sola. Pero, junto con el temor, entrañaba también una expectativa embriagadora. Como un primer sorbo de champán, cuando el rico burbujeo estallaba sobre la lengua. Como un primer beso, la suave y sensual cita de unos labios.

¡Había tantas cosas pendientes de ocurrir una primera vez, que estaba ansiosa por experimentarlas!

—Todo está cambiando, ¿verdad, señor T.?

—Nada permanece igual para siempre, por mucho que uno desee que no cambie. Dentro de unas pocas semanas, tú y Kate iréis a la universidad. Josh volverá a la facultad de derecho. Y Laura se convertirá en esposa. Susie y yo estaremos dando vueltas por esta casa como un par de sacos de huesos.

—Lo cual era, sin duda, uno de los motivos de que él y su mujer estuvieran pensando en trasladarse a Europa—. La casa ya no será igual si no estáis.

—La casa seguirá siempre igual. Eso es lo más maravilloso que tiene. —¿Cómo podía decirle que ella también iba a irse esa misma noche? Corriendo tras algo que pudiera llamar suyo, con tanta certeza como su cara reflejada en el espejo—. El viejo Joe seguirá cuidando sus rosales, y la señora Williamson manteniendo bien firmes a todos en la cocina. Mamá seguirá limpiando la plata, porque está convencida de que no hay nadie más capaz de hacerlo bien. La señora T. lo arrastrará a usted cada mañana a la pista de tenis para darle una buena paliza. Y usted seguirá pegado al teléfono, conviniendo entrevistas y vociferando órdenes.

—Yo no vocifero nunca —protestó él con un nuevo destello de luz en los ojos.

—Usted vocifera siempre: es parte de su encanto. —Margo deseaba llorar, por la infancia que se le había escapado rápidamente, cuando pensaba que no iba a acabar nunca. Por la parte de su vida que dejaba tras ella ahora, aunque se hubiese esforzado tanto en alejarla de sí. Por la mujer cobarde que sentía en ella y que se acoquinaba ante la idea de confesarle que estaba a punto de marcharse…—. Lo quiero, señor T. —concluyó.

Interpretando erróneamente sus palabras, él la besó en la frente.

—Mira, Margo… No pasará mucho tiempo antes de que yo recorra contigo el pasillo de la iglesia para entregarte a algún guapo mozo que difícilmente será todo lo bueno que tú te mereces.

Ella se esforzó en tomarlo a risa, porque el llanto hubiera dado al traste con todo.

—No pienso casarme con nadie…, a menos que sea el vivo retrato de usted. Venía a decirle que Laura le está esperando ya. —Dio un paso atrás, recordando que era el padre de Laura, no el suyo. Y que aquel era el día de Laura, no su día—. Iré a ver si tienen ya a punto los coches.

Bajó corriendo la escalera, y allí estaba Josh, deslumbrante en su traje de etiqueta, que la miró con el ceño fruncido al verla detenerse sin aliento.

—No me riñas ahora —le ordenó Margo—. Laura bajará en un minuto.

—No te reñiré. Pero tenemos que hablar luego.

—De acuerdo.

En realidad, no tenía la menor intención de hacerlo. Al momento siguiente de que hubieran lanzado a la pareja el último grano de arroz, haría un rápido y silencioso mutis. Llevaba ya puesto el sombrero que había bajado de su cuarto; se acercó al espejo para mirarse en él e instintivamente ajustó la amplia ala azul buscando la forma más favorecedora.

«Esto es todo lo que tengo —pensó, estudiando su cara—. Lo que me ha de dar fama y fortuna. ¡Y por Dios que le sacaré partido!»

Luego alzó la barbilla, se encontró con sus ojos en el espejo y deseó empezar.

2

Diez años después

En lo alto de las rocas, sobre los ásperos acantilados que desafiaban las olas de un agitado Pacífico, Margo observaba cómo comenzaba a fraguar la tormenta. Negros nubarrones se agitaban en el cielo nocturno, sofocando con su fuerza y sus iras el más mínimo resplandor de las estrellas. El viento aullaba como un fiero lobo a la caza de presas. Centelleaban con súbitos chasquidos las agujas de los rayos, que surcaban el cielo atronándolo, herían las agrestes peñas y destacaban el violento relieve del oleaje. Aun antes de que se oyera el trueno, penetraba la atmósfera el olor acre del ozono.

La acogida que se le dispensaba en la casa, incluso por parte de la naturaleza, no daba la impresión de ser amable.

«¿Un mal presagio?», se preguntó, al tiempo que metía las manos en los bolsillos de su cazadora para protegerlas de la mordedura del viento. Difícilmente podía esperar que alguien saliera a recibirla en Templeton House con sonrisas alegres y los brazos abiertos. No parecía que fueran a servir el ternero cebado para aquella hija pródiga, pensó.

No tenía ningún derecho a esperarlo.

Con gesto cansado, se levantó y se quitó las horquillas que mantenían recogidos sus cabellos de color rubio pálido para dejar que el viento los agitara a capricho. Le resultaba grato sentir aquella pequeña liberación, y arrojó las horquillas por el borde del acantilado. De pronto recordó que, cuando era niña, ella y sus dos mejores amigas habían lanzado flores por el mismo saliente.

«Flores para Serafina», pensó, y el recuerdo la hizo sonreír. ¡Qué romántica le había parecido entonces la leyenda de aquella muchacha que se había arrojado por allí víctima de la pena y la desesperación!

Recordó que a Laura siempre se le escapaban unas lágrimas al hacerlo y que Kate seguía siempre solemnemente con la vista la danza de las flores al caer hacia el mar. Pero a ella la impresionaba sobre todo la emoción de aquel vuelo final, el desafío de aquel gesto, su atrevida inconsciencia.

Margo estaba ahora suficientemente abajo, suficientemente cansada para reconocer que la búsqueda de emociones, el haberse mostrado desafiante y el haberse comportado de manera inconsciente eran lo que la había llevado a aquella situación lastimosa en su vida.

Sus ojos, aquellos ojos de un brillante azul de lavándula en los que tanto se complacían las cámaras, estaban ahora ensombrecidos. Se había retocado cuidadosamente el maquillaje después de que el avión aterrizó en Monterey, y había vuelto a hacerlo otra vez en el taxi que la condujo al Big Sur. ¡Y ciertamente era una experta en componer cualquier imagen que se precisara…! Solo ella sabía que, por debajo de sus caros cosméticos, sus mejillas estaban pálidas. Y quizá, también, un poco más hundidas de lo que deberían; pero eso era debido a aquellos asombrosos pómulos suyos que la habían aupado a las portadas de tantas revistas.

«Un rostro fotogénico tiene que empezar por los huesos», pensó, estremeciéndose en el instante en que cruzaba el cielo el resplandor de un nuevo relámpago. Podía considerarse afortunada por su estructura ósea, por la tersa y suave piel heredada de sus antepasados irlandeses. Por sus ojos azules, típicos de los oriundos de Kerry, y por sus cabellos de color rubio claro, que sin duda eran herencia de algún antiguo conquistador vikingo.

¡Oh, sí! Ella tenía un rostro fotogénico. No era vanidad reconocerlo. Después de todo, eso, y un cuerpo hecho para pecar, habían sido su medio de vida, su camino para alcanzar la fama y la fortuna. Unos labios sensuales y románticos, una nariz pequeña y recta, una barbilla firme y redondeada, y unas cejas expresivas que apenas necesitaban un leve toque de sombra para cobrar forma.

Seguiría teniendo un rostro hermoso a los ochenta años, si aún vivía para alcanzar esa edad…, por más que se sintiera ahora acabada, agotada, envuelta en el escándalo y avergonzada amargamente. Aun entonces seguiría haciendo volver las cabezas de la gente al pasar.

Lo lamentable era que aquello la tuviera ya sin cuidado.

Volviéndose del borde del acantilado atisbó a través de la oscuridad. Siguiendo por la carretera pudo ver en la cresta de la colina las luces de Templeton House, la casa que había resonado con tantas risas suyas y acogido muchas de sus lágrimas. Solo existe un lugar para ir cuando te has perdido, un único lugar al que correr cuando ya no te queda ningún puente más que quemar.

Margo, pues, tomó su bolsa de viaje y se encaminó a la casa.

Ann Sullivan había servido en Templeton House por espacio de veinticuatro años, uno menos de los que llevaba viuda. Había llegado de Cork, con su hija de cuatro años a cuestas, para ocupar el puesto de doncella. En aquellos tiempos, Thomas y Susan Templeton llevaban su casa igual que dirigían sus hoteles: por todo lo alto. Difícilmente pasaba una semana sin que las habitaciones rebosaran invitados y música. Habían llegado a tener una plantilla de dieciocho personas para asegurar que estuvieran perfectamente cuidados la finca y todos los detalles de la casa.

Perfección era un sello característico de Templeton, como lo eran el lujo y el trato cordial. A Ann la habían enseñado, y ella había aprendido muy bien, que el alojamiento más espléndido valía muy poco si no se le dispensaba al invitado una acogida amable.

Sus dos hijos, el señorito Joshua y la señorita Laura, habían tenido una niñera que, a su vez, pidió contar con una ayudante. Pero, aun así, habían sido educados personalmente por sus padres. Ann admiró siempre la dedicación, la disciplina y el cariño con que los Templeton habían sacado adelante a su familia. Aunque sabía que contaban con cuantiosos medios, lo cierto es que en aquella casa jamás el dinero estuvo por detrás del amor.

Había sido la señora Templeton quien propuso que las niñas jugaran juntas. Después de todo, tenían la misma edad y, como Joshua era un chico y cuatro años mayor, no les hacía mucho caso.

Ann siempre estaría agradecida a la señora Templeton no solo por su empleo y las atenciones que tenía con ella sino, sobre todo, por las ventajas que le había ofrecido a su hija. Margo jamás había sido tratada como una sirvienta, sino más bien como la mejor amiga de la hija de la casa.

En cosa de diez años, Ann se había convertido en ama de llaves. Era consciente de que se había ganado ese puesto y se sentía muy orgullosa de él. No había rincón en la casa que no hubiera limpiado con sus propias manos, ni pedazo de tela que no hubiera lavado personalmente. Su cariño por Templeton House era profundo y duradero. Tal vez más profundo y más duradero que cualquier otra cosa en su vida.

Había permanecido allí después de que los Templeton se mudaran a Cannes tras la boda de la señorita Laura…, una decisión demasiado rápida y precipitada a juicio de Ann. Y se había quedado también después de que su propia hija se marchara a Hollywood, y después a Europa, atraída por el oropel de la fama.

No se había vuelto a casar: ni lo había pensado siquiera. Se sentía casada con Templeton House. Y allí seguía año tras año, firme como la roca en que se hundían los cimientos del edificio. La casa jamás la decepcionó, ni la contrarió, ni le planteó dudas. Jamás la hirió ni le exigió más de lo que podía dar.

Como sí podía hacer una hija, pensaba.

En aquellos momentos, mientras la tormenta arreciaba en el exterior y la lluvia comenzaba a batir los amplios arcos de las ventanas, Ann fue a la cocina. Las encimeras azul pizarra estaban inmaculadamente limpias, lo que les valió una mirada de aprobación extensiva a la joven doncella que había contratado hacía poco. La chica se había ido ya a su casa y no podría verla, pero a Ann no se le olvidaría decirle que lo había hecho bien.

«¡Cuánto más fácil es conquistar el afecto y el respeto del personal que el de tu propia hija!», pensó. A menudo se decía que había perdido a Margo el mismo día en que la dio a luz. Porque nació demasiado hermosa, demasiado inquieta, demasiado atrevida.

Preocupada como estaba por Margo después de haber dejado de tener noticias de ella, fue a ocuparse de sus obligaciones. Nada podía hacer por ella. Era amargamente consciente de que jamás había habido nada que ella pudiera hacer por o con respecto a Margo.

Quererla no había bastado. Aunque, pensó también, tal vez se había reprimido y no había sido capaz de revelarle gran parte del cariño que sentía por ella. Pero eso fue solo porque temía darle demasiado y que eso la llevara a aspirar a mucho más de lo que parecía necesitar.

Y, por otra parte, ella no era muy dada a las demostraciones; así de simple, se dijo Ann encogiéndose levemente de hombros. Los criados no podían permitirse ese lujo, por amables que fueran sus señores. Ann sabía cuál era su lugar. ¿Por qué Margo no había entendido nunca cuál era el suyo?

Por un instante inclinó el cuerpo sobre la encimera, en un

raro momento de autocompasión, y sintió en los ojos la presión precursora de las lágrimas. Pero ahora no podía ponerse a pensar en Margo. Su hija estaba lejos, y la casa requería un repaso final.

Enderezó el cuerpo y tomó una profunda bocanada de aire para recuperar el equilibrio. Las baldosas del suelo estaban recién fregadas y su color azul pizarra —igual que el de las encimeras— brillaba bajo la luz. La cocina, un viejo electrodoméstico de seis fuegos, no mostraba la menor huella del almuerzo preparado anteriormente en ella. Y la joven Jenny hasta se había acordado de cambiar el agua de los narcisos que lucían alegres en un jarrón sobre la mesa.

Complacida de ver confirmadas sus esperanzas acerca de la chica nueva, Ann se acercó a las macetas de hierbas aromáticas colocadas en el alféizar de la ventana sobre el fregadero. Una presión con el pulgar le mostró que la tierra estaba seca. Regar las macetas de la ventana no era responsabilidad de Jenny, se dijo, al tiempo que chasqueaba la lengua y se disponía a hacerlo ella misma. La cocina requería atención especial. Pero la señora Williamson se estaba haciendo mayor y volviéndose un poco distraída. Ann a menudo se inventaba excusas para permanecer en la cocina mientras se preparaban las comidas..., solo para asegurarse de que la señora Williamson no hacía ningún estropicio con la macheta o iniciaba un incendio.

Cualquiera que no fuese la señorita Laura habría obligado ya a la cocinera a jubilarse con un buen retiro, pensó Ann, pero la señorita Laura comprendía que la necesidad de sentirse útil no disminuye con la edad. La señorita Laura entendía Templeton House y la tradición.

Eran ya pasadas las diez, y en la casa reinaba el silencio. Ann había completado sus obligaciones diarias. Dio un último vistazo a la cocina y pensó en retirarse a sus habitaciones. Allí, en su infiernillo, se prepararía un té y después tal vez se sentaría con los pies en alto y vería cualquier bobada por la tele.

Algo que la distrajera de sus preocupaciones.

El viento sacudía las ventanas. Se estremeció y dio gracias por sentirse en la acogedora seguridad de la casa. Pero en aquel instante se abrió la puerta de atrás, dando paso a la lluvia y al viento, que se coló como una cortante ráfaga de aire. Quizá mucho más, pues el corazón de Ann se sobresaltó y casi dejó de latirle en el pecho.

—Hola, mamá. —La sonrisa franca y espontánea era algo así como una segunda naturaleza en ella y ya casi había alcanzado sus ojos cuando Margo se pasó la mano por los empapados cabellos que le llegaban hasta la cintura y parecían gotear oro—. He visto la luz —dijo, añadiendo con una risa nerviosa—: en sentido real... y figurado.

—Estás dejando entrar la lluvia. —Aquello no era lo primero que le había venido a Ann a la mente, pero sí lo único realmente práctico—. Cierra la puerta, Margo, y cuelga ahí esa cazadora mojada.

—No he podido adelantarme a la lluvia. —Manteniendo un tono de voz alegre, Margo se apresuró a dejar fuera la tormenta—. Había olvidado lo frío y húmedo que puede ser el mes de marzo en la costa central. —Dejó a un lado su bolsa de viaje, colgó la cazadora del perchero que había junto a la puerta, y se frotó después las heladas manos para mantenerlas ocupadas—. Tienes muy buen aspecto. Y veo que te has cambiado el peinado.

Ann no levantó la mano para atusarse los cabellos, con un gesto que hubiera sido natural en otra mujer. Carecía de toda vanidad, y a menudo se había preguntado de dónde le habría venido a Margo la suya. Porque el padre de Margo había sido un hombre humilde.

—La verdad es que te sienta bien —insistió Margo, esbozando una nueva sonrisa.

Su madre había sido siempre una mujer atractiva. Sus cabellos claros se habían oscurecido con los años, y se advertían ahora algunas hebras grises en sus cortas y apretadas ondas. En su rostro se marcaban arrugas, sí, pero no profundas. Y aunque la expresión de su boca era seria y no llevaba ni rastro de pintura en ellos, tenía unos labios gruesos y sensuales como los de su hija.

—No te esperábamos —dijo Ann, y la apenó notar que la voz le salía envarada. Pero tenía el corazón demasiado lleno de gozo y de preocupación para que se trasluciera otra cosa.

—Ya. Pensé enviar un cable. Pero luego… No lo hice. —Respiró hondamente, preguntándose por qué ninguna de las dos podía cruzar el corto espacio de baldosas que las separaba para abrazar a la otra—. Os enteraríais ya, imagino…

—Hemos oído cosas… —Pillada por sorpresa, Ann se acercó a la cocina y puso agua a hervir —. Haré té. Tienes que estar helada.

—He visto algunos reportajes en el periódico y en los noticiarios… —Margo levantó la mano para tocar la espalda de su madre, pero esta estaba tan rígida que la dejó caer de nuevo sin llegar al contacto—. No todo lo que dicen es cierto, mamá.

Ann alargó la mano para asir la tetera de diario y la llenó de agua caliente. Interiormente, toda ella se sentía sacudida por el dolor, por la sorpresa… Por el cariño.

—¿No todo? —preguntó.

«Es solo una humillación más», se dijo Margo. Pero, después de todo, era su madre. Y ella necesitaba tan desesperadamente tenerla a su lado…

—Yo ignoraba lo que hacía Alain, mamá. Había sido mi representante en los últimos cuatro años, y nunca, nunca supe que traficaba con drogas. Él jamás las consumía, por lo menos estando yo cerca. Cuando nos detuvieron…, cuando todo salió a relucir… —se calló y dejó escapar un suspiro mientras su madre seguía midiendo cucharaditas de té—. Me han retirado todos los cargos. Eso no ha impedido que la prensa siguiera especulando; pero, por lo menos, Alain tuvo la decencia de confesar a las autoridades que yo era inocente.

Incluso aquello le había resultado humillante: la prueba de su inocencia había equivalido a una prueba de su estupidez.

—Te acostabas con un hombre casado…

Margo abrió la boca y la cerró de nuevo. Ninguna excusa, ninguna explicación serviría…, con su madre. Se limitó a reconocer:

—Sí.

—Un hombre casado, con hijos.

—Culpable —admitió amargamente la joven—. Probablemente iré a parar al infierno por ello, y ya lo estoy pagando también en esta vida. Malversó gran parte de mi dinero, arruinó mi carrera, me convirtió en un objeto penoso y ridículo para la prensa sensacionalista.

El dolor agitaba las entrañas de Ann, pero lo reprimió. Margo había elegido todo aquello.

—Y por eso vuelves aquí a ocultarte…

«A curarme», pensó Margo, aunque lo de ocultarse no estaba muy lejos de la verdad.

—Necesitaba pasar unos días en algún lugar donde no me acosaran. Pero, si prefieres que me vaya…

Antes de que su madre pudiera responder, se abrió de pronto la puerta de la cocina.

—¡Qué noche tan horrible, Annie…! Deberías…

Laura se detuvo en seco. Sus serenos ojos grises se encendieron de pronto al ver la cara de Margo. No dudaba: era, simplemente, que se le hacía demasiado amplio aquel espacio embaldosado. Así que lo cruzó de un salto.

—¡Margo…! ¡Oh, Margo…, has vuelto a casa!

Y en el mismo instante, en aquel abrazo de bienvenida, Margo se sintió en el hogar.

—Ann no quería mostrarse dura contigo, Margo… —la tranquilizó Laura. Calmar las aguas alborotadas era instintivo en ella. En las caras de la madre y la hija había visto el dolor que a ambas parecía cegarlas. Y, como Margo se encogió simplemente de hombros, Laura sirvió el té que había hecho Ann y que Margo le había subido a su salita—. ¡Ha estado tan preocupada…!

—¿De veras? —Margo estaba sumida en sus cavilaciones mientras daba breves caladas a su cigarrillo.

Al otro lado de la ventana había un jardín, lo recordaba, con glicinas rebosantes de flores. Y, más allá de las flores y de los prados, de los bien trazados muros de piedra, estaba el acantilado, la roca cortada a pico sobre el mar. Escuchaba la voz de Laura, la sentía como un bálsamo tranquilizador, y recordaba las veces que se habían asomado de niñas a esa habitación cuando formaba parte de los dominios de la señora Templeton. Las veces en que habían soñado con llegar a ser unas hermosas damas como ella.

Apartó la mirada de la ventana y estudió el rostro de su amiga. «Tan apacible, tan encantador…», pensó Margo. Un rostro hecho para los salones, las fiestas al aire libre, los bailes de sociedad… Todo lo que, aparentemente, había sido el destino de Laura.

Sus cabellos rizados tenían el color del oro viejo, y los peinaba con especial cuidado para contrapesar la fragilidad de su barbilla. Sus ojos eran tan claros, tan sinceros, que todo cuanto sentía se reflejaba en ellos. Ahora estaban llenos de preocupación, y había un toque de rubor en sus mejillas. «De excitación —se dijo Margo— y de preocupación.» La emoción daba siempre un vivo color a las mejillas de Laura, o se lo quitaba.

—Ven a sentarte —le ordenó Laura—. Y toma algo de té. Tienes el pelo empapado.

Con gesto ausente, Margo se lo echó hacia atrás, apartándolo de los hombros.

—He ido hasta el acantilado —dijo.

Laura miró por la ventana, que seguía azotada por la lluvia.

—¿Con este tiempo?

—Tenía que reunir un poco de valor.

Pero se sentó y tomó la taza en sus manos. Fue entonces cuando Margo reconoció el juego de té de loza que su madre había empleado: un Doulton. ¿Cuántas veces no había dado la lata a Ann insistiéndole en que le enseñara los nombres y los motivos de decoración de la porcelana, el cristal y la plata de Templeton House? ¡Y cuántas otras había soñado con poseer algún día objetos hermosos como aquellos!

Pero ahora la taza calentaba sus heladas manos, y ya le parecía suficiente.

—Tienes muy buen aspecto —le dijo a Laura—. Casi no puedo creer que ha pasado ya casi un año desde que te vi en Roma.

Habían almorzado en la terraza de la suite del propietario del Templeton-Roma, contemplando la ciudad que se extendía a sus pies con todo el esplendor de la primavera. Y su vida, recordó Margo, estaba entonces tan llena de promesas como el aire, tan resplandeciente como el sol.

—Te he echado de menos —Laura alargó la mano para darle un breve apretón a la de Margo—. Todos te hemos echado de menos.

—¿Cómo están las niñas?

—Maravillosas. Creciendo. A Ali le encantó el vestido que le enviaste de Milán para su cumpleaños.

—Recibí su nota dándome las gracias y las fotos. Son unas niñas guapísimas, Laura. ¡Se parecen tanto a ti! Ali ha heredado tu sonrisa; Kayla, tus ojos. —Bebió un sorbo de té para deshacer el nudo que se le había formado en la garganta—. Sentadas aquí, de la forma como solíamos imaginar que lo haríamos, me cuesta creer que todo esto no haya sido simplemente un sueño. —Se apresuró a sacudir la cabeza antes de que Laura pudiera hablar, dio un golpecito al cigarrillo, y preguntó—: ¿Cómo está Peter?

—Oh, está bien. —Por los ojos de Laura pasó una sombra, pero ella bajó las pestañas para ocultarla—. Tenía que acabar un trabajo, así que aún está en la oficina. Me imagino que se quedará en la ciudad por culpa de la tormenta. —O quizá porque prefiriera otra cama a la que compartía con su esposa...—. ¿Te encontró Josh en Atenas?

Margo levantó la cabeza.

—¿Josh? —preguntó—. ¿Ha estado en Grecia?

—No. Lo localicé en Italia cuando nos enteramos…, cuando empezaron a llegar noticias. Iba a intentar cambiar sus compromisos para volar allí, por si pudiera ayudar.

Margo esbozó una sonrisa.

—¿Siempre pensando en enviar al hermano mayor a rescatarme, Laura…?

—Es un excelente abogado. Cuando quiere, claro. ¿No se puso en contacto contigo?

—No llegué a verle. —Con gesto de cansancio, Margo apoyó la cabeza en el alto respaldo del sillón. La sensación de irrealidad persistía. Había pasado apenas una semana desde que su vida se tambaleó y derramó por tierra todos sus sueños—. ¡Ocurrió todo tan rápidamente…! Las autoridades griegas abordaron el yate de Alain, buscándolo —siguió, y se estremeció al recordar el susto de verse despertada de súbito y encontrarse con que en el puente de la embarcación había una docena de policías griegos de uniforme, que le ordenaban que se vistiera y la interrogaban—. Descubrieron toda aquella heroína en la cala.

—Los periódicos dijeron que hacía más de un año que lo tenían sometido a vigilancia.

—Ese fue uno de los hechos que salvaron mi estúpido culo. Toda su vigilancia, las pruebas que reunieron, demostraron que yo estaba limpia. —Con los nervios rechinándole aún, sacó otro cigarrillo de su pitillera lacada y lo encendió—. Me utilizó, Laura, amañando un compromiso donde podía adquirir las drogas y otro donde podía colocarlas. Yo acababa de filmar en Turquía. Cinco miserables días. Y él me recompensaba con un pequeño crucero por las islas griegas… Un anticipo de luna de miel…, así lo llamó —añadió, arrojando al aire con fuerza una bocanada de humo—. Estaba allanando los problemillas de un divorcio amistoso, para que pudiéramos mostrar públicamente nuestra relación.

Dio una larga calada al cigarrillo mientras Laura escuchaba pacientemente y, tras ver la voluta de humo subiendo al techo y enroscándose en él, prosiguió:

—Por supuesto no iba a haber tal divorcio. Su mujer accedía a que él continuara acostándose conmigo mientras yo le fuera útil y el dinero siguiera afluyendo.

—Lo siento mucho, Margo.

—¡Y yo me lo tragué! Eso es lo peor de todo. —Se encogió de hombros, dio una última y profunda calada al cigarrillo, y lo aplastó en el cenicero—. Fue como en las historias más ridículas. —No podía odiar a Alain por ello tanto como se odiaba a sí misma—: Que si teníamos que mantener lo nuestro y nuestros planes fuera del conocimiento de la prensa hasta que pudiera resolver todos los detalles de su divorcio… Que, de cara al exterior, seguiríamos siendo colegas, socios, amigos… Que él se ocuparía de mi carrera, se valdría de todos sus contactos para conseguirme más contratos y aumentar mi caché… Y… ¿por qué no? Me había conseguido algunos sustanciosos contratos de publicidad en Francia e Italia. Había concluido el acuerdo con Bella Donna que me disparó al estrellato…

—¿Debo pensar que tu talento o tu cara no tuvieron nada con ver con el hecho de que te eligieran para ser el rostro y la portavoz de la línea Bella Donna?

—Quizá pudiera haberlo conseguido por mí misma —reconoció Margo sonriendo—, pero nunca lo sabré. ¡Deseaba tanto ese contrato…! No solo por el dinero, aunque ciertamente lo quería, sino por la difusión que entrañaba. Imagínate, Laura… ¡Ver mi cara en las vallas de publicidad…, conseguir que la gente me parara en la calle para pedirme un autógrafo…! Y sabiendo, además, que trabajaba en la venta de un producto realmente bueno…

—La Mujer Bella Donna… —murmuró Laura, que buscó y consiguió la sonrisa de Margo—. «Hermosa. Segura de sí misma. Peligrosa»… ¡Me emocioné tanto cuando vi el anuncio en *Vogue*! «Esta es Margo —pensé—, mi Margo, fotografiada a doble página en papel cuché, despampanante con esa lencería de satén blanco.»

—Vendiendo crema facial…

—Vendiendo belleza —corrigió Laura en tono firme—, y confianza en ti.

—¿Y peligro?

—Sueños. Debías de sentirte orgullosa de ella.

—Lo estaba, sí. —Dejó escapar un largo suspiro—. Estaba tan metida en todo ello, tan emocionada conmigo misma cuando empezamos a penetrar en el mercado estadounidense… Y tan obsesionada con Alain…, con todas sus promesas y planes…

—Creíste en él.

—No. —No había sido así en absoluto. Alain había sido solo uno más de la serie de hombres con los que se había divertido, coqueteado y…, sí, utilizado—. Yo necesitaba dar crédito a todo cuanto me decía. Hasta el punto de que me dejé engatusar con el manido cuento de que su mujer le negaba el divorcio. —Sonrió para sí—. Por supuesto que a mí me convenía esa situación. Mientras estuviera casado, podía estar tranquila. Yo no quería casarme con él, Laura; incluso he llegado a pensar que no estaba tan enamorada de él como de la vida que yo imaginaba. Poco a poco fue ocupándose de todo, porque para mí era más cómodo desentenderme de los detalles. Y mientras yo soñaba con un glorioso futuro en el que los dos nos dedicaríamos a recorrer Europa como si fuéramos miembros de la realeza, él ya me estaba chupando el dinero para emplearlo en financiar sus operaciones de drogas; y aprovechaba ya mi pequeña fama allí para despejar el camino, mintiéndome a propósito de su mujer.

Margo se apretó los ojos con los dedos, y siguió:

—El resultado es que mi reputación ha quedado hecha trizas y mi carrera es una broma. Bella Donna me ha despedido como su portavoz, y yo estoy casi destrozada.

—Todos cuantos te conocen saben que has sido una víctima, Margo.

—Pues eso empeora la cosa, Laura. La condición de víctima no es algo que me resulte fácil sobrellevar. Aunque tampoco tengo energía para cambiar eso.

—Lo superarás. Tan solo necesitas tiempo. Y lo que ahora mismo te está haciendo falta es pasarte un buen rato en la bañera con agua caliente y dormir a pierna suelta toda la noche. Te instalaremos en la habitación de los invitados. —Laura se puso en pie y extendió la mano—. ¿Dónde tienes el equipaje? —preguntó.

—Lo dejé en consigna. No sabía si sería bien recibida aquí.

Durante unos momentos, Laura no dijo nada y se limitó a mirar fijamente a Margo hasta que esta bajó la vista.

—Olvidaré lo que acabas de decir porque me doy cuenta de que estás cansada y te sientes como un pingajo. —Después de decir esto, Laura pasó el brazo por el talle de su amiga y la acompañó fuera de la salita—. No me has preguntado por Kate…

Margo sofocó un suspiro.

—Estará más que harta de mí.

—Dadas las circunstancias —la corrigió Laura—, deja que lo decida ella. ¿Dejaste las maletas en el aeropuerto?

—Sí. —Se sentía de pronto tan cansada como si hubiera estado horas caminando a través del agua.

—Me ocuparé de eso. Tú ve a dormir ahora. Ya hablaremos mañana cuando estés mejor.

—Gracias, Laura. —Se detuvo en el umbral de la habitación de invitados y se apoyó en la jamba de la puerta—. Tú siempre estás aquí.

—Como deben estar las amigas. —Laura le plantó un beso en la mejilla—. Siempre aquí. Anda…, vete a la cama.

Margo no se molestó en ponerse un camisón. Amontonó las ropas en el suelo, mientras se las quitaba. Una vez sin ellas, se metió en la cama y tiró del suave edredón hasta subírselo a la barbilla.

Gemía el viento en las ventanas. La lluvia golpeaba, impaciente, el cristal. A lo lejos, el rumor de las olas rompientes fue poco a poco sumiéndola en un tranquilo sueño.

Ni lo notó cuando Ann entró sigilosamente en la habitación, alisó la ropa de la cama y le tocó los cabellos, mientras musitaba una callada plegaria.

3

—Lo típico… Tumbada en la cama hasta el mediodía…
Margo oyó confusamente la voz a través del sueño, la reconoció y soltó un gemido…

—¡Por Dios, Kate…! ¡Lárgate!

—A mí también me encanta verte.

Con evidente regocijo, Kate Powell dio un tirón entusiasta de la cuerda de la cortina y envió los rayos del sol directamente sobre los ojos de Margo.

—Siempre te he odiado —le espetó Margo y, como defensa, se echó la almohada sobre la cara—. ¡Vete a incordiar a otro!

—Me he tomado la tarde libre para poder incordiarte a ti. —Con su estilo de actuar eficiente, Kate se sentó en el borde de la cama y le quitó a Margo la almohada de entre las manos. Disfrazó la preocupación que sentía bajo una mirada crítica—. ¡Pues no estás tan mal…!

—¡Para ser un cadáver…! —murmuró Margo. Abrió un ojo. Vio la cara fresca y burlona de Kate, y lo volvió a cerrar—. Largo de aquí.

—Si yo me voy, te quedas sin café. —Kate se levantó para servirlo de la cafetera que había dejado a los pies de la cama—. Y sin los cruasanes.

—¡Cruasanes! —Después de olfatear el aire, Margo abrió cautelosamente los ojos, y se vio recompensada con la visión de una Kate ocupada en partir por la mitad el creciente de hojaldre. El aroma que emanaba era pura gloria—. Debo de haberme muerto mientras dormía si se te ha podido ocurrir traerme el desayuno a la cama...

—El almuerzo —corrigió Kate, y le dio un buen mordisco al cruasán. Cuando Kate se acordaba de comer, le gustaba comer bien—. Laura me encargó que lo hiciera. Ha tenido que salir pitando para no sé qué reunión que no podía cancelar. —Tranquilamente, levantó la bandeja—. Incorpórate. Le prometí encargarme de que comieras algo.

Margo se sujetó las sábanas por encima de sus pechos y extendió codiciosamente la mano en busca del café. Con el primer sorbo sintió que superaba buena parte del efecto del desfase horario debido al vuelo. Después, mientras seguía bebiendo despacio, estudió a aquella mujer que tenía el atrevimiento de extender mermelada de fresa encima de un cruasán.

Los cabellos negros cortados a lo chico destacaban una cara triangular con la tez del tono de la miel. Margo sabía que no lo hacía porque estuviera de moda, sino porque le resultaba práctico. Pero sin duda era una suerte para Kate que aquel estilo conviniera tan perfectamente con sus grandes y exóticos ojos castaños y la pronunciada barbilla. Los hombres considerarían indiscutiblemente atractivo su leve prognatismo, y Margo tenía que reconocer que aquello suavizaba toda su expresión.

Y no era que Kate se caracterizara precisamente por su suavidad, pensó Margo. El elegante traje azul marino que lucía, de rayita fina, denotaba negocios. Sus adornos de oro eran discretos y de buen gusto; sus zapatos italianos, prácticos. En determinado momento, Margo notó la fragancia de su perfume, y también esta afirmaba con claridad que quien lo llevaba era una mujer seria, profesional. Un olor a «mírame y no me toques», decidió Margo, sonriendo.

—Tienes todo el aspecto de un censor jurado de cuentas.

—Y tú el de una mujer que solo piensa en darse a la buena vida.

Las dos se echaron a reír como un par de tontas la una de la otra. Ninguna estaba preparada para ver que los ojos de Margo se anegaban de lágrimas.

—¡Oh, por Dios…! No hagas eso…

—¡Lo siento tantísimo! —Margo contuvo el llanto restregándose los ojos con las manos—. Todo esto que acongoja sube y baja y se desborda de vez en cuando. ¡Estoy muy jodida!

Con sus ojos llorosos también, Kate sacó un par de kleenex. Enseguida se le contagiaban las lágrimas, en particular si el que lloraba era alguien de su familia. Y, aunque por las venas de ambas no corriera la misma sangre, Margo era de su familia. Lo había sido desde que Kate, huérfana a sus ocho años, fue acogida y querida por los Templeton.

—Toma, suénate la nariz —le ordenó con brusquedad—. Y respira profundamente unas cuantas veces. Bébete el café, pero no llores. Sabes que eso me hace llorar a mí.

—Laura me vio en la puerta y me dejó pasar… —dijo Margo, enjugándose las lágrimas al tiempo que trataba de serenar su voz—. Bienvenida a casa, dijo, duerme tranquila ahora.

—¿Y qué pensabas que iba a hacer? ¿Arrojarte a la calle de un puntapié?

—No, Laura no —respondió Margo sacudiendo la cabeza—. Pero este feo asunto puede herirla también. La prensa no tardará en hurgar en el tema: «La vieja amistad de una celebridad en desgracia con una destacada dama de la alta sociedad».

—Conmovedor —dijo Kate secamente—. Solo que aquí, en Estados Unidos, nadie te considera una celebridad…

Indecisa entre tomárselo a risa o como una pulla, Margo se reclinó en la cabecera de la cama.

—Soy un personaje en Europa —dijo—. O lo era.

—Pero esto es América, chica. Los medios de comunicación no te harán el más mínimo caso.

Los labios de Margo compusieron un mohín.

—Muchas gracias, simpática —dijo.

Apartó a un lado las sábanas y se levantó. Kate exploró el cuerpo desnudo de su amiga antes de tenderle la bata que Laura había dejado a los pies de la cama.

El cuerpo de encarte a doble página, pechos generosos, talle de avispa, caderas torneadas y piernas largas y peligrosas, no se había visto afectado gran cosa por el escándalo. Si Kate no hubiera tenido mejor información, habría podido decir que la figura de que presumía su amiga era el resultado de alguna tecnología moderna, más que de una exquisita combinación de genes.

—Has bajado un poco de peso. ¿Por qué nunca lo pierdes de los pechos?

—Satanás y yo tenemos un pacto. Formaban parte de mi uniforme de trabajo.

—¿Formaban?

Margo se encogió de hombros bajo la bata. Era la suya, una larga, ondulante y vaporosa prenda de seda de color marfil. Era obvio que Laura había hecho que le entregaran el equipaje.

—A la mayoría de los anunciantes no les preocupa que sus productos sean recomendados por adúlteras traficantes de drogas.

Kate pestañeó. No podía sufrir que nadie se refiriera así a Margo. Ni siquiera la propia Margo.

—Te han absuelto de todas las acusaciones por tráfico de drogas… —observó.

—Porque no tenían ninguna prueba para acusarme. Lo cual es algo diferente —replicó Margo. Después se encogió de hombros y fue a la ventana para abrirla a la brisa de la tarde—. Siempre me decías que yo andaba buscando problemas… Supongo que este me lo busqué yo sola.

—¡Tonterías! —saltó Kate, indignada, y se puso a caminar por la habitación como un gato furioso. Hundió la mano en el bolsillo maquinalmente, en busca de su omnipresente tubo de comprimidos contra el ardor de estómago. Ya empezaba a sentir los efectos de una mala digestión—. No puedo creer que tu reacción sea quedarte tumbada en la cama. No haces nada de nada.

Molesta, Margo se volvió de espaldas. Fue a decir algo, pero Kate estaba ya en plena actividad, metiéndose comprimidos en la boca como si fueran caramelos mientras recorría impaciente la habitación.

—Vale…, has demostrado tener muy poco juicio y una increíble falta de sentido común. Por supuesto tienes un gusto muy discutible en materia de hombres y las elecciones que has hecho a propósito de tu estilo de vida distan mucho de ser admirables…

—Cuento contigo para que testifiques todo eso, si fuera necesario —murmuró Margo.

—Sin embargo —y aquí Kate levantó la mano para subrayar la cuestión que le parecía importante—, no has hecho nada ilegal, nada que pueda arruinar tu carrera. Así que, si sigues empeñada en malgastar tu vida posando para que la gente corra a comprar una crema facial o un champú ridículamente caros, o en actitudes que hagan que los hombres pierdan de súbito veinte puntos de su coeficiente intelectual al ver tu foto, no puedes consentir que esto te detenga.

—Ya sabía yo que tus palabras quieren darme apoyo moral —dijo Margo tras reflexionar un momento—. Solo tengo que desprenderme de mi escaso juicio, de mi mal gusto y de mi estúpida carrera. Y, después, recordar que tu juicio es siempre excelente, tu gusto exquisito y tu carrera brillante.

—¡Pues es verdad! —Margo tenía las mejillas rojas y lanzaba fuego por los ojos. Aliviada, Kate sonrió—. Estás guapísima cuando te enfadas…

—¡Oh, calla…! —Margo se acercó a las puertas de la terraza, abrió de golpe y se puso a caminar por el amplio balcón de piedra con su jardincillo de balsaminas y violetas.

Hacía un día claro y limpio, uno de esos indescriptiblemente hermosos en los que todo está bañado por una luz dorada, contenido bajo un firmamento azul, perfumado por flores. La finca de los Templeton, llamada Big Sur como la zona de la costa californiana en que se hallaba, se extendía ladera abajo con jardines divididos por cuidados muretes de piedra y setos ornamentales, en los que crecían majestuosos árboles centenarios. Aunque ya no se usaban, las cuadras construidas junto al ala sur de la casa parecían un pequeño anexo de paredes enlucidas. Margo pudo distinguir un reflejo producido por el agua de la piscina y, más allá, el original cenador blanco formado en un círculo de arbustos floridos de maravillas.

Recordó haber soñado algunas veces en aquella glorieta entre flores, imaginándose a sí misma como una hermosa dama a la espera de su devoto y apuesto amante.

—¿Por qué se me ocurrió dejar todo esto? —preguntó.

—No lo sé. —Kate se le acercó por detrás y pasó el brazo por encima de los hombros de Margo.

Con tacones, era aún unos tres centímetros más baja del metro setenta y cinco de Margo pero la atrajo contra sí y la abrazó prestándole apoyo.

—Quería ser alguien. Alguien deslumbrante. Quería conocer gente deslumbrante también, ser parte de su mundo. Yo, la hija del ama de llaves, volando a Roma, tomando el sol en la Riviera, causando admiración en las pistas de Saint-Moritz…

—Has hecho todo eso, Margo.

—Y más cosas. Pero… ¿por qué nunca fue suficiente para mí, Kate? ¿Por qué había siempre una parte de mí que necesitaba algo más? Solo una cosa más que jamás logré conseguir. Ni imaginar siquiera lo que era. Incluso ahora que he perdido todas las demás cosas, sigo sin conseguir imaginarla.

—Necesitas tiempo —dijo Kate en voz baja—. ¿Te acuerdas de Serafina?

Los labios de Margo se curvaron un poco al recordar que había estado en la roca de Serafina la noche antes. Al pensar en los buenos tiempos, cuando Kate, Laura y ella pasaban horas conversando acerca de la joven española…, en las conclusiones a que habían llegado…

—Ella no quiso esperar a ver qué ocurría —dijo Margo al tiempo que apoyaba su frente en la de Kate—. No se paró a ver qué podía ofrecerle el resto de su vida.

—Esta es tu oportunidad de esperar y ver.

—Bueno… —Margo soltó un suspiro—. Por fascinante que eso suene, puede que yo no esté en condiciones de sentarme a esperarlo. Creo que podría encontrarme en aguas financieras más bien tormentosas. —Retrocedió y trató de poner una sonrisa radiante—. Claro que siempre puedo recurrir a tu ayuda profesional. Me imagino que una mujer con un máster de Harvard será capaz de descifrar mis pobres y desorganizados libros de cuentas. ¿Querrás echarles un vistazo?

Kate se apoyó de espaldas a la barandilla. La sonrisa de Margo no la engañó ni por un minuto. Y sabía que, si su amiga estaba preocupada por algo tan superficial como el dinero, la situación era desesperada.

—Tengo libre el resto del día. Ponte algunas ropas encima, y empecemos.

Margo sabía que la situación era mala. Esperaba que sería mala. Pero, por la forma como Kate gruñía y siseaba, no tardó en comprender que iba a ser infinitamente peor.

Tras la primera hora, se apartó del escritorio donde trabajaba Kate. No era buena idea estar con el cuerpo inclinado encima de su hombro y recibir alguna regañina de vez en cuando; así que fue a ocuparse de deshacer su equipaje y colgar bien en el armario de palo de rosa los vestidos que había metido al buen tuntún en la maleta, y en guardar cuidadosamente doblados los jerséis en el perfumado cajón de la cómoda con espejo.

De vez en cuando respondía a las ocasionales preguntas de Kate y soportaba sus más que ocasionales improperios. Una sensación de desesperada gratitud la inundó al ver que Laura abría la puerta.

—Siento haber estado fuera tanto tiempo. No he podido…

—¡Silencio! Estoy tratando de hacer milagros aquí.

Margo le indicó la terraza con el dedo.

—Está ocupada con mis libros —le explicó a Laura cuando estuvieron fuera—. ¡No te puedes ni imaginar las cosas que ha sacado de su maletín…! Ese pequeño ordenador portátil…, una calculadora que estoy segura de que podría resolver ecuaciones para la lanzadera espacial…, ¡y hasta un fax!

—Es brillante, sí. —Laura se sentó en una de las sillas de hierro forjado y, dejando escapar un suspiro, se quitó sus zapatos—. Templeton la contrataría de inmediato, pero es muy testaruda en ese criterio suyo de no trabajar para la familia. Bittle y Asociados son muy afortunados por contar con ella.

—¿Qué es toda esta gilipollez de algas marinas? —gritó Kate desde el interior.

—Un tratamiento en balneario —respondió Margo—. Pienso que es un gasto deducible porque…

—Déjame a mí lo de pensar. ¿Cómo demonios puedes deber quince mil dólares a Valentino? ¿Cuántos conjuntos eres capaz de ponerte al mismo tiempo?

Margo se sentó.

—Probablemente será mejor para mí no decirle que se trata de un vestido de cóctel…

—Yo no se lo diría —asintió Laura—. Las niñas llegarán a casa de la escuela dentro de una hora, más o menos. Siempre la ponen de buen humor. Cenaremos todos en familia para celebrar tu regreso.

—¿Le has dicho a Peter que estaba yo aquí?

—Pues claro. ¿Sabes…? Creo que se asegurará de que tengamos champán bien frío.

Antes de que Laura pudiera levantarse, Margo le retuvo la mano.

—No le habrá hecho ninguna gracia la noticia, supongo.

—No seas tonta. Está encantado, de veras —respondió Laura. Pero empezó a hacer girar su anillo de bodas en el dedo…, indicio claro de su agitación—. Siempre se alegra de verte.

—Mira, Laura… No son mis casi veinticinco años de conocerte los que me permiten saber cuándo estás mintiendo. Es que lo haces fatal. Él no me quiere aquí.

Los labios de Laura farfullaron excusas, pero eran inútiles. Era cierto: tenía que reconocer que jamás había aprendido a mentir.

—Esta es tu casa, Margo. Peter lo entiende aun cuando no se sienta del todo cómodo con la situación. Yo te quiero aquí. Annie te quiere aquí, y las niñas están emocionadas de que estés aquí. Y ahora no solo voy a mirar si se está enfriando ese champán… Traeré una botella para celebrarlo.

—¡Buena idea! —Ya se sentiría culpable después—. Quizá eso ayudará a que Kate no me ponga en números rojos…

—Esta hipoteca lleva quince días vencida —dijo Kate desde dentro—. Y has sobrepasado el límite de tu Visa… ¡Santo cielo, Margo…!

—Traeré dos botellas —decidió Laura, que sonrió y mantuvo la sonrisa hasta que hubo salido de la habitación de Margo.

Fue primero a la suya, porque necesitaba unos momentos para sí. Pensaba que había podido superar su enfado, pero no era así: seguía notándolo como un nudo amargo y tenso que atenazaba su garganta. Fue a la salita para desahogarse: a aquella salita que se estaba convirtiendo cada vez más en su refugio. Podía ir allí, cerrarse por dentro entre sus cálidos colores y fragancias, diciendo que tenía cartas que contestar o alguna labor de punto que concluir.

Pero lo más frecuente era que entrara allí para calmar una emoción que la ahogaba.

Quizá debía haber esperado la reacción de Peter, haberla previsto de antemano. Pero no había sido así. Cada vez daba más la impresión de no estar preparada para las reacciones de Peter. ¿Cómo podía ser que, al cabo de diez años de matrimonio, aún no lo conociera en absoluto?

Se había detenido frente al despacho de Peter cuando volvía a casa de su reunión con el comité organizador del Baile de Verano. Iba tarareando para sí mientras subía en el ascensor privado a su suite del ático del hotel Templeton de Monterey. Peter prefería esa suite a las oficinas de dirección en la planta baja del edificio. Era más tranquila, decía, y allí le resultaba más fácil concentrarse.

Desde los tiempos que había pasado ayudando y aprendiendo el funcionamiento del negocio en el centro neurálgico de las oficinas de venta y reservas, Laura tuvo que aceptar ese arreglo. Quizá lo apartaba del pulso de la empresa, de la gente, pero Peter conocía bien su trabajo.

La singular belleza del día, sumada a la satisfacción de tener de nuevo en casa a su amiga del alma, la hacía sentirse de excelente humor. Con paso vivo cruzó la moqueta de tonos plateados hasta la zona de recepción.

—Ah, hola, señora Ridgeway —la saludó la recepcionista, que le ofreció una rápida sonrisa pero siguió trabajando sin buscar con su mirada los ojos de Laura—. Me parece que el señor Ridgeway está en una reunión, pero permítame que le llame por el interfono y le diga que está usted aquí.

—Muchas gracias, Nina. Le robaré solo unos minutos de su tiempo. —Fue a la sala de espera, silenciosa y vacía a esas horas. Los sillones de piel azul oscura eran nuevos, y tan costosos como las mesas y lámparas antiguas y las acuarelas que Peter había encargado. Pero Laura suponía que su elección había sido un acierto. Las oficinas necesitaban una renovación. Las apariencias son muy importantes en el mundo de los negocios. Y eran importantes para Peter.

Pero al mirar por el amplio ventanal se preguntó a quién podrían importarle aquellos sillones de piel si podía contemplar la impresionante vista de la costa que se le ofrecía.

Ver, por ejemplo, cómo llegaban mansamente las olas y cómo se extendía a lo lejos el horizonte interminable... Las caléndulas estaban llenas de flores rosadas y las blancas gaviotas cambiaban continuamente la dirección de su vuelo, y se acercaban con la esperanza de que algún turista les ofreciera un bocado. O ver las embarcaciones en la bahía, cabeceando como relucientes y caros juguetes para hombres enfundados en blazers azul marino cruzados y pantalones blancos.

Se abandonó a la contemplación hasta el punto de olvidar casi retocar su lápiz de labios y los polvos antes de que la recepcionista le dijera que podía pasar.

El despacho de Peter Ridgeway era el adecuado para el director ejecutivo de Hoteles Templeton, de California. Con sus muebles de estilo Luis XIV cuidadosamente elegidos, sus espléndidas marinas y esculturas, estaba tan erudita y perfectamente trazado como su ocupante. Cuando se levantó y salió de detrás de su escritorio, su cara se iluminó maquinalmente con una sonrisa.

Era un hombre apuesto, bronceado, rubio y estilizado en su elegante traje de Savile Row. Laura se había enamorado de aquel rostro suyo, ojos azules y serenos, boca y mentón firmes, como la princesa de un príncipe en un cuento de hadas. Y, como en un cuento también, él le había robado el corazón cuando apenas tenía dieciocho años. Había encarnado todo cuando ella soñaba.

Alzó la boca en busca de un beso, y recibió un ausente roce de los labios de él en la mejilla.

—No dispongo de mucho tiempo ahora, Laura —le dijo—. Tengo el día lleno de reuniones. —Permanecía de pie, con la cabeza ladeada y con una leve arruga de enfado en su ceño—. Ya te he dicho otras veces que es mejor que me telefonees antes para asegurarte de que puedo verte. Mi agenda no es tan flexible como la tuya.

A Laura se le apagó la sonrisa.

—Lo siento —dijo—. Anoche no pude hablar contigo y cuanto telefoneé esta mañana, no estabas, así que…

—Fui al club a jugar nueve hoyos y darme un baño de vapor. Anoche trabajé hasta muy tarde.

—Sí, ya sé. —Laura guardó silencio unos instantes, esperando oírle decir «¿Cómo estás, Laura? ¿Cómo están las niñas? Te eché de menos». Pero, como no dijo nada de eso, preguntó—: ¿Estarás en casa esta noche?

—Si me dejas volver al trabajo, supongo que llegaré hacia las siete.

—Bien… Esperaba que pudieras. Tendremos una cena familiar. Por el retorno de Margo.

La boca se le crispó por un instante, pero dejó de mirar su reloj.

—¿El retorno?

—Volvió anoche. Se siente tan infeliz, Peter…, tan cansada…

—¿Infeliz? ¿Cansada? —La risa que lo sacudió era breve y sarcástica—. No me extraña nada, después de su última aventura. —Reconoció la expresión de los ojos de su mujer, y depuso su furia. No era hombre al que le gustaran los accesos de ira…, ni siquiera los suyos—. ¡Por amor de Dios, Laura! ¿No la habrás invitado a quedarse…?

—No era cuestión de invitarla o no. Es su casa.

Ahora, la actitud de Peter no era tanto de ira como de cansancio. Se sentó y dejó escapar un prolongado suspiro.

—Mira, Laura… Margo es la hija de nuestra ama de llaves. Eso no convierte Templeton en su casa. Eso es llevar demasiado lejos las lealtades de la infancia.

—No —replicó Laura en voz baja—. No creo que lo sea. Está en apuros, Peter, y la cuestión no estriba en saber si ella se lo ha buscado en parte o no. Necesita a sus amigos y su familia.

—Su nombre está en los periódicos, en los noticiarios, en todos los espacios sensacionalistas de la televisión. Sexo, drogas…, ¡por amor de Dios!

—Han retirado todas las acusaciones que había contra ella por cuestión de drogas, Peter…, y ciertamente no es la primera mujer que se enamora de un hombre casado.

La voz de su marido asumió el tonillo de tediosa paciencia que la sacaba a ella de quicio:

—Puede que sea cierto —dijo—, pero existe una palabra, «discreción», que ella da la impresión de desconocer por completo. No soporto ver su nombre unido al nuestro y poner en peligro nuestro estatus en la comunidad. No la quiero en mi casa.

Aquello tuvo la virtud de hacer que Laura irguiera la cabeza y borrara de ella cualquier propósito de aplacarlo que pudiera tener.

—Es la casa de mis padres —replicó, con un chisporroteo de ira crepitando en cada palabra—. Vivimos en ella porque mis padres quisieron que siguiera habitada y querida. Sé que mi madre y mi padre acogerían a Margo en ella, y por eso lo hago.

—Ya veo —dijo Peter, y juntó las manos en el escritorio—. Es un pequeño reproche que hace tiempo que no me hacías. Vivo en Templeton House, trabajo para el imperio Templeton y me acuesto con la heredera de ese imperio.

«Cuando te molestas en venir a casa», pensó Laura, pero se mordió la lengua y calló.

—Todo cuanto tengo lo debo a la generosidad de los Templeton —remachó él.

—Eso no es cierto, Peter. Eres el hombre de la casa, un hotelero experimentado y hábil para llevar el negocio. Y no existe ninguna razón para que transformemos en pelea una discusión acerca de Margo.

Él reconsideró su postura y probó otra estrategia:

—¿No te preocupa que una mujer con semejante reputación esté en contacto con nuestras hijas, Laura? Porque oirán comentarios, y Allison, por lo menos, tiene ya edad para entender parte de ellos…

El rubor que encendió las mejillas de Laura se apagó enseguida.

—Margo es la madrina de Ali y mi mejor amiga. Mientras yo viva allí, será bien recibida en Templeton, Peter —dijo. Después se cuadró ante él y lo fulminó con la mirada—. Para decírtelo con palabras que seas capaz de comprender, estas condiciones son innegociables. Cenamos a las siete y media, por si puedes venir.

Salió y reprimió el impulso de dar un portazo.

Ahora, sola en su habitación, luchaba contra la reaparición de la ira. No le hacía ningún bien perder los estribos, porque luego se sentía necia y culpable. Se tranquilizaría, pues, y asumiría el apacible y falso semblante de serenidad que se veía obligada cada vez más a adoptar.

Tenía que recordar algo importante: que Margo la necesitaba. A diferencia de su marido que, por doloroso que le resultara a ella, cada vez estaba más claro que no tenía ninguna necesidad de ella.

—¿Puedo probar tu perfume, tía Margo? El de ese lindo frasco dorado… ¡Por fa…!

Margo miró la carita esperanzada de Kayla. Si en algún lugar estuvieran montando un casting para el papel de ángeles, pensó, ella sería la elegida con aquellos ojos de color gris claro y los hoyuelos que se le formaban en las mejillas al sonreír.

—Solo un par de gotas. —Margo sacó el tapón y dio un toquecito con él detrás de cada oreja de Kayla—. Una mujer no necesita hacerse notar demasiado.

—¿Cómo es eso?

—Porque el misterio es una especia maravillosa.

—¿Como la pimienta?

Ali, con sus tres años más que los seis de Kayla, rió la ocurrencia de su hermanita, pero Margo subió a Kayla a su regazo y la acarició con el rostro—. Es una manera de hablar —dijo—. ¿Quieres tú un toquecito, Ali?

Aunque casi se le caía la baba por la fascinante visión de tantos frascos y botecitos en el tocador, Ali hizo todo lo posible para que su voz sonara indiferente:

—Quizá, pero no quiero el que le has puesto a ella.

—Algo distinto, entonces. Algo… —Echándole un poco de teatro, Margo empezó a dudar entre elegir un frasco u otro—. Algo valiente y atrevido.

—Pero que no se note mucho —intervino Kayla.

—¡Muy bien dicho! Aquí lo tenemos. —Sin dudarlo, Margo sacrificó unas gotitas de un perfume que costaba a razón de doscientos dólares la onza: el nuevo Tigre de Bella Donna. Probablemente había llegado a tener, en su piso de Milán, una veintena de aquellos maravillosos frascos soplados a mano—. Estáis haciéndoos ya muy mayores para poder teneros encima de mí —observó, a la vez que recogía los rizos dorados que caían sobre los hombros de Ali.

—Yo ya soy bastante mayor para que me perforen las orejas. Pero papá no me deja.

—Los hombres no entienden de estas cosas. —Y, porque ella sí lo entendía perfectamente, dio un cachetito a Ali en la mejilla antes cambiar a Kayla a su otra rodilla—. Adornarnos a nosotras mismas es un privilegio de la mujer. —Y, tras dedicarle a Ali una sonrisa en el espejo para que la niña se sintiera apoyada, siguió retocando su maquillaje—. Vuestra mamá lo convencerá.

—Ella no puede convencerlo de nada. Papá nunca escucha.

—Está muy ocupado —dijo Kayla en tono solemne—. Tiene que trabajar y trabajar para que podamos sostenernos.

—Para que no perdamos nuestra posición —corrigió Ali, y entornó los ojos. Kayla no entendía nada, pensó. A veces mamá sí entendía y tía Kate escuchaba siempre… Pero su esperanza, su nueva y gran esperanza, era que su elegante, su misteriosa tía Margo, lo entendería todo. De ahí su pregunta—: Di, tía Margo... ¿Te quedarás aquí, ahora que te han pasado todas esas cosas malas?

—No lo sé —Margo dejó en el tocador su lápiz de labios, que sonó con un leve clic.

—Me alegro de que hayas venido —dijo Ali, y pasó los brazos por el cuello de Margo.

—Yo también me alegro. —Sus tornadizas emociones se agitaban de nuevo. Se apresuró a ponerse en pie y tomó a cada niña de la mano—. Bajemos a ver si encontramos algo apetitoso para tomar antes de la cena.

—Están preparando canapés en el salón de delante —dijo Ali con aires de enterada; después sonrió, burlona—. Casi nunca nos dejan cenar con los mayores cuando hay canapés...

—Tú pégate a mí... —Se paró en lo alto de la curva de la escalera—. Y ahora hagamos una entrada como Dios manda. Barbillas arriba, mirada de indiferencia, estómagos adentro y los dedos deslizándose desganadamente por el pasamanos.

Estaba a media escalera detrás de las niñas cuando vio a su madre en el rellano final. Ann estaba de pie con los brazos cruzados y rostro solemne.

—Ah, lady Allison, lady Kayla... Nos sentimos muy honrados de que hayan podido unirse a nosotros en esta velada. Los refrescos se servirán enseguida en el salón de delante.

Ali inclinó la cabeza con gesto regio.

—Muchas gracias, señorita Annie —se las arregló para decir antes de salir corriendo detrás de su hermana.

Solo cuando Margo hubo llegado al final de la escalera captó la chispa que centelleaba en los ojos de su madre. Y, por primera vez desde su retorno, se sonrieron fácilmente la una a la otra.

—¡Había olvidado lo divertidas que son!

—La señorita Laura está educando un par de ángeles.

—Eso mismo pensaba yo antes. Le está saliendo todo bien..., a diferencia que a mí. ¡Oh, mamá..., me sabe tan mal...!

—No hablemos de eso ahora —dijo Ann, pero apoyó brevemente la mano sobre la de su hija en el arranque del pasamanos—. Luego… Ahora te están esperando. —Comenzó a alejarse, pero se detuvo—. Mira, Margo…, la señorita Laura necesita ahora una amiga tanto como la necesitas tú. Confío en que serás una buena amiga para ella.

—¿Ocurre algo malo? Dímelo.

—No es cosa mía —respondió Ann, y sacudió la cabeza—. Pero tú pórtate como una buena amiga.

Se fue, dejando que Margo entrara sola en el salón.

Ali cruzaba ya la estancia. Se mordía la lengua impaciente y llevaba en la mano una copa de burbujeante champán.

—Te la he llenado yo misma.

—Bueno…, pues, entonces, no puedo negarme a beberla. —Levantó la copa mientras echaba una mirada a la sala. Laura tenía a Kayla sentada en su regazo y Kate estaba probando los canapés presentados en una bandeja de plata de estilo rey Jorge. En la chimenea, enmarcada en rico lapislázuli, ardía un fuego reposado. El extraordinario espejo curvo colgado sobre la repisa de la chimenea devolvía bellos reflejos de brillantes antigüedades, delicadas porcelanas y las luces rosadas de los globos de las lámparas.

—Por encontrarme en casa entre amigos —brindó Margo, y bebió un sorbo.

—Prueba esta miniquiche… —le indicó Kate con la boca llena—. ¡Está de muerte…!

«¡Qué más da!», pensó Margo. Su peso había dejado hacía tiempo de ser una preocupación para ella. Así que comió un bocado y lo paladeó sin reprimir un murmullo de placer.

—¡La señora Williams sigue haciendo maravillas, ¡Señor…! Pero ¡si debe de tener ya ochenta años!

—Cumplió setenta y tres el pasado noviembre —la corrigió Laura—. Y aún es capaz de batir el más increíble soufflé de chocolate. Por cierto, que corre el rumor de que ha estado trabajando en ello para esta noche… —añadió dirigiéndole a Kayla un guiño significativo.

—Papá dice que la señora Williamson debería jubilarse y que entonces podríamos tener un cocinero francés como el que tienen los Barrymore en Carmel —dijo Ali. Y, puesto que Margo lo había hecho, probó también la quiche.

—Los cocineros franceses son muy estirados. —Margo lo escenificó llevándose un dedo bajo la nariz y olfateando el aire—. Además, nunca hacen tartaletas de jalea para las niñas con la masa que les sobra.

—¿Te las hacía también a ti la señora Williamson? —La imagen entusiasmó a Ali—. ¿Y te dejaba rebañar los bordes?

—Naturalmente. Aunque tengo que reconocer que tu madre era la mejor en eso. Según la señora Williamson, yo era muy impaciente, y Kate se preocupaba demasiado por dejar un redondel perfecto; pero tu madre sabía hacerlo bien por instinto. Sin duda era la campeona de rebañar tartaletas.

—Una de mis principales virtudes. —La voz de la aludida sonó con una nota de tristeza que obligó a Margo a enarcar una ceja. Sobreponiéndose, Laura bajó a Kayla al suelo—. Llevas un vestido fabuloso, Margo. ¿Milán o París?

—Milán. —Si Laura quería cambiar de conversación, Margo la complacería. Compuso en un instante una pose de modelo, con la cabeza ladeada y una mano en la cadera. La seda negra se ceñía a su cuerpo y lo moldeaba, aunque se detenía atrevidamente en los muslos, cortísima. El cuello, bajo y recto, permitía entrever el canalillo entre los pechos, en tanto que unas extremadas mangas arrancaban de la curva de los hombros e iban a ceñir las muñecas mediante dos relucientes pulseritas gemelas de brillantes—. Es una cosilla que elegí de un modisto nuevo algo atrevido.

—Te helarás antes de que acabe la noche —comentó Kate.

—No si sigo teniendo el corazón caliente. ¿Esperamos a Peter?

—No —decidió Laura de inmediato, y después ocultó su enojo en cuanto se dio cuenta de la expresión preocupada de Ali—. Temía que su reunión pudiera prolongarse y no sabía

73

cuándo quedaría libre. Empezaremos a cenar sin él. —Tomó a Kayla de la mano y en el mismo momento vio que entraba Ann por la puerta.

—Perdón, señorita Laura. La llaman por teléfono.

—Responderé desde la biblioteca, Annie. Tomad otra copa de champán —propuso mientras salía de la estancia—. Volveré enseguida.

Margo y Kate intercambiaron una mirada, como diciéndose la una a la otra que hablarían después. Con la deliberada intención de mostrarse animada, Margo llenó las copas y se embarcó en una larga anécdota acerca del juego en Montecarlo. Cuando regresó Laura, se encontró a las niñas con los ojos muy abiertos y a Kate sacudiendo la cabeza.

—Estás para que te encierren, Margo… ¡Mira que arriesgar veinticinco mil dólares en las imprevisibles vueltas de una bolita plateada…!

—Sí… pero ¡gané! —Suspiró al recordarlo—. Esa vez.

—¿Era papá? —quiso saber Ali, que corrió a agarrar la mano de su madre—. ¿Va a venir?

—No, no era papá, cariño. —Con el semblante apesadumbrado, Laura pasó los dedos por los cabellos de su hija. Estaba tan absorta, que ni siquiera se dio cuenta de que los hombros de Ali se hundían. Para animarla, se agachó sonriendo—. Pero tengo una noticia realmente buena. Algo muy especial.

—¿Qué es? ¿Una fiesta?

—Mejor. —Laura besó a Ali en la mejilla—. Tío Josh va a venir a casa.

Margo se dejó caer en el brazo del sofá y sintió de pronto la necesidad de tragar el champán.

—Espléndido —musitó—. Realmente espléndido.

4

Joshua Conway Templeton era un hombre que hacía las cosas en su momento y a su modo. Conducía ahora hacia el sur desde San Francisco porque había decidido no volar a Monterey desde Londres. Pudo haber justificado su visita aduciendo que el hotel Templeton de San Francisco requería un rápido estudio, pero el hotel-enseña de su familia funcionaba como un reloj perfectamente engrasado.

La razón más simple era que, en determinado momento durante el vuelo, había decidido comprar un coche.

Una maravilla de coche, además.

El pequeño Jaguar rugía por la autopista 1 como un purasangre al oír el pistoletazo de salida. Tomó una amplia y bien peraltada curva a ciento veinte kilómetros por hora, y la facilidad con que le obedeció le hizo esbozar una sonrisa.

Aquel era su hogar…, aquella costa escarpada y solitaria. Josh había rodado por la espectacular costiera amalfitana en Italia, circulado a toda velocidad por los fiordos de Noruega, pero ni siquiera la impresionante belleza de estos podía compararse con el singular dramatismo del Big Sur.

Tenía mucho más. Las centelleantes playas y las luminosas caletas. Los acantilados que se alzaban desafiantes desde el violento mar al cielo imperturbable. Misteriosos bosques, la sorpresa de un arroyo que se precipitaba en cascada en un desfiladero, como plata líquida. Y, después, kilómetros y kilómetros de tranquilidad, rota solo por el estruendo de los leones marinos y el fuego frío de la espuma del oleaje.

Como siempre, el esplendor de la naturaleza le hacía sentir un nudo en la garganta. Dondequiera que estuviese, por muy lejos que hubiera viajado, este lugar del globo terráqueo tiraba con fuerza de él.

Por eso regresaba a casa, en el momento en que lo había decidido y a su aire. Temerariamente probaba el Jaguar en las peligrosas y retorcidas curvas que se precipitaban, abajo, sobre los dentados cantiles y el implacable océano. Pisaba a fondo el pedal del gas en las rectas y disfrutaba sintiendo el viento que azotaba su rostro.

No era la prisa lo que lo impulsaba, sino la pasión por la velocidad y el riesgo. Tenía tiempo, pensaba. Mucho tiempo. Y ahora se disponía a emplearlo.

Estaba preocupado por Laura. En la voz de su hermana por teléfono había advertido una nota de desasosiego que lo puso alerta. Es verdad que le había dicho que todo iba bien. Pero Laura le decía eso siempre. Tendría que ir a comprobarlo él mismo, decidió.

Había, además, algunos asuntos de trabajo que deseaba considerar. En su momento se sintió feliz de poder dejar las oficinas ejecutivas en California de Hoteles Templeton en manos, básicamente, de Peter. A Josh, simplemente, no lo interesaban en absoluto las hojas de cálculo. Él tenía interés por los viñedos, por las fábricas, e incluso por la dirección diaria de un activo hotel de cinco estrellas, pero lo que expresaban todas aquellas hojas se ocupaba Peter, y no él.

Durante gran parte de la pasada década había disfrutado de la posibilidad de viajar libremente por Europa, visitar establecimientos, supervisar las necesarias renovaciones, introducir cambios de política de la cadena hotelera familiar. Bodegas en Francia y en Italia, olivares en Grecia, huertas en España. Y, por supuesto, los propios hoteles, que habían sido el punto de partida de todo.

Josh entendía y apoyaba el tradicional principio de Templeton de que la diferencia entre un hotel cualquiera y un hotel Templeton estribaba en el hecho de que este servía vinos de cosecha propia, cocinaba con aceites elaborados por él en sus almazaras, manufacturaba su propia ropa blanca. Los hoteles Templeton siempre ofrecían productos Templeton. Una parte del trabajo de Josh era velar por que fueran utilizados adecuadamente.

Su cargo en la empresa hubiera podido ser muy bien el de vicepresidente ejecutivo; pero, en lo esencial, era un mediador. Ocasionalmente le tocaba supervisar la resolución de complejas cuestiones legales: se esperaba que un licenciado en derecho por Harvard se ocuparía de esos asuntos. Pero, aun así, él prefería las personas a los papeles: disfrutaba presenciando una cosecha, bebiendo ouzo con los trabajadores o cerrando un trato sobre champán y caviar beluga en un restaurante Robuchon de París.

Era su encanto lo que hacía de él la baza más valiosa de Templeton…, eso, al menos, era lo que opinaba su madre. Y él ponía todo su empeño en no decepcionarla. Porque, a pesar de un estilo de vida despreocupado y un tanto inconsciente, se tomaba con toda seriedad el negocio y a su familia. Eran uno y lo mismo para él.

Y ahora, cuando pensaba en la familia, mientras la gravilla salía despedida de la calzada bajo los neumáticos y dejaba pertérritas a las cuatro personas del sedán al que acababa de adelantar, pensó en Margo.

«Estará deprimida —se dijo—. Destrozada, arrepentida, miserable…» Y no era que no mereciese sentirse así. Los labios de Josh se curvaron en una mueca, mitad sonrisa, mitad burla. Había tirado de unos cuantos hilos, repartido algunas propinas y, en general, se había apresurado a tocar todas las teclas para que Margo fuera exonerada rápida y completamente de toda acusación criminal en Atenas.

Después de todo, el Templeton de Atenas era un antiguo

y señorial hotel y, junto con el centro turístico Athena, un Templeton más, atraía al país una suma importante de dinero.

Poco podía hacer él para evitar el escándalo, o el daño causado a la carrera que Margo había comenzado a labrarse en Europa. Si podía llamarse carrera a dedicar malhumoradas miradas a una cámara…

Tendría que dejar todo eso, decidió Josh ahora con una sonrisa no exenta de arrogancia. Y él trataría de ayudarla. A su manera.

Obedeciendo a un viejo hábito, del que apenas era consciente, arrimó el coche a un lado de la carretera y lo detuvo en seco entre un rechinar de neumáticos. Allí, en la loma de la colina, rodeado de árboles que ponía frondosos la primavera y de hileras de vides que comenzaban ya a extender sus renuevos, se hallaba el hogar.

Piedra y madera, dos de los recursos que Templeton había encontrado allí mismo, se elevaban sobre el terreno agreste. La estructura original de dos pisos había sido construida por un antepasado suyo como casa de campo, y así había resistido durante más de ciento veinticinco años, superando tormentas, inundaciones, terremotos y la acción del tiempo.

Las alas habían sido añadidas por generaciones posteriores: sobresalían aquí y allá, bajaban para seguir la silueta de la colina. Dos pequeñas torres gemelas se alzaban, desafiantes: una concesión a la fantasía ideada por su padre. Amplias galerías de madera y pesadas terrazas de piedra se abrían bajo los altos arcos de las ventanas, a través de puertas de vidrio que ofrecían docenas de panoramas.

Plantas y árboles estaban llenos de flores rosadas, blancas y amarillas. «Los colores de la primavera —pensó Josh—, frescos y tentadores.» Y la hierba tenía el verde claro y suave de los primeros brotes. Le encantaba cómo surgía de una base de roca, y se hacía más abundante y extendida como si fuera al encuentro de la casa.

La unión de la tierra y el mar era tan intrincada e íntima como si formaran parte de la casa con el diseño estilizado de la madera y la piedra resplandeciente.

A Josh le encantaba esa casa por lo que era, por lo que había sido y por lo que le había dado. Saber que Laura la cuidaba y la mantenía era, para él, una sensación confortante.

El sencillo placer de verse allí era lo que le había hecho detenerse y ahora, cruzando rápidamente la carretera, adentrarse por el serpenteante camino tallado en la roca, para dar por último un fuerte e inesperado frenazo que lo salvó de estrellarse contra una alta reja de hierro dispuesta en la entrada.

Se quedó mirándola un momento con el ceño fruncido antes de que sonara el intercomunicador situado al lado del coche.

—Templeton House. ¿Puedo servirle en algo?

—¿Qué demonios es esto? ¿Quién ha levantado esa maldita reja?

—Yo… ¿Es usted, señor Joshua?

Como reconoció la voz, se esforzó en rebajar su irritación.

—Abre esta ridícula puerta, ¿quieres, Annie? Y, a menos que estemos siendo atacados, deja abierta esta condenada cosa.

—Sí, señor. Bienvenido a casa.

«¿En qué demonios estaría pensando Laura cuando se le ocurrió semejante idea?», se preguntó mientras la verja se abría silenciosamente hacia atrás. Templeton había sido siempre un lugar acogedor. Cuando jóvenes, sus amigos subían continuamente por el sinuoso camino, a pie, en bici y más tarde en coche, y la idea de encontrarlo cerrado, aunque no fuera más que por una sencilla verja, desbarataba el placer que le producía acceder por el áspero terreno a los cuidados céspedes y jardines.

Rodeó, malhumorado, la glorieta central del jardín, adornada con resistentes plantas perennes de floración en primavera y cimbreantes narcisos. Dejó en el coche las llaves y el equipaje y, con las manos en los bolsillos, subió los viejos y espléndidos escalones de granito que conducían a la terraza de la fachada de la casa. La puerta de la entrada principal estaba empotrada en el muro: tenía tres metros de altura, rematada en arco, y enmarcada por una intrincada serie de mosaicos que semejaban buganvillas de color púrpura, a juego con las flores vivas del emparrado que aparecían por encima del arco. Siempre le había parecido que atravesar aquella entrada era como pasear a través de un jardín.

Aún estaba caminando hacia la puerta cuando esta se abrió de par en par y Laura se arrojó literalmente a sus brazos.

—¡Bienvenido a casa! —le dijo, después que hubo cubierto de besos su cara y conseguido que sonriera de nuevo.

—Pensé por un minuto que os atrancabais para impedirme entrar. —La expresión de extrañeza de los ojos de Laura lo llevó a pellizcarle la barbilla: una antigua costumbre—. ¿A qué viene esa reja?

—Oh… —Se sonrojó un poco mientras retrocedía y se alisaba el cabello con la mano—. Peter pensó que necesitábamos alguna medida de seguridad.

—¿Seguridad? Todo cuanto uno tiene que hacer para sortearla es trepar unas cuantas peñas.

—Bueno, sí… pero… —Era lo mismo que ella había pensado y, puesto que se trataba de Josh, renunció a discutir—. Parece segura. E importante. —Le tomó el rostro entre las manos—. Y tú también. Tienes aspecto de persona importante, quiero decir.

En realidad, estaba pensando que lo notaba peligrosamente desencajado, y furioso. Para calmarlo, enlazó su brazo con el de él y emitió algunos sonidos de admiración por el coche estacionado en la entrada.

—¿De dónde has sacado ese nuevo juguete?

—Lo compré en San Francisco. Va como una bala.

—Lo que explica que te hayas presentado aquí una hora antes de lo que te esperábamos. Por suerte para ti, la señora Williamson se ha pasado toda la mañana trabajando como una esclava en la cocina para prepararle al señorito Josh todos sus platos favoritos.

—Dime que tendremos pastelillos de salmón para el almuerzo, y quedará todo perdonado.

—Pastelillos de salmón —confirmó Laura—. Allumettes de hojaldre, espárragos, foie gras y pastel de la Selva Negra. Todo un menú. Pero pasa y cuéntame cómo te ha ido por Londres. Porque vienes de Londres, ¿no?

—Un rápido viaje de negocios. Estaba tomándome unos días de vacaciones en Portofino.

—¡Ah, claro…! —Entró en la sala para servirle un vaso del agua mineral con gas que embotellaba Templeton. Las cortinas estaban descorridas, como las prefería ella, enmarcando los acogedores asientos dispuestos ante las ventanas y provistos de almohadones de vivos colores—. Allí es donde te localicé cuanto me enteré de lo de Margo.

—Humm… —Llevaba ya tiempo trabajando para ayudar a Margo cuando recibió la llamada de Laura. Pero no se lo dijo a su hermana. En lugar de eso, acarició descuidadamente un tallo de írides que sobresalía, junto con sus compañeros, de un jarrón de porcelana de Meissen—. ¿Cómo está ahora?

—Hemos estado charlando las dos un rato mientras tomábamos el sol junto a la piscina. Es tan terrible para ella todo esto, Josh… Y parecía tan hundida cuando llegó a casa… Bella Donna va a prescindir de ella como portavoz e imagen de la firma. El contrato que tenía con ellos iba a ser renovado próximamente, pero se da por hecho que no habrá renovación.

—Es una putada, sí —Se sentó en el amplio sillón de orejas que había junto a la chimenea, y estiró las piernas—. Pero quizá pueda promocionar alguna otra marca de crema facial…

—Sabes que no es tan fácil, Josh. Había conseguido un hito en Europa promocionando a Bella Donna. Era su principal fuente de ingresos, y ahora se la han cortado. Si has prestado alguna atención a la prensa, sabrás que las posibilidades de que le ofrezcan algo semejante aquí, en Estados Unidos, se reducen prácticamente a cero.

—Entonces…, tendrá que buscar algún trabajo de verdad.

La lealtad hacia su amiga hizo que Laura protestara con un movimiento de la barbilla.

—Siempre has sido demasiado duro con ella.

—Alguien tiene que serlo —dijo Josh, pero sabía que era inútil discutir con su hermana acerca de Margo. El cariño cegaba siempre los ojos de Laura—. De acuerdo, cielo… Siento mucho lo que le ha sucedido. Ha sido una injusticia, pero la vida está llena de ellas. En los últimos años ha venido forrándose de liras y francos… Todo lo que tiene que hacer ahora es sentarse sobre ese dineral, lamerse las heridas y pensar en lo que hará luego.

—Creo que está arruinada.

Aquello lo sorprendió lo suficiente para hacerle dejar el vaso a un lado.

—¿Qué quieres decir con eso de que está arruinada?

—Quiero decir que le ha pedido a Kate que examinara sus cuentas, y esta no ha acabado aún, pero tengo el presentimiento de que la situación es mala. Margo sabe que es mala.

Josh no podía creerlo. Había examinado personalmente el contrato de Bella Donna, y sabía que el sueldo y los beneficios deberían haberle reportado una situación desahogada para toda una década.

Soltó luego una exclamación de disgusto. ¿Por qué no iba a creerlo? Después de todo, estaban hablando de Margo…

—¡Por amor de Dios! ¿Qué ha estado haciendo…? ¿Lanzando al Tíber todo su dinero?

—Bueno…, su estilo de vida… Allí es una celebridad, y…

—¿No estaba ya lo suficientemente preocupada por ella, para tener ahora que explicárselo a Josh?, se preguntó Laura—. ¡Maldita sea, Josh…! No estoy segura, pero pienso que ha sido cosa del canalla ese que le hacía de representante en los últimos años y ha acabado metiéndola en un lío.

—¡Cabeza de chorlito...! —murmuró Josh—. Y por eso vuelve ahora a casa, arrastrándose y lloriqueando.

—No ha lloriqueado. Y yo no hubiera pensado nunca que tú adoptarías esta actitud —prosiguió—. Debe de ser muy propia de hombres. No tenéis ni pizca de lealtad ni de compasión. Peter quería que la echara de aquí como si...

—¡Que pruebe a hacer eso! —murmuró Josh con un peligroso centelleo en sus ojos—. Peter no es el dueño de esta casa.

Laura abrió la boca para decir algo, pero volvió a cerrarla. Si no cesaban pronto aquellos altibajos emocionales que la sacudían como en unas montañas rusas, acabaría saltando ella también.

—Peter no se crió con Margo como nosotros. Por eso no se siente tan unido a ella como lo estamos tú, Kate y yo. Él no la comprende.

—¡Ni falta que hace! —exclamó Josh secamente, poniéndose en pie—. ¿Está fuera, en la piscina?

—Sí, pero..., Josh... No se te ocurra ir allí ahora y empezar a pincharla. ¡Demasiado desgraciada se siente ya!

Josh la miró desafiante.

—Iré solo a echarle sal en sus heridas y refrotárselas, y después pienso que me iré a atropellar a algunos cachorrillos por la carretera, para completar mi cuota de viudas y huérfanos.

Los labios de Laura esbozaron una sonrisa.

—Trata solo de mostrar que la apoyas. Almorzaremos en la terraza sur dentro de media hora —dijo.

Eso le daría a ella tiempo para encargarse de que subieran sus maletas al piso de arriba y deshacerle adecuadamente el equipaje.

Margo notó de inmediato su presencia, en el instante mismo en que él pisó el sendero enlosado que conducía al borde de la piscina. No lo vio, ni lo oyó ni percibió su olor. En lo relativo a Josh, tenía un sexto sentido. Y, puesto que él no le habló, sino que se limitó a repantigarse en una de las gandulas acolchadas de la terraza de la piscina, ella siguió nadando.

Hacía demasiado frío para nadar, por supuesto. Pero necesitaba hacer algo. El agua estaba tibia: salía de ella un vapor que iba a mezclarse con el aire más frío, pero cada brazada que daba en el agua ponía sus brazos en contacto con el aire y le hacía sentir en ellos el refrescante mordisco de la brisa.

Acabó de recorrer la piscina con largas y lentas brazadas, y se arriesgó a dirigirle una rápida mirada. Él estaba mirando a otro lado, hacia la rosaleda. Preocupado, pensó.

Recordó que sus ojos eran muy parecidos a los de Laura. Siempre la sorprendía ver los preciosos ojos grises de Laura en la cara de Josh. Pero los de él eran más fríos, más impacientes y, a menudo, más burlones a expensas de Margo.

Lucía un bronceado reciente, tal vez de unos días pasados en algún lugar al aire libre, observó mientras daba la vuelta sobre sí misma para recorrer en sentido inverso la longitud de la piscina: era solo una pizca más de color, que añadía un atractivo más a sus ya arrebatadores rasgos.

Como alguien que se reconocía afortunada en el reparto de los genes. Margo no atribuía mucha importancia al simple hecho de tener una excelente apariencia física. A fin de cuentas, era solo una cuestión de suerte.

La suerte de Josh Templeton en esto había sido extraordinaria.

Sus cabellos eran un poco más oscuros que los de su hermana. De un rubio leonado: este, al menos, pensaba Margo era el calificativo adecuado. Los llevaba algo más cortos que la última vez que habían coincidido casualmente. ¿Cuándo fue eso? ¿Tres meses atrás, en Venecia? Ahora hacían juego con su cuello, el cuello de una camisa de seda de color chocolate que llevaba arremangada hasta los codos.

También recordaba su boca, una boca bien dibujada, expresiva. Capaz de mostrar una sonrisa encantadora, enfurecerse con una mueca de desdén o, peor aún, de crisparse con una sonrisa tan fría que te helaba la sangre.

Tenía una mandíbula firme en la que, afortunadamente, no quedaba ya rastro de la barba que se había dejado crecer durante corto tiempo poco después de cumplir veinte años. Su nariz era recta y de aire aristocrático. Pero, por encima de todo, se percibía en él el aura del éxito, seguridad en sí mismo y arrogancia, aderezado todo con destellos de un peligro latente.

Margo tenía que reconocer que había habido una época, en su adolescencia, en que se había sentido atraída y a la vez espantada por aquella aura.

Pero de una cosa estaba segura: de que era la última persona en el mundo a la que le permitiría ver lo tremendamente espantada que se sentía por su presente y por el futuro. Deliberadamente se puso de pie en el extremo menos hondo de la piscina. El agua se escurría despacio de su cuerpo mientras subía los escalones. Sentía frío ahora, pero se habría convertido en un bloque azulado de hielo antes que admitirlo.

Como si acabara de darse cuenta de que no estaba sola, enarcó una ceja y sonrió. Le salió una voz grave, gutural y temerosa de demostrar afecto.

—¡Vaya, Josh…! ¡Qué pequeño es el mundo!

Llevaba puesto un biquini de color azul zafiro consistente en dos exiguas piezas de lycra. Sus curvas eran espléndidas, esculturales, con la piel tan lisa como el mármol pulido y con el brillo de la seda fina. Era consciente de que la mayoría de los hombres echaban un vistazo a los atributos que Dios le había dado y al punto se abismaban en sus fantasías.

Josh se limitó a bajar su guía de viaje y a mirarla por encima del margen superior de las páginas. Observó que había perdido peso, y que aquella maravillosa piel suya estaba marcada por bultitos de piel de gallina. Con aire fraternal, le lanzó una toalla.

—Te van a castañetear los dientes dentro de un minuto.

Irritada, ella se pasó la toalla alrededor del cuello y cerró los puños.

—Es tonificante. ¿De dónde has salido?

—De Portofino, de paso para Londres.

—Portofino… Uno de mis lugares favoritos, incluso aunque los Templeton no tuvieran un hotel allí. ¿Te has alojado en el Splendido?

—¿Dónde, si no?

«Si iba a ser tan boba como para permanecer allí de pie, congelándose, allá ella.» Josh cruzó los tobillos y se reclinó en la gandula.

—La suite de la esquina —dijo, recordando—. Desde donde, si te pones de pie en la terraza, puedes ver la bahía, las colinas, los jardines…

Esa había sido su intención: pasar un par de días para relajarse y practicar un poco la vela. Pero había estado demasiado ocupado negociando por teléfono y fax con la policía y políticos griegos para disfrutar del paisaje.

—¿Cómo encontraste Atenas?

Casi se entristeció cuando vio cómo parpadeaban sus ojos, pero enseguida se recuperó.

—Bueno…, no tan acogedora como de costumbre. Un pequeño malentendido… Pero ya se ha arreglado todo. Lo peor de todo, sin embargo, fue ver interrumpido mi crucero.

—Seguro que lo fue —murmuró él—. Y, también, la falta de consideración por parte de las autoridades. Todo por unos fastidiosos kilos de heroína…

—Exactamente lo que pensaba yo. —Sonrió con soltura y, después, negligentemente, tomó el albornoz que había colgado del respaldo de una silla. Ni siquiera el orgullo iba a poder evitar mucho tiempo que comenzara a tiritar—. Pero, aun así, he podido emplear esos días libres para salirme un poco de la rutina. Ha pasado mucho desde la última vez que pude arañar algún tiempo para venir a visitar a Laura y a Kate y a las niñas. —Se ciñó el cinturón del albornoz y casi dejó escapar un suspiro de alivio—. Y a ti también, Josh; naturalmente.

—Como sabía que aquello lo irritaba, se agachó y le dio un

cachetito en la mejilla—. ¿Cuánto tiempo vas a quedarte por aquí?

Él la agarró por la muñeca, consciente de que eso la molestaba a ella, y se puso en pie.

—Todo lo que haga falta —dijo.

—Bien, entonces. —Margo olvidaba siempre que Josh era diez centímetros más alto que ella. Hasta que se encaraba con aquel cuerpo recio y estirado—. Será como en los viejos tiempos, ¿no? Creo que voy a entrar ahora a ponerme alguna ropa seca.

Dicho esto, le plantó un par de besos en las mejillas, se despidió con un *ciao* por encima del hombro, y caminó por el sendero hacia la casa.

Josh la vio marchar. Se odiaba a sí mismo por haber sentido cierta decepción al no encontrarla llorosa y hundida. Y se odiaba más todavía, mucho más aún, por el hecho innegable de que estaba enamorado de ella…, como lo había estado siempre.

A Margo le costó seis intentos elegir el vestido adecuado para el almuerzo. La vaporosa blusa de seda y los pantalones de delicado color rosa le parecieron suficientemente informales a la vez que tenían cierta elegancia y estilo. Completó el conjunto con unos pendientes de oro en forma de picaporte, un par de esclavas y una larga cadena trenzada, también de oro. Elegir zapatos le costó otros diez minutos…, antes de que tuviera la inspiración de ir descalza. Eso le prestaría un aire despreocupado.

No podía explicarse por qué siempre se sentía impulsada a impresionar a Josh, o a combatir con él para superarlo. Hablar de rivalidad entre hermanos parecía una explicación demasiado inocente y, por supuesto, demasiado vulgar.

Ciertamente él, de niños, se había burlado inmisericordemente de ella desde la superioridad y la altivez que le prestaba el ser cuatro años mayor que ella; la había atormentado de adolescente; y cuando sus caminos se habían cruzado de adultos, la había hecho sentirse sucesivamente alocada, superficial e irresponsable.

Una de las razones de que el contrato de Bella Donna significara tanto para ella era que lo veía como la medida tangible de un éxito del que habría podido enorgullecerse ante sus desaprobadoras narices. Ahora ya no podía contar con eso. Todo lo que tenía era imagen…, realzada por el guardarropa y la bisutería que había ido reuniendo desesperadamente a través de los años.

Daba gracias a Dios de que la hubiera sacado de aquel jaleo en Atenas antes de que Josh se hubiera presentado a salvarla cabalgando en su blanco corcel. Porque eso hubiera supuesto una humillación para ella que Josh nunca le habría dejado olvidar.

Lo primero que oyó tras haber alcanzado la base de la escalera y cuando se dirigía ya a la terraza sur fue la risa de Laura. Margo se detuvo. ¡Eso era lo que había estado echando de menos durante los pasados dos días!, se dijo: la risa de Laura. Había estado demasiado enredada en sus propias miserias para haber notado aquel hecho. Por mucho que la sacara de quicio la presencia de Josh, tenía que estarle agradecida: había conseguido que Laura volviera a reír.

Ahora era ella quien estaba sonriendo a su vez, cuando prosiguió la marcha y se reunió con ellos.

—¿De qué os reíais?

Josh se limitó a reclinarse en el asiento con su vaso de agua y a estudiarla, pero Laura buscó al punto su mano.

—Josh nos estaba revelando un horrible delito que cometió en secreto cuando éramos niños. Creo que trata de aterrorizarme a propósito de lo que Ali y Kayla pueden estar tramando delante de mis propias narices.

—Las niñas son unos ángeles —dijo Margo, al tiempo que se sentaba a la redonda mesa de cristal bajo una gran glicinia llena de suaves flores—. Josh era de la piel del demonio. —Extendió un poco de foie gras en la punta de una tostada y se la comió—. ¿Cuál fue ese delito?

—¿Recuerdas aquella noche en que tú y yo fuimos hasta el acantilado de Serafina con Matt Bolton y Biff Milard? Era en verano, y acabábamos de cumplir quince años. Kate no estaba con nosotras porque tenía un año menos y aún no la dejaban salir con chicos.

Margo hizo retroceder su memoria:

—Aquel verano salimos muchas veces las dos juntas con Matt y Biff. Hasta que Biff intentó desabrocharte el sostén y tú le diste un puñetazo que le hizo sangrar por la nariz.

—¿Queeé? —Josh se puso alerta de inmediato—. ¿Qué quieres decir con eso de que trató de desabrocharle el sostén?

—Estoy segura de que tú has intentado la misma maniobra con otras más de una vez, Josh —dijo Margo cortante.

—Calla, Margo. Nunca me dijiste que había tratado de…

—En los ojos de Josh había un ardor bélico—. ¿Qué más intentó, Laura?

Laura suspiró y decidió que estaba disfrutando con los pastelillos de salmón más de lo que esperaba.

—No vale la pena que vueles a Los Ángeles para perseguirlo y matarlo a tiros como a un perro. En cualquier caso, si yo hubiera querido que me desabrochara el sostén, no le habría sacudido en la nariz, ¿no crees? —dijo—. Pero, volviendo a la historia, aquella fue la noche que oímos al espíritu de Serafina.

—Ah, sí… Ahora me acuerdo.

Margo se sirvió más paté. Observó que habían sacado a la mesa la vajilla de porcelana de Tiffany. El modelo Monet, con sus motivos de color amarillo y azul vivo. Y, para realzarlo, un jarrón de plata con franchipanes amarillos del invernadero. «El toque de mi madre», pensó. Había empleado la misma porcelana, las mismas flores, cuando le permitió a Margo dar la merienda que tanto había deseado por su decimotercer cumpleaños.

Y se preguntó si aquella sería la manera callada y discreta que tenía su madre de darle la bienvenida.

Con un leve respingo, volvió a su relato.

—Estábamos sentados en el borde del acantilado, besuqueándonos…

—Explica eso de «besuqueándoos» —le pidió Josh.

Laura se limitó a sonreír y a robarle del plato un bastoncito de patata frita:

—Había luna llena —prosiguió Margo—, con una luz maravillosa rielando en el agua. Las estrellas eran grandes y brillantes, y el océano parecía extenderse hasta el infinito. Entonces la oímos. Estaba llorando.

—Como si tuviera roto el corazón —dijo Laura—. Era un llanto intenso, pero muy suave, como algo que el aire transportara. Nos sentíamos aterradas y emocionadas a un tiempo.

—Y los chicos estaban tan asustados que se les pasaron todas las ganas de meternos mano e insistían en que volviéramos al coche. Pero nosotras nos quedamos. Podíamos distinguir sus susurros y quejidos, su llanto… Y después la oímos hablar. —Margo se estremeció al recordarlo—. En español.

—Tuve que traducir yo sus palabras —dijo Laura— porque tú estabas demasiado ocupada en pintarte las uñas durante las clases para prestar atención a la señora Lupez. Fueron: «Descubrid mi tesoro. Yo aguardo el amor».

Margo suspiraba aún, cuando ya Josh se estaba riendo.

—Me costó tres días enseñarle a Kate cómo tenía que decirlo sin aturullarse. La pobre jamás ha tenido facilidad para las lenguas. Casi nos caímos ella y yo por el acantilado cuando vosotras dos comenzasteis a dar gritos.

Margo contrajo sus pupilas.

—¿Tú y Kate?

—Estuvimos una semana planeándolo —dijo Josh; y, puesto que vio que Margo no parecía muy interesada por la comida, pinchó con el tenedor el pastelillo de salmón que tenía ella en el plato, y lo transfirió al suyo—. Se sintió abandonada cuando vosotras dos empezasteis a salir con chicos. Y a mí se me ocurrió la idea cuando me la encontré enfurruñada en el acantilado. Todo el mundo sabía que vosotras os pasabais las horas allí como dos pasmarotes, y pensé que aquello animaría un poco a Kate. —Tragó un bocado y sonrió—. Y la animó.

—Si mamá y papá hubieran llegado a enterarse de que te llevabas a Kate para bajar de noche por el acantilado en busca de un reborde para instalaros, te habrían matado.

—Aun así, hubiera valido la pena. Os pasasteis semanas hablando del tema, después. Margo quería incluso ir a ver a una vidente.

—Solo fue una idea —protestó ella.

—Pero ¡si hasta trataste de encontrar una en la guía de teléfonos! —le recordó Josh—. Y fuiste a Monterey y compraste unas cartas de tarot…

—Estaba experimentando… —comentó, antes de que se le escapara una carcajada—. ¡Maldita sea, Josh…! Aquel verano me gasté hasta el último céntimo de mi paga en bolas de cristal y lecturas de la palma de la mano, cuando quería desesperadamente haber ahorrado para comprar unos pendientes con zafiros. Habría sido una buena lección para ti, si hubiera dado con el secreto de la dote de Serafina.

—Jamás existió —dijo Josh, y apartó de sí el plato para no arrepentirse y comer más. En cualquier caso, ¿cómo podía seguir comiendo un hombre después de que aquella risa franca y pícara suya le hubiera clavado en las entrañas el aguijón del deseo?

—Por supuesto que existió. Serafina lo escondió para librarlo de las manos de los invasores estadounidenses, y después se arrojó al mar antes que vivir sin su amante.

Josh le dirigió a Margo una mirada cariñosamente divertida.

—¿Todavía no has superado la etapa de los cuentos de hadas? —preguntó—. Es una bonita leyenda; eso es todo.

—Si no fueras tan duro de mollera, sabrías que las leyendas se basan persistentemente en hechos.

—¡Tregua! —Laura levantó las manos y se puso en pie—. Tratad de no lanzaros pullas el uno al otro mientras voy a ocuparme del postre.

—Yo no soy duro de mollera —protestó antes de que su hermana hubiera salido por la puerta—. Me guío por la razón.

—Tú nunca has tenido alma. Una diría que alguien que ha pasado tanto tiempo como tú en Europa, expuesto a las influencias de Roma, y París, y…

—Algunos nos dedicamos a trabajar en Europa —la cortó, y tuvo la satisfacción de ver que sus ojos se oscurecían y se tornaban peligrosos—. ¡Esa es precisamente la expresión que tenías en el anuncio para aquel perfume…! ¿Cómo se llamaba…? ¡Savage!

—Aquella campaña aumentó un diez por ciento las ventas de Bella Donna. Por eso se considera trabajo lo que yo hago.

—De acuerdo —admitió, y se bebió el contenido del vaso de agua de ella—. Pero, dime, Margo… ¿Alguna vez intentó Matt desabrocharte el sujetador?

Estaba tranquila, se dijo a sí misma. Controlaba la situación. Así que levantó el vaso vacío y miró fijamente a Josh a los ojos.

—Yo nunca llevaba sujetador. —Lo vio fruncir el entrecejo y siguió su mirada, que descendía hacia su busto—… En aquel entonces —añadió. Y, dando rienda suelta a una carcajada, se levantó para desperezarse—. ¿Sabes? Quizá, después de todo, me alegro de que estés en casa. Necesito alguien con quien pelearme.

—Encantado de servirte. ¿Qué pasa con Laura?

Margo bajó la cabeza.

—Eres rápido, Josh. Siempre lo has sido. Está preocupada por mí. Quizá se trate solo de eso, pero no estoy segura.

Él ya lo había notado, se dijo. Y asintió mientras se ponía en pie.

—¿Y tú? —le preguntó—. ¿Estás preocupada por ti?

La sorprendió la suavidad de su voz, el leve roce de los nudillos de él en su barbilla. ¡Podía apoyarse en él!, se dijo con un sobresalto. Podía descansar la cabeza en aquellos hombros y cerrar los ojos, confiando en que, por un momento al menos, todo iría bien.

Casi había dado ya el paso adelante que los separaba, cuando decidió que sería una locura.

—No vas a ser bueno conmigo, ¿verdad? —le preguntó.

—Quizá. —Pudo haber sido la confusión que advertía en sus ojos, o el aroma sensual que emanaba de su piel, pero él sintió la necesidad de tocarla. Puso las manos en sus hombros y los acarició mientras sus ojos se clavaban en los de ella—. ¿Necesitas ayuda? —le preguntó.

—Yo… —Podía percibir anticipadamente una sensación en sus labios, y la desconcertó que fuera su deseo de él—. Pienso que…

—Disculpen… —Con el rostro deliberadamente inexpresivo, Ann había entrado en la terraza con un teléfono portátil. Sus ojos parpadearon con algo que pudiera parecer diversión al ver que Josh dejaba caer sus manos como si lo hubiera pillado intentando quitarle la ropa a su hija—. La señorita Kate está al teléfono. Es para ti, Margo.

—Oh… —Margo se quedó mirando el teléfono que su madre le puso en la mano—. Gracias… Esto… ¿Kate? Hola.

—¿Ocurre algo malo? Tu voz…

—No, no, nada en absoluto —la cortó Margo con viveza—. ¿Y tú cómo estás?

—Se está acercando la época de las declaraciones fiscales, chica… ¿Cómo piensas que puede estar un contable? Por eso no puedo escaparme ahora para ir a verte. Y la verdad es que tengo que hablar contigo, Margo. ¿Puedes venir tú aquí, a mi despacho, esta tarde? Haré un hueco para ti entre las tres y las tres y media.

—Seguro. Supongo que sí… Si tú…

—¡Estupendo! Hasta luego.

Margo colgó el aparato.

—Kate siempre ha sido una campeona en cuestión de comunicaciones.

—Tenemos muy cerca el quince de abril, la fecha tope para la liquidación de impuestos. La hora de la verdad.

Margo enarcó una ceja. Vio que Josh parecía de lo más tranquilo. Toda aquella tensión…, toda aquella expectación de momentos antes, debían de haber sido solo imaginaciones suyas.

—Esas han sido casi sus mismas palabras. Tengo que ir a su oficina. Será mejor que vaya a ver si Laura puede prestarme un coche.

—Llévate el mío. Está delante de la casa. Tiene las llaves puestas. —Y, observando su mirada dubitativa, le dedicó una rápida y encantadora sonrisa—. Vamos, Margo… ¿quién fue el primero que te enseñó a conducir?

—Tú lo hiciste. —Los ojos de ella se animaron—. Y con una paciencia nada habitual en ti.

—Eso fue porque me tenías aterrorizado. Disfruta con él. Pero, si le haces un arañazo, te tiro por el acantilado de Serafina.

Nada más salir ella, Josh volvió a sentarse, pensando que así no solo se aseguraría su ración de postre, sino que tendría, además, la oportunidad de husmear qué era lo que preocupaba a su hermana.

5

Kate Powell era una mujer consecuente, centrada y con frecuencia inflexible. Mientras Margo avanzaba por el pasillo de la segunda planta de oficinas de Bittle y Asociados, con su sello de actividad, los teléfonos sonando y teclados que parecían repiquetear todos a un tiempo, se dio cuenta de que aquello era exactamente lo que Kate soñaba para sí misma desde niña. Y lo que se había esforzado en lograr, sin desviarse lo más mínimo, durante toda su vida.

Primero habían sido las clases de matemáticas avanzadas en el instituto, en las que, por supuesto, había destacado. Los tres cursos consecutivos en que sus compañeros la eligieron como tesorera de la clase. Los veranos y las vacaciones que había pasado trabajando en llevar la contabilidad de un centro Templeton de veraneo para avanzar en su formación y como prácticas. Y, a partir de allí, la beca en Harvard, su máster en empresariales y, finalmente, su negativa, amable pero firme, a ocupar un puesto en cualquiera de las oficinas Templeton.

No, pensó Margo al mirar las sencillas moqueta y paredes, al notar en el aire la tensión nerviosa de la época del año de las declaraciones de impuestos, Kate había elegido Bittle, aceptado un puesto de trabajo de principiante en la empresa. Su sueldo hubiera sido más elevado en Los Ángeles o Nueva York. Pero entonces no hubiera podido estar cerca de casa.

En esto, Kate también era consecuente.

Y, en consecuencia, se había labrado su camino en la empresa. Margo no sabía gran cosa acerca de los contables, aparte de que siempre estaban quejándose de impuestos y de garantías y de beneficios previstos, pero sabía que Kate era ahora responsable de varios importantes clientes en la antigua, respetada y, en opinión de Margo, enmohecida firma Bittle y Asociados.

Por lo menos, todos estos años de esfuerzo le han valido ocupar un despacho decente, pensó Margo mientras atisbaba por la puerta de Kate. Aunque…, ¿cómo puede soportar uno trabajar todo el santo día encerrado entre cuatro paredes, de espaldas a la ventana y sin mirar lo que hay al otro lado? Pero Kate, sin embargo, parecía contenta con eso.

Su mesa estaba limpia de papeles, como ya cabía esperar. Encima de ella no había una sola baratija de adorno, ningún extravagante pisapapeles, ni chismes frívolos que atestaran su superficie. Para Kate, Margo lo sabía muy bien, amontonar cosas era uno de los Siete Pecados Capitales, junto con la impulsividad, la deslealtad y llevar desorganizada la libreta de cheques.

Había unas cuantas carpetas amontonadas ordenadamente en el borde de la pequeña cajonera de la mesa. Docenas de lápices, afilados hasta convertirse casi en armas letales, sobresalían de un contenedor de material plástico transparente. Un pequeño y vistoso ordenador portátil respondía obediente y casi en un murmullo cuando Kate rozaba sus teclas. Se había quitado su chaqueta azul marino y la había colgado en el respaldo de su sillón giratorio. Las mangas de su flamante blusa blanca las tenía arremangadas al estilo profesional. Estaba pensando, y la concentración marcaba una arruga entre sus cejas por encima de la montura de concha de unas gafas para leer y le conferían aspecto de persona estudiosa. Aunque su teléfono sonaba con insistencia, no obtenía ni un pestañeo de ella como respuesta.

En el momento de entrar Margo, Kate se limitó a hacer un gesto con el dedo y siguió dándole al teclado con los de la otra mano. Después soltó un gruñido, asintió y levantó la cabeza.

—Llegas muy a tiempo para que me tome un respiro. Cierra la puerta, ¿quieres? ¿Sabes cuánta gente espera al mes de abril para reunir sus recibos?

—Ni idea.

—Todos. Siéntate.

Margo tomó asiento en el sillón marrón oscuro que había enfrente de la mesa y Kate se levantó, relajó los hombros, hizo girar lentamente la cabeza sobre su cuello y murmuró algo que sonó como «¡qué alivio!». A continuación se quitó las gafas, metió una de las patillas en el bolsillo delantero de su blusa de forma que quedaron prendidas en él como si fueran una medalla y, por último, se volvió, tomó de un estante dos tazas blancas y alargó la mano en busca de su cafetera.

—Annie me dijo que Josh estaba en casa.

—Sí, llegó hoy, luciendo un bronceado impresionante.

—¿Cuándo no ha tenido ese aspecto? —preguntó Kate. Advirtió entonces que se había olvidado de descorrer las persianas, lo hizo entonces y la luz natural se coló en la habitación para competir con el resplandor de los fluorescentes—. Espero que piense quedarse unos días. Yo no voy a tener tiempo libre hasta pasado el quince.

De un cajón del escritorio, sacó un frasco de jarabe contra la acidez de estómago, lo destapó y bebió un trago de su contenido como lo haría un impenitente borrachín de una botella de vino de aguja.

—¡Por Dios, Kate! ¿Cómo puedes tomar eso? ¡Es horrible!

Kate se limitó a poner cara de extrañeza.

—¿Cuántos cigarrillos has fumado tú hoy, campeona? —preguntó tranquilamente.

—Esa no es la cuestión. —Margo no ocultó una mueca de disgusto al ver que Kate devolvía el frasco al cajón—. Por lo menos, yo soy consciente de que me estoy matando poco a poco. ¡Por Dios, Kate…! Deberías visitar al médico. ¡Si tan solo aprendieras a relajarte…! Prueba aquellos ejercicios de yoga de los que te hablaba…

—Ahórrate el sermón. —Kate la cortó en mitad de la frase y consultó su práctico reloj de pulsera. No tenía tiempo ni ganas de preocuparse por su nervioso estómago; no, ciertamente, hasta que hubiera terminado de calcular el resumen de pérdidas y ganancias que tenía en aquellos momentos en la pantalla de su ordenador—. Tengo un cliente dentro de veinte minutos y no dispongo de tiempo para discutir contigo nuestras distintas adicciones. —Le tendió una taza a Margo y se acomodó en un ángulo de la mesa sentándose a medias en él—. ¿Se ha presentado Peter?

—Yo no lo he visto. —Margo dudó un instante en si tomar o no el hilo de su discusión, pero la pretensión de aleccionar a Kate había sido siempre una experiencia frustrante para ella. Decidió, pues, que valía más concentrarse en los problemas de una de sus amigas, a intentar solucionar a la vez los de las dos—. Laura no cuenta gran cosa acerca de Peter. ¿Tú sabes si vive en el hotel, Kate?

—Oficialmente, no. —Kate había comenzado a morderse las uñas antes de que decidiera quitarse ella misma ese mal hábito. «Pura fuerza de voluntad», recordó Margo. Fue entonces cuando lo sustituyó por el café—. Pero, por los rumores que me llegan, diría que pasa más tiempo en el hotel que en casa.

Movió los hombros, todavía tratando de desentumecerlos. La cabeza le daba punzadas de dolor. Entre la época de las declaraciones de impuestos y los problemas de sus amigas íntimas, se despertaba cada día con jaqueca por la tensión.

—Ni que decir tiene que esta también es una mala época del año para él...

Margo se sonrió.

—A ti nunca te cayó bien Peter.

Kate le devolvió la sonrisa de inmediato.

—Y a ti tampoco —dijo.

—Bueno..., si hay problemas en el paraíso, tal vez pueda ayudar a Laura a resolverlo. Pero si él no viene a casa porque yo estoy en ella, tendría que marcharme. Podría instalarme en el centro de vacaciones.

—Peter faltaba ya muchas veces a la retreta familiar antes de que tú reaparecieras. No sé qué hacer, Margo. —Se restregó los cansados ojos con las yemas de los dedos, cuyas uñas llevaba sin pintar—. Laura no quiere hablar de ello, en realidad, y yo, en cualquier caso, soy una calamidad a la hora de dar consejos sobre las relaciones de pareja.

—¿Sigues saliendo con aquel interventor del ayuntamiento?

—No. —Kate había resuelto firmemente no pensar más en eso. «Un libro cerrado», se recordó a sí misma. Aunque aún le doliera—. No tengo tiempo para salir. El hecho es que voy a estar completamente atada a este despacho hasta finales de la semana próxima, más o menos. Y me alegra muchísimo que tú estés allí, con Laura y las niñas.

—Me quedaré a menos que vea que mi estancia le complica las cosas. —Margo, ensimismada, se puso a tamborilear con los dedos en el brazo de la butaca; sus uñas, perfectamente esmaltadas con un tono de laca rojo geranio, contrastaban con el feo marrón del sillón—. La ha hecho muy feliz la presencia de Josh. Creo que no me había dado cuenta de lo desgraciada que se sentía hasta que la vi con él hoy. Lo cual me recuerda que… —Dejó a un lado el café. Kate lo hacía tan fuerte, que casi era menester masticarlo—. ¿Nunca te preocupó haberte arriesgado a una maldición por burlarte del fantasma de Serafina?

Kate puso cara de no entender nada.

—¿Cómo dices?

—Acurrucada en un cantil y gimiendo en un pésimo español a propósito de tu dote… A Laura y a mí no conseguiste engañarnos ni un minuto.

—¿Qué estás…? ¡Oh…! ¡Oh! —En cuanto el hecho le vino a la memoria, Kate estalló en una carcajada. No era la risa de una mujer remilgada y seria: le salía directamente de dentro, de un lugar mucho más hondo que la garganta, y obligó a Margo a reír a su vez—. ¡Cielos! ¿Lo había olvidado! ¡Estaba tan celosa, tan cabreada de que tú y Laura estuvierais saliendo con chicos, y que a mí tío Tommy y tía Susan me hicieran aguardar todavía otro año…! Ni siquiera me apetecía salir…, pero no soportaba que vosotras me tomarais la delantera. —Mientras hablaba, se puso en pie para servirse otra taza de café—. Josh tenía siempre las ideas más geniales y atrevidas —añadió, aupándose de nuevo a la mesa.

—Tuviste suerte de no resbalar del cantil e irte al encuentro con Serafina.

—Teníamos cuerdas —se rió con la cara medio tapada por la taza de café—. Al principio yo estaba mortalmente asustada, pero no quería que Josh pensara que era una cobardica. Tú ya sabes lo atrevido que es él.

—Mmm. —Margo lo sabía muy bien. Un Templeton no rechazaba un reto jamás—. A vosotros deberían haberos tenidos castigados durante semanas.

—Sí… ¡qué tiempos aquellos! —reconoció Kate con una sonrisa nostálgica—. Pero lo cierto es que yo me dejé enredar fácilmente. Interpretar el papel de Serafina y oíros a vosotras dos llamándola a gritos fue uno de los momentos estelares de mi vida. No puedo creer que Josh me haya delatado.

—Pensará probablemente que ya soy demasiado madura para arrancarte el pelo a tirones… —dijo Margo; ladeó la cabeza y sonrió—. No lo soy, pero tú tienes tan poco pelo del que tirar… —Juntó luego las manos alrededor de su rodilla—. Te conozco, Kate. Y tú no me has pedido que venga a este marco tan profesional para charlar acerca de los viejos tiempos. Suéltamelo ya.

—De acuerdo —Kate se daba cuenta de que había sido una cobardía desear posponer el momento—. Puede decirse que tengo para ti buenas y malas noticias.

—Ya me conviene alguna cosa buena…

—Tienes aún salud —dijo Kate; y al advertir la risa nerviosa de Margo, dejó a un lado su taza de café. Deseó que hubiera una forma mejor de hacer aquello, que hubiera sido más hábil o más lista para encontrarle a Margo una escapatoria—. Lo siento…, ha sido un chiste malo de contable. Pero tienes que hacerte bien a la idea de que eso es lo único bueno que tienes, Margo. Financieramente, estás jodida.

Margo apretó los labios y asintió:

—No trates de suavizarlo, Kate. Puedo soportarlo.

Consciente de ello, Kate se bajó de la mesa, fue a sentarse en un brazo de la butaca de Margo, y la abrazó.

—He introducido todos los datos en un programa de ordenador y tengo aquí una copia impresa sobre papel con los resultados. —Podía haberle dicho también que aquello, sumado a su carga de trabajo ordinario, le había dejado menos de tres horas de sueño—. Pero pensé que sería preferible, para que te hicieras una idea de la situación, que te la resumiera yo. Tienes varias opciones…

—Yo no… —Margo hizo una pausa para evitar que le temblara la voz—. Yo no quiero declararme en bancarrota. Solo si no hubiera otro remedio. Sé que es orgullo, pero…

Kate comprendía ese orgullo, lo entendía perfectamente.

—Pienso que podremos evitar eso. Pero, querida, vas a tener que pensar seriamente en liquidar todo lo que puedas, y has de estar preparada para sufrir pérdidas en algunos de tus bienes.

—¿Tengo bienes? —preguntó Margo en tono sardónico.

—Tienes el piso de Milán. No es un gran patrimonio, porque lo compraste hace solo cinco años y la entrada que diste fue pequeña. Pero podrás conseguir lo que pagaste y, con suerte, un poco más. —Puesto que se trataba de algo personal, Kate no necesitaba consultar sus notas ni la carpeta: recordaba todos los detalles—. Tienes también el Lamborghini, que está casi pagado. Nos las arreglaremos para venderlo rápidamente y así te ahorrarás esos exorbitantes gastos de garaje y mantenimiento.

—De acuerdo. —Trató de no pensar en el hermoso piso,

amueblado con todo cariño, ni en el elegante coche con el que la encantaba conducir por el campo. Había un montón de cosas que no podría permitirse, se recordó a sí misma. Y, en el primer lugar de la lista, figuraba la autocompasión—. Los pondré enseguida en venta. Supongo que tendré que volver allí a recogerlo todo y…

Sin decir palabra, Kate se levantó y abrió una carpeta, no para refrescar su memoria, sino para tener algo que hacer con las manos. Se puso de nuevo las gafas.

—Luego están todos esos bichos muertos…

Desde el fondo de su depresión, Margó levantó la cabeza.

—¿De qué me hablas?

—De tus pieles.

—¡Qué actitud tan estadounidense…! —gruñó Margo—. En cualquier caso, yo no maté a esos estúpidos visones.

—O martas cibelinas —dije Kate secamente, mirándola por encima de la montura de concha de las gafas—. Véndelos y te ahorras también el costo del almacenaje en frío de las prendas. Y ahora pasemos a las joyas.

Era una flecha certeramente dirigida a su corazón.

—¡Oh, Kate…! ¡Mis joyas no!

—Sé fuerte. No son más que piedras y minerales… —Con su mano libre, tomó de nuevo la taza de café, haciendo caso omiso de la sensación de ardor que notaba bajo el esternón—. Las primas del seguro te están hundiendo. No puedes permitírtelo. Y necesitas dinero en metálico para saldar tus deudas. Facturas de modistos, del salón de belleza…, impuestos… Los impuestos italianos son altos, y tú no te has dedicado precisamente a ahorrar para los inviernos.

—Tenía algunos ahorros. Alain ha estado vaciando mis cuentas —dijo. Constató que le dolían los dedos y se puso a hacer crujir las articulaciones—. No lo supe hasta hace una semana.

«¡Bastardo!», pensó Kate. Pero no era el momento para las recriminaciones.

—Puedes demandarlo.

—¿De qué serviría? —preguntó Margo, cansada—. Solo para alimentar a la prensa. —«El orgullo de nuevo», pensó. Era inútil preguntarle a Kate si podía permitirse unas cuantas pulgaradas de orgullo—… O sea que, básicamente, tengo que renunciar a todo. A todo cuanto he logrado trabajando, a todo lo que he deseado siempre.

—Así es. —Abatida, Kate dejó a un lado la carpeta—. No voy a decirte que esto sea justo, Margo. Sé que no lo es. Pero es una salida. Existen otras. Por ejemplo, podrías vender tu historia a la prensa sensacionalista, y conseguir algún buen pellizco, dinero rápido.

—¿Y por qué no me planto en la esquina de Hollywood y Vine, y vendo mi cuerpo? Sería menos humillante.

—Podrías recurrir a los Templeton.

Margo bajó la vista. La avergonzaba que, por un momento, solo un momento, se había sentido tentada a hacerlo.

—Ellos te avalarían —dijo Kate suavemente—. Te sacarían a flote hasta que pudieras valerte por ti misma de nuevo.

—Lo sé. Pero no puedo hacer eso. Después de todo lo que han hecho por mí y lo que han sido para mí. Y añade a eso cómo se sentiría mi madre. Ya la he trastornado bastante para que encima tenga que ir a mendigar que me ayuden.

—Yo puedo prestarte diez mil ahora mismo. Es todo lo que tengo en dinero —dijo Kate sin rodeos—. Sería como intentar taponar con un dedo un agujero en una presa. Pero estoy segura de que Laura y Josh taponarían otros. Eso no sería mendigar, y no tendrías que sentirte avergonzada. Sería simplemente un préstamo entre amigos.

Margo no dijo nada por un instante. Conmovida y avergonzada, miraba los zafiros y los diamantes que centelleaban en sus manos.

—Es decir…, que así podría mantener intacto mi orgullo, junto con mis pieles y mis diamantes… —Sacudió lentamente la cabeza—. No, no creo que pueda conservar nada de eso. Gracias, de todas formas.

—Tienes que pensar lo que te digo, sopesar tus opciones. El ofrecimiento sigue en pie.

Kate tomó la carpeta y se la tendió, deseando que pudiera decirle algo más.

—Aquí tienes todos los números. He calculado el justiprecio de las joyas a partir de las valoraciones de la aseguradora. El precio de venta de tu coche, del piso y lo demás, lo he calculado con un diez por ciento de margen a la baja, deduciendo comisiones e impuestos. Si decides liquidarlo todo, tendrás un respiro. No mucho, pero lo suficiente para poder levantar cabeza algún tiempo.

«¿Y después?», pensó Margo. Pero no se atrevió a preguntar.

—De acuerdo. Te agradezco que hayas querido adentrarte en este embrollo.

—Es lo que hago mejor. —Por más que en aquel momento le parecía lamentablemente muy poco—. Tómate un par de días para reflexionar, Margo. Consulta con la almohada.

—Lo haré. —Se levantó y sonrió apagadamente al notar que le temblaban las rodillas—. ¡Cielos! ¡Si no me tengo en pie…!

—Siéntate. Te traeré agua.

—No —la detuvo Margo con un ademán—. Lo que necesito es que me dé el aire.

—Saldré contigo.

—No. Te lo agradezco. Pero dame un minuto para reponerme.

Kate pasó con suavidad la mano por los cabellos de Margo.

—¿Piensas matar al mensajero?

—No en este momento —respondió, y le dio a Kate un intenso y fuerte abrazo—. Seguiremos en contacto —dijo, y salió apresuradamente del despacho.

Necesitaba ser valiente. Durante toda su vida a Margo la había atraído la aventura, el atractivo y lado novelesco de ella. Quería ser una de esas atrevidas e inconscientes mujeres que no se limitan solo a seguir caminos, sino que los crean. Durante años había explorado deliberadamente su sentido del estilo, su belleza, su sexualidad para obtener sus propios fines. Sus años de educación no habían sido más que una fase necesaria, que tenía que atravesar. A diferencia de Laura o de Kate, ella solo les había dedicado tiempo a sus clases; nada más. ¿Para qué iba a necesitar en su vida las fórmulas algebraicas o la historia? Era mucho más importante saber qué estaba de moda en Nueva York aquella temporada, o quiénes eran los diseñadores que triunfaban entonces en Milán.

Todo aquello era patético, pensaba ahora Margo, de pie frente al mar en los acantilados batidos por el viento. Su vida era patética.

Todavía un mes antes le había parecido perfecta. Por supuesto que entonces todo había venido desarrollándose exactamente como ella quería. Tenía un piso en la zona derecha de la ciudad, la reconocían y satisfacían sus deseos en los buenos restaurantes y boutiques. Tenía un círculo de amistades que incluía ricos, famosos y aventureros. Asistía a las fiestas de moda, la prensa la perseguía de forma emocionante y los hombres la asediaban. Y, por supuesto, fingía estar cansada y aburrida de los artículos que especulaban a propósito de su vida privada.

Tenía una carrera que la había llevado exactamente a donde siempre había querido estar: al primer plano.

Tenía también su amante de turno. El amable y atractivo hombre maduro, como los prefería. Francés. Casado, por supuesto, aunque en su caso fuera tan solo un simple tecnicismo; un obstáculo, también de moda, que, llegado el caso, habría que superar. El propio hecho de que eso los forzara a mantener su aventura en secreto le añadía emoción. Una emoción que, ahora se daba cuenta, a ella le había resultado fácil confundir con apasionamiento.

Ahora, cuando ya no quedaba nada de todo aquello...

Había creído que ninguna cosa iba a poder sorprenderla o asustarla más que lo vivido en las primeras horas cuando la condujeron a Atenas para interrogarla. El terror de sentirse tan sola, tan vulnerable, la había precipitado con rudeza de un mundo de privilegiados a otro plagado de peligros. Y cuando vio que ninguno de su selecto círculo de amigos acudía en su ayuda o en su defensa, no tuvo más remedio que apelar a su propia y reevaluada personalidad como Margo Sullivan.

Pero eso no parecía suficiente.

Se hallaba sentada en una roca y jugueteaba distraídamente con una flor blanca de aspecto algodonoso que había arrancado de su fino tallo. Laura conocería el nombre de aquella flor silvestre, pensó. Porque Laura, a pesar de su privilegiada cuna, tenía todas las virtudes de una flor silvestre, mientras que ella era solo una flor de invernadero.

Estaba arruinada.

En cierto sentido, le había resultado más fácil hacerse a la idea de estar sin un céntimo antes de que Kate se lo hubiera mostrado negro sobre blanco. Las posibilidades eran algo abstracto y mudable. Ahora se enfrentaba a la realidad. Estaba, o lo estaría pronto, sin un hogar, sin ingresos. Sin vida.

Miró la flor que tenía en la mano. Era sencilla, era tenaz: había hundido sus raíces en un suelo muy poco profundo y luchado para abrirse camino hacia el sol. Podías arrancarle un capullo: crecería otro.

Ahora se daba cuenta de que ella nunca había luchado por nada. Y tenía miedo, un miedo cerval de que, una vez desarraigada, se marchitaría sin más.

—¿Estás esperando a Serafina?

Margo siguió mirando la flor, jugueteando con ella entre los dedos, mientras Josh se sentaba en la roca a su lado.

—No. Esperando, simplemente —respondió.

—Laura se ha ido a llevar a las niñas a la clase de danza, así que decidí salir a dar un paseo. —En realidad, había pensado llegarse a la pista de tenis para practicar un rato su servicio. Pero entonces, desde la ventana de su dormitorio, vio a Margo en el acantilado—. ¿Cómo está Kate?

—Atareada y eficiente. Yo diría que ha encontrado su nirvana en Bittle y Asociados.

—¡Qué horror! —dijo Josh, fingiendo un escalofrío.

Su risa espontánea era reconfortante. Margo se echó el pelo hacia atrás y le sonrió.

—¡Somos tan miserablemente superficiales, Josh…! ¿Cómo podemos soportarnos a nosotros mismos?

—Procurando no detenernos nunca el tiempo suficiente para poder vernos de cerca. ¿Es eso lo que te deprime, Margo? —Volvió a echarle sobre la cara los cabellos que Margo había retirado de ella—. ¿Has estado mirándote demasiado de cerca?

—Es lo que ocurre cuando te ponen un espejo ante tu propia cara.

Josh le quitó las gafas de sol y contrajo sus propios párpados.

—Es una cara fabulosa —comentó medio en broma, y después volvió a ponerle las gafas en la nariz—. ¿Quieres saber lo que veo yo en ella?

Margo se apartó de la roca y fue hacia el borde del acantilado.

—No estoy segura de poder aguantar un nuevo golpe hoy. Jamás te has molestado en endulzar lo que pensabas de mí.

—¿Y por qué debería hacerlo? Cuando una mujer tiene una figura como la tuya colecciona halagos y rechaza los menos imaginativos como descarta la moda del año anterior. Eres la mujer más hermosa que he visto en la vida… —La vio volverse y, aunque las gafas le ocultaban los ojos, notó su sorpresa—… con una cara y un cuerpo tan maravillosos que cualquier hombre haría lo que fuera por conseguirlos…, por conseguirte. Y ni siquiera te das cuenta. Una mirada, una inclinación de la cabeza, un ademán. Es un talento increíble que tienes, y en ocasiones cruel. Pero todo esto ya lo has oído antes.

—No exactamente así —murmuró Margo. Dudaba entre si tomarlo como un halago o como un insulto.

—Pero la mayor parte de todo eso es un capricho de la naturaleza —añadió Josh. Se levantó y fue a colocarse de pie a su lado—. Naciste para ser una fantasía. Tal vez sea eso todo cuanto puedas lograr.

El dolor fue tan agudo, tan súbito, que la dejó casi sin respiración.

—Eso es injusto, Josh. Y muy propio de ti.

Empezaba ya a darse la vuelta cuando él la agarró por el brazo, apretando con inesperada fuerza, pero hablando con una voz de suavidad exasperante:

—Aún no he terminado —dijo.

Un furor vivo, burbujeante, se extendió por todo su ser. De haber querido, hubiera podido soltarse de un tirón y clavarle las uñas.

—Suéltame, y aléjate de mí. Estoy harta de ti y de los que son como tú. Valgo para interesaros, pero solo a condición de que me amolde a vuestros deseos. La chica de la fiesta… Buena para pasar el rato, para un revolcón… Pero, en cuanto surge la más mínima dificultad… ¡es tan fácil salir con la excusa de que yo no soy nadie…! Una buscona que aspira a lo que está más allá de su alcance.

Él deslizó las manos para sujetarla por las muñecas. Su voz seguía siendo odiosamente paciente.

—¿Lo eras? —preguntó.

—Lo que no soy es una condenada foto en una revista. Tengo sentimientos, temores y necesidades. Y no tengo que demostrarle nada a nadie salvo a mí misma.

—Bien. Me alegro por ti. Ya iba siendo hora de que te dieras cuenta de eso. —Con una facilidad que la desconcertó y enfureció a la vez, Josh se limitó a apartarla del borde del acantilado y la sentó de nuevo en la roca. Seguía sujetándola con firmeza cuando se sentó delante de ella—. Eras tú quien jugabas con la ilusión, Margo, la que la utilizabas. Y también quien tiene que destruirla ahora.

—No me digas lo que tengo que hacer. Si no me sueltas de inmediato…

—¡Calla! ¡Cállate de una vez! —La sacudió con tanta fuerza, que la sorpresa la dejó boquiabierta—. Tendrás que acostumbrarte a esto también —le dijo—. A ser tratada como un ser humano y no como una Barbie consentida. La vida te ha saltado por fin a la cara, duquesa. Enfréntate a ella.

—¿Y tú qué sabes de la vida? —La amargura era como un dolor que atenazara su garganta—. Has nacido teniéndolo todo. Jamás tuviste que luchar por una sola cosa que necesitaras, ni preocuparte por los demás si te aceptaban, te querían o te necesitaban a su vez.

Josh la miró, dando gracias por un momento de que Margo no pudiera ver que se había pasado casi la mitad de su vida preocupado porque ella, lo único que necesitaba, lo aceptara, lo amara y lo necesitara a su vez.

—Pero no estamos hablando de mí, ¿o sí?

Ella volvió la cara y se quedó observando el mar con una expresión de dureza en sus rasgos.

—Me tiene sin cuidado lo que pienses de mí.

—Está bien. Pero te lo voy a decir de cualquier modo. Eres una mujer malcriada, descuidada e inconsciente, que por mucho tiempo no has dedicado apenas un instante de reflexión a algo que no fuera el presente más inmediato. Hasta ahora, tus ambiciones se han fundido la mar de bien con tus fantasías. Pero ahora has recibido un durísimo bofetón. Será interesante ver si serás capaz de apoyarte en tus otras cualidades para salir a flote de nuevo.

—¡Ah! —empezó glacialmente—. ¿Tengo otras cualidades?

Josh hubiera querido saber qué perversa distorsión de su carácter lo llevaba a adorar aquel tono frío y despectivo de Margo.

—Procedes de una raza fuerte y elástica…, tienes un

temperamento que no se toma una caída como un fracaso...
—Absorto en sus pensamientos, le levantó las manos y se las
besó—. Eres leal, afectuosa y compasiva con aquellos a los
que quieres. Lo que te falta de sentido común, lo compensas
con tu sentido del humor y tu encanto.

Las emociones que bullían su interior amenazaban con des-
bordarse en forma de risa, lágrimas o gritos. Se obligó a repri-
mirlas y a mantener su cara tan inexpresiva y fría como su voz.

—Es un psicoanálisis fascinante. Tendrías que cobrarme
por él. Pero ando algo mal de dinero...

—Es gratis —dijo él. La atrajo hacia sí para que se pusiera
en pie de nuevo; le alisó los cabellos, que danzaban alocada-
mente alrededor de su cara—. Escucha..., si necesitas algo
para arreglártelas hasta...

—No te atrevas a ofrecerme dinero —le cortó ella, con
brusquedad—. Yo no soy una criada de la familia pobre y sin
recursos.

Ahora le tocó a él sentirse insultado.

—Pensaba que eras una amiga.

—Bueno, amigo... Puedes seguir guardando tu dinero en
tu cuenta numerada de Suiza. Soy perfectamente capaz de
cuidar de mí misma.

—Como quieras. —Se estremeció levemente y le tendió
la mano después—. ¿Qué tal si me llevas en el coche a la
casa?

Margo frunció fríamente los labios.

—¿Qué tal si te pones a hacer autoestop con tu precioso y
bien cuidado pulgar? —replicó, y comenzó a alejarse, abrién-
dose paso con aire despreocupado por entre las rocas. Instantes después oyó rugir el motor de su propio Jaguar y el chirri-
do de los neumáticos sobre la calzada.

«¡Dios!», pensó, sin poder contener una risotada. Estaba
loco por ella.

Margo seguía aún hirviendo de indignación cuando entró en la casa. La ira la acompañó un buen trecho por el pasillo central antes de que escuchara ruido de voces. Voces tranquilas, razonables. Exageradamente tranquilas, pensó ella inmediatamente. Fríamente razonables y sarcásticamente formales.

Se estremeció al pensar que marido y mujer pudieran hablarse el uno al otro con aquellos tonos sin vida. Por muy desgarrador que hubiera sido, prefería mucho más el apasionado enfrentamiento que acababa de mantener con Josh a la discusión «civilizada» que sostenían Laura y Peter en la biblioteca.

Las pesadas puertas correderas estaban abiertas y le permitieron acercarse al umbral y observar toda la escena.

Horrible, en efecto.

—Lamento mucho que lo veas así, Peter. Pero yo no puedo estar de acuerdo contigo.

—El negocio, la dirección de los hoteles Templeton, nuestra posición en la sociedad y en los medios de comunicación de masas no son tus puntos fuertes, Laura. Yo no tendría la posición en que estoy, ni las responsabilidades que tengo si tus padres y la junta de directores no valoraran y respetaran mi opinión.

—Es verdad.

Margo se acercó silenciosamente al umbral. Podía ver a Laura de pie delante del sillón de la ventana, con las manos enlazadas sin fuerza. Había tal enfado y consternación en su rostro, que se preguntó cómo podía Peter hacerse el desentendido de ellos.

Peter, por su parte, se hallaba delante de la preciosa y antigua chimenea Adam, en actitud de señor de la casa, con una mano apoyada en la repisa y la obra rodeando un vaso de cristal de Waterford que brillaba con los tonos dorados del whisky sin mezcla contenido en él.

—En este caso, sin embargo —prosiguió Laura con el mismo tono de voz sereno e inexpresivo—, no creo que mi familia comparta tu preocupación. Josh, ciertamente, no lo hace.

Peter dejó escapar una risa dura, desdeñosa:

—A Josh le tienen sin cuidado las cuestiones de reputación. Se siente más a sus anchas frecuentando los clubes y codeándose con la purria europea.

—Cuidado con lo que dices. —Laura murmuró solo la advertencia, pero había mucha fuerza detrás—. Tú y Josh veis las cosas de distintas maneras, pero cada uno de los dos sois una parte importante de Templeton. Lo que quiero decirte es que Josh es decidido partidario de que Margo se quede en Templeton House todo el tiempo que quiera. Y, previendo esta discusión, me he puesto en contacto con mis padres esta mañana. Están encantados de que Margo esté en casa.

Peter se mordió los labios al oírlo, y a Margo la hubiera complacido esta reacción si no hubiese dirigido su ira contra Laura.

—Has actuado a mis espaldas. Muy típico de ti, ¿no? Ir corriendo enseguida a tus padres en cuanto disentimos…

—Yo no corro tras ellos, Peter. —Había ahora una nota de cansancio en su voz. Como si fuera a ceder. Laura se había sentado en el sillón tapizado de la ventana. La luz que entraba a través de su hermoso arco y le daba en la espalda la hacía parecer frágil, pálida y sobrecogedoramente bella—. Y jamás comento con ellos nuestros problemas privados. En este caso fue, como tú mismo dices, un asunto de negocios.

—Pues soy yo quien me ocupo de los negocios. —Su voz era cortante, como si estuviera cargado de razón y con un tono de impaciencia cuidadosamente controlado—. Tú solo tienes que llevar la casa y ocuparte de las niñas…, a las que me da la impresión de que estás dejando en un segundo plano por un equivocado sentimiento de lealtad.

—No hay nada ni nadie que pase por delante de mis hijas.

—¿De veras? —Una leve sonrisa curvó los labios de Peter mientras bebía un sorbo de su whisky—. Supongo que, en tu atareada y exigente jornada de manicuras y de almuerzos, no tienes tiempo para ver la televisión… Uno de los espacios sensacionalistas dedicó treinta minutos a tu vieja amiga. Había una escena particularmente interesante en la que aparecía tomando el sol en *topless* en la cubierta de un yate. Varios de sus amigos íntimos concedieron entrevistas hablando de sus muchas aventuras y de su estilo de vida supuestamente liberal. Naturalmente, el reportaje no olvidó referirse a su relación con Templeton y a su larga amistad con Laura Templeton Ridgeway.

Complacido de que Laura no respondiera, Peter inclinó la cabeza y siguió:

—Incluía también una foto de vosotras dos y las niñas. Y, además, la declaración de un camarero del club de golf, en la que relataba que hace dos años vosotras y otra mujer, cuyo nombre desconocía, habíais almorzado junto a la piscina y regado el almuerzo con champán de marca.

Laura aguardó un momento.

—Kate se va a enfadar porque no hayan mencionado su nombre. —Agotada ya su paciencia, lo hizo callar con un gesto y se levantó. Peter comprendió entonces que lo que él había tomado por vergüenza era, más bien, enojo—. La verdad, Peter... Todo esto son bobadas. La última vez que estuvimos en la Riviera, tú te enfadaste conmigo porque yo era demasiado tímida para vestirme a la francesa, y ahora estás condenando a Margo por hacerlo. Y si todos esos tipos que dices hubieran sido amigos suyos, no habrían estado deseando conceder entrevistas que sin duda les pagaron por murmurar acerca de ella. Y hay más: casi la mitad de las mujeres que conozco acuden regularmente al club a tomar unas copas. Y si queremos almorzar con un champán de marca para celebrar que estamos juntas, no es de la incumbencia de otro.

—No eres solo ciega y testaruda: estás loca. Y esta actitud que vienes mostrando últimamente ha ido ya demasiado lejos.

—¿Actitud?

Peter dejó el vaso en la repisa de la chimenea con un fuerte golpe.

—Sí. Provocarme, desafiar mis deseos, descuidar tus deberes para con la comunidad. La presencia de Margo aquí es meramente una excusa para tu deplorable comportamiento.

—No necesito ninguna excusa.

—Aparentemente, no. Así que te lo voy a decir de otra manera, con mayor claridad, Laura. Mientras esa mujer viva en esta casa, yo no lo haré.

—¿Es eso un ultimátum, Peter? —dijo ella, al tiempo que inclinaba la cabeza despacio—. Creo que, si te respondiera, te llevarías una sorpresa muy desagradable.

Obedeciendo a un súbito impulso, Margo entró en la estancia.

—Hola, Peter —dijo—. Tranquilo… Estoy casi tan emocionada de verte como tú de encontrarme aquí.

Con una sonrisa crispada, fue hacia donde estaba el botellón del whisky y se sirvió dos dedos en un vaso, aunque no solía beber más que vino. Pero necesitaba tener algo en las manos.

—Sé que os interrumpo, pero iba de paso para hablar con mamá.

—Por lo visto, te estás tomando con muchísima calma tu reciente desastre —comentó Peter.

—Oh…, ya me conoces… Procuro adaptarme al oleaje. —Hizo un amplio ademán, en el que centellearon sus anillos—. Siento mucho haberme perdido ese programa de televisión que le comentabas a Laura. Espero que esos planos míos tomando el sol fueran favorecedores. Esos teleobjetivos enormes distorsionan mucho las cosas, ya sabes… —Irradiando sonrisas, levantó su vaso hacia él, como para brindar—. Y tú y yo entendemos mucho de vanidades, ¿no es así, Peter?

No se molestó en ocultar su desdén. Para él, Margo era lo que había sido siempre: la inoportuna hija del ama de llaves.

—Las personas que escuchan conversaciones privadas rara vez oyen algo halagador para ellas —sentenció.

—Completamente cierto —asintió Margo y, resuelta ahora, tomó un último sorbo antes de volver a dejar el vaso—.

Y lo habrías podido comprobar si hubieras oído alguna de las conversaciones privadas que he tenido con respecto a ti. Pero puedes estar tranquilo. Venía a decirle a mi madre que tengo que volver a Milán.

La consternación hizo que Laura diera un paso adelante y se interpusiera entre los dos.

—No hay ninguna necesidad de que hagas eso, Margo.

Esta tomó la mano que Laura le ofrecía y la estrechó.

—Sí la hay. Dejé pendientes docenas de cosas. Necesitaba este pequeño respiro, pero tengo que volver y cuidarme de todos los detalles. —Ignorando a Peter, se abrazó a Laura—. Te quiero, Laura.

—No hables así. —Laura, alarmada, dio un paso atrás y estudió la cara de Margo—. Vas a volver.

Ella respondió con un gesto de despreocupación, aunque sentía como un gran nudo en el estómago.

—Ya veremos cómo sopla el viento —dijo—. Pero estaremos en contacto. Ahora tengo que ir a hablar con mamá antes de hacer el equipaje.

Le dio a Laura un último abrazo antes de dirigirse a la puerta. Y, como dudara de si tendría otra oportunidad, se dejó llevar de nuevo por su impulso y se volvió:

—Una cosa más —dijo ofreciéndole a Peter su sonrisa más seductora—. Eres un asno vanidoso, egoísta, petulante. No eras bueno para ella cuando decidió casarse contigo; no lo eres ahora y jamás lo serás. Debe de ser terrible para ti darte cuenta de ello.

«Como mutis —pensó Margo mientras salía—, no hubiera podido hacerlo mejor».

—No estoy huyendo —insistía Margo mientras llenaba apresuradamente la maleta.

—¿No lo haces? —Con los brazos cruzados ante la cintura, Ann observaba a su hija. Siempre precipitándose, pensaba, corriendo de un lugar para otro. Sin pararse nunca a reflexionar…

—Me quedaría si pudiera. Preferiría quedarme, pero… —Arrojó a la maleta un jersey de cachemir—. De verdad no puedo.

Por pura costumbre, Anne sacó el jersey de la maleta, lo dobló cuidadosamente y volvió a dejarlo en su interior—. Deberías cuidar mejor tus cosas. Y a tus amigos. Abandonas a la señorita Laura cuando te necesita…

—Me marcho para facilitarle las cosas, ¡maldita sea! —Exasperada, Margo se echó el pelo por encima del hombro—. ¿Es que nunca vas a reconocer que hago algo a derechas? Laura está ahora abajo, discutiendo con Peter por mi culpa. La ha amenazado con marcharse si yo me quedo. No me quiere aquí.

—Esto es Templeton House —dijo sencillamente Ann.

—Y él vive aquí. Laura es su mujer. Y yo solo soy…

—La hija del ama de llaves. Es curioso que solo lo recuerdes cuando te conviene. Te estoy pidiendo que te quedes y hagas lo que puedas por ella.

«Ahora toca hacer que me sienta culpable, a ver si eso funciona», pensó mientras se disponía a sacar del armario una blusa. Utilizarla como una campanilla con el perro de Pavlov, para provocar un reflejo…

—Soy una causa de tirantez en su matrimonio, un estorbo —dijo en voz alta—. No quiero ver cómo se desgarra teniendo que elegir entre mí y el hombre con el que lleva diez años casada. Tú sabes que la quiero.

—Sí —suspiró Ann—. Sé que la quieres. La deslealtad no se cuenta entre tus defectos, Margo. Pero te repito que Laura te necesita aquí. Sus padres están en algún lugar de África. Saben muy poco de lo que ocurre en esta casa y poco, me temo, de lo que te ha ocurrido a ti. Si lo supieran, estarían ya aquí. Pero tú estás aquí, y deberías quedarte. Si quisieras hacer caso por una vez de lo que te digo, haz lo que te pido.

—No puedo. —Devolvió a su madre una apagada sonrisa—. Algunas cosas no cambian... Kate y Josh están aquí para ayudarla. Y tú —añadió—. Yo tengo que quitarme de en medio para que pueda arreglar las cosas con Peter. Si es lo que ella quiere. Aunque solo Dios sabe por qué... —Calló en este punto y agitó la mano expresando su desacuerdo—. Allá ella. Es su decisión. Y la mía es regresar a Milán. Tengo un montón de cosas que hacer allí. Tengo que recomponer mi vida.

—Bueno..., tú la has puesto en la confusión en que está..., tendrás que hacer una buena limpieza y ponerla en orden. Pero le harás daño a Laura si te vas —dijo Ann bajando la voz. «Y a mí también —pensó—. ¿No puedes ver lo duro que me resulta verte marchar de nuevo?»

—Le haría daño también si me quedara. Haga lo que haga, no le sirvo de ayuda. Por lo menos, en Milán puedo intentar recuperarme. Necesito dinero. Necesito trabajo.

—Tus necesidades... —Ann estudió fríamente a su hija—. Claro..., eso es lo primero. Pediré un taxi para que te lleve al aeropuerto.

—Mamá... —Con los ojos anegados por las lágrimas, Margo dio un paso hacia ella—. Estoy intentando actuar como creo que debo. Si me equivoco, me equivocaré, pero estoy procurando hacer lo que me parece mejor. Trata de entenderlo.

—Solo puedo entender que te vas cuando apenas has llegado a casa.

Ann cerró la puerta tras ella: sería la única despedida que tendría Margo.

6

Margo se había enamorado de Milán a primera vista. París la había deslumbrado, Roma la impresionó, Londres le pareció divertido. Pero Milán, con sus calles llenas de vida, su impecable estilo y garbo espontáneo, le había robado el corazón.

Su carrera había colmado sus sueños infantiles de viajar, satisfecho aquellas ansias de conocer mundo que siempre habían sido parte de su espíritu. Pero, a su manera, seguía teniendo necesidad de echar raíces, de una base, de un lugar al que poder considerar propio.

Había elegido aquel piso siguiendo un impulso: porque le gustó el aspecto del edificio, las seductoras terrazas que le ofrecían una vista de la calle y vislumbrar las atrevidas agujas del Duomo. Y porque le bastaba un paseo para llegar desde su puerta a las tiendas elegantes de la vía Montenapoleone.

Ahora estaba de pie en su terraza, tomando a sorbos un vino blanco frío, atenta al rumor del tráfico de las últimas horas de la tarde sobre el que se elevaban intermitentemente las notas estrepitosas y agudas de las sirenas. El sol se ponía dorando el paisaje y acentuando su añoranza de tener alguien con el que compartirlo.

Había hecho bien en volver. Tal vez era la primera vez que había actuado desinteresadamente desde hacía muchísimo tiempo. Porque, aunque Laura había insistido en que se quedara hasta el momento en que el taxi arrancó llevándose a

Margo, y Josh se había contentado con dedicarle una mirada fría que expresaba su reproche por verla escapar, ella sabía que estaba actuando de la mejor manera posible.

Pero saber que uno está haciendo lo mejor no siempre era un consuelo. Se sentía miserablemente sola. Sus temores por el presente y el futuro no le parecían tan difíciles de superar como aquella sensación de estar sola.

Durante la primera semana desde su regreso no había contestado al teléfono ni respondido ninguno de los muchos mensajes acumulados en la memoria del contestador. La mayoría de ellos eran de periodistas o de conocidos que esperaban solo algún retazo de noticia para chismorrear. Mezcladas con esos mensajes había unas pocas ofertas, a las que temía que debería prestar consideración.

Si de verdad hubiera sido valiente y atrevida, pensaba, se habría puesto algún mínimo vestido negro y se habría presentado, luciéndolo, en cualquiera de los lugares que frecuentaba antes, para ver cómo prorrumpía en murmullos toda la sala. Tal vez lo haría antes de que todo hubiera pasado; pero, por el momento, aún tenía que lamerse muchas heridas.

Dejando abiertas las cristaleras de la terraza, pasó a la sala de estar. Con excepción de unos cuantos regalos, todo cuanto se contenía en ella lo había elegido personalmente. No había recurrido a un decorador, sino que había disfrutado con la aventura de dar caza a cada almohadón y cada lámpara.

Ciertamente era ahora un reflejo fiel de su gusto, pensó con una sonrisa un tanto amarga. Ecléctico. Bueno… —se corrigió a sí misma—, disperso, mejor dicho. Como una antigua vitrina de curiosidades, repleta de cajitas de porcelana de Limoges y objetos de cristal Steuben. El arcón lacado japonés que le servía de mesita de café tenía encima un gran frutero de porcelana Waterford, lleno a su vez de vistosas frutas de cristal de colores, soplado y trabajado artesanalmente.

Había lámparas de Tiffany, algunas art déco, e incluso una figura *flambée* de Doulton que representaba a un Buda sedente y que le había costado una cantidad absurda en una subasta…, solo para tenerlo allí sentado exhibiendo su fealdad.

Cada habitación de aquel piso de dos dormitorios estaba atiborrada de cosas. Tinteros que había estado coleccionando durante una etapa pasajera. Cajitas rusas, pisapapeles, jarrones, botellas…, comprados todos sin otra razón que la de haberlos visto cuando ella se dedicaba a reunirlos.

Aun así, componían entre todos un lugar acogedor, agradable y lleno de cosas, pensó, mientras se arrellanaba en los mullidos cojines del sofá. Las pinturas eran excelentes. Le habían dicho que tenía buen ojo para el arte, y las acuarelas de paisajes urbanos que se alineaban en las paredes eran ingeniosas y simpáticas, y llenaban de vida a sus habitaciones.

Su vida. Sus habitaciones. Temporalmente, por lo menos, pensó Margo, y encendió un cigarrillo. Porque no iba a poder esconderse en ellas durante mucho tiempo.

Quizá podría aceptar la oferta que le había hecho *Playboy*, y ahuyentar así al lobo de su puerta. Sus párpados se contrajeron mientras lo pensaba. Inhaló el humo del tabaco. ¿Por qué no? ¿Por qué no vendía su patética historia a alguna de las revistas sensacionalistas que telefoneaban a diario y llenaban de mensajes la cinta de su contestador? De cualquiera de las dos formas, conseguiría dinero de nuevo. Aunque por cualquiera de ellas, también, debería exhibirse desnuda a las burlas del mundo.

Pero… ¿de verdad podía permitirse aún estos restos de orgullo?

Tal vez podría asombrar al mundo civilizado sacando todas sus cosas a la calle y haciendo almoneda de ellas al mejor postor.

Pensó, riendo, en lo mucho que aquello turbaría a su educado y discreto portero, a sus elegantes vecinos… Y en lo que encantaría todo aquello a la siempre hambrienta prensa del corazón…

Así que… ¿por qué no exhibirse desnuda en la doble página central de una revista en papel cuché para hombres, con un par de grapas estratégicamente situadas? ¿A quién le iba a importar que prostituyera su orgullo quejándose de sus apuros en el suplemento dominical de un periódico o en la revista de un supermercado?

Ninguno esperaba más ni menos de ella. Tal vez ni siquiera ella misma, pensó, aplastando cansadamente el cigarrillo.

Pero vender todas sus posesiones…, darlas públicamente a cambio de dinero… ¡era tan propio de alguien de medio pelo!

En fin…, algo tendría que hacer. Las facturas se amontonaban y pronto no tendría ni un techo sobre su cabeza si no entregaba una considerable cantidad de liras…

Suponía que el paso más lógico sería encontrar un joyero discreto y de excelente reputación, y venderle sus joyas. Eso la mantendría a flote hasta que decidiera dar el siguiente. Jugueteó con el zafiro cuadrado que llevaba en el dedo, pensando que no tenía la menor idea de lo que había pagado por él.

Pero eso apenas importaba ahora, ¿no?, decidió. Kate había calculado su valor, y eso era lo único que podía importarle de momento. Se incorporó y fue corriendo a su dormitorio. Tras abrir la caja de seguridad disimulada en el interior de un cofre de cedro a los pies de la cama, empezó a sacar de ella cajas y bolsas. En unos momentos, la luz de la lámpara arrancó destellos de un montón de resplandecientes tesoros, dignos de la cueva de Alí Babá.

¡Santo Dios…! ¿Tenía realmente una docena de relojes de pulsera? ¿Qué problema la llevaba a sentir esa necesidad? ¿Y qué la había impulsado a comprar aquel collar de pedrería? Parecía sacado de *Star Trek*… Una peineta de marcasita para los cabellos… Pero ¡si ella jamás había llevado peineta!

La tensión comenzaba a relajar sus hombros a medida que examinaba, separaba y decidía sobre todos aquellos objetos. Descubría que había docenas de piezas de las que podía desprenderse sin el menor escrúpulo. Ciertamente podría sacar de ellas suficiente dinero para seguir a flote hasta que tuviera tiempo para pensar.

Y prendas de vestir.

Con una energía frenética, se puso en pie de un salto desparramando joyas, y se precipitó a su armario. Era un mueble enorme, repleto de vestidos, chaquetas y trajes colgados. En los estantes de metacrilato había zapatos, bolsos. Los cajones del interior estaban llenos de pañuelos y cinturones. Un espejo triple, rodeado de focos, reflejaba su imagen mientras se dedicaba a mover colgadores de un lado para otro.

Sabía que existían tiendas de segunda mano especializadas en prendas de modistos. Ella misma, hacía una eternidad, había comprado su primer bolso Fendi en una de esas tiendas en Knightsbridge. Y, si podía comprar prendas en una tienda de segunda mano, ¡por supuesto que también podría vendérselas!

Iba echándose al brazo chaquetas, blusas, camisas, pantalones, que luego se apresuraba a dejar encima de la cama, para volver al momento por más.

Estaba sonriendo para sus adentros cuando llamaron a la puerta y ella no hizo caso hasta que el constante zumbido se impuso a lo que, como se dio cuenta de pronto, estaba a punto de convertirse en un ataque de histeria. Luchó, pues, por reprimir el siguiente estallido de risa, y bien sabe Dios que ni se acordó de los ejercicios de respiración profunda de sus clases de yoga.

—Tal vez estoy a punto de tener un ataque de nervios… —Su propia voz le resultó tensa y crispada. El timbre de la puerta seguía zumbando como un enjambre de abejas furiosas—. ¡Ya vale, ya vale, ya vale…! —respondió, mientras pisaba unas botas de ante que se le habían caído de los brazos. Se encararía con quienes estuvieran llamando, se libraría de ellos y después se pondría a remediar el último desastre que ella misma había creado.

Dispuesta a luchar, abrió la puerta de un tirón y se quedó mirando con cara de asombro.

—¡Josh! —«¿Por qué tenía que ser siempre él la última persona que esperara encontrar?», se preguntó a sí misma.

Josh observó con un rápido vistazo los cabellos revueltos de ella, su rostro encendido, la bata que se le resbalaba del hombro. Su primer y celoso pensamiento fue que había interrumpido una apasionada escena de cama.

—Pasaba por aquí, y… —dijo.

Ella se cruzó de brazos.

—Has venido a darme un repaso.

—Laura me lo pidió. —Le bailaba en la boca una sonrisa, pero echaba fuego por los ojos. ¿Quién demonios se encontraba en el piso? ¿Quién había estado tocándola?—. Tenía que resolver un pequeño problema en Templeton Milán, así que le prometí que me dejaría caer por aquí para ver cómo estabas… —Ladeó la cabeza—. Bueno…, ¿cómo estás?

—Dile a Laura que estoy perfectamente.

—Podrías decírselo tú misma…, si contestaras alguna vez al teléfono…

—Lárgate, Josh.

—Gracias. Pero me encantaría entrar un rato. No, no… —prosiguió, mientras la apartaba ligeramente con el codo—. No puedo quedarme mucho tiempo. —Cuando vio que Margo no cedía y dejaba la puerta abierta, la cerró él mismo—. Está bien… Si insistes… Pero ¡solo una copa!

«¡Qué frescura!», pensó Margo. La arrogancia le sentaba tan bien como su camisa de hilo.

—Tendré que llamar al servicio de seguridad para que te echen de aquí…

Su risa espontánea la hizo apretar los puños. Y mientras él caminaba por la habitación, se dedicó a observarlo. Con su cazadora de piel tipo aviador y sus ajustados tejanos parecía más duro de lo que ella hubiera pensado. Se preguntó si el valiente y menudo Marco, el portero, llegaría siquiera a pegarle un mordisco en el tobillo.

—Este óleo de la escalinata de la Piazza di Spagna es nuevo; no estaba aquí la última vez que vine —comentó, observando la pintura con una pizca de codicia—. No está mal. Y te ofrezco seis mil quinientos dólares por la acuarela del French Quarter.

Margo enarcó una ceja.

—Subes quinientos dólares más cada vez que me haces una oferta. No te lo venderé aún.

Era perfecta para adornar el vestíbulo del hotel Templeton de Nueva Orleans. No dio importancia a su negativa: tarde o temprano lograría quitársela. Tomó un pisapapeles con unas figuras heladas nadando en el interior de un vidrio aparentemente helado también, y fue trasladándolo de una mano a otra. No le había pasado inadvertida la forma como ella seguía mirando hacia el dormitorio.

—¿Tienes algo en la cabeza, Josh?

«Asesinar. Descuartizar a ese», pensó. Pero respondió con fácil naturalidad:

—Hambre. ¿Tienes algo de comer aquí?

—Hay una preciosa *trattoria* aquí cerca, a dos pasos nada más salir a la calle.

—Perfecto. Iremos luego. Pero ahora me podrías dar un vasito de vino y un poco de queso. No te molestes —añadió, al ver que ella no se movía—. Iré a buscarlo yo mismo…, solo para sentirme como en casa. —Y todavía con el pisapapeles en la mano, se encaminó hacia el dormitorio.

—La cocina está por aquí atrás —comenzó a decir Margo, presa del pánico.

La boca de Josh se crispó. Sabía perfectamente dónde se hallaba su cocina. Sabía dónde se hallaba todo en aquel piso, y quien estuviera en el dormitorio iba a descubrir pronto que Joshua Templeton reivindicaba un derecho anterior.

—¡Maldita sea! —Margo lo agarró por el brazo y se vio arrastrada con él—. Ahora mismo te traigo un vaso de vino. Pero no se te ocurra entrar en…

Era ya demasiado tarde. Tuvo que dejar escapar un gemido de frustración mientras él cruzaba el umbral y se paraba atónito.

Observando ahora la escena, casi ni ella misma podía dar crédito a sus ojos. Había como un torrente de ropas que iba del armario a la cama, con lentejuelas amontonadas sobre vaqueros, cachemir sobre algodón. Las joyas formaban un centelleante lago en la alfombra. Se dijo que parecía como si todo aquello fuera la consecuencia del berrinche de un chiquillo malcriado. Pero la observación que hizo Josh estuvo más atinada:

—Parece que Armani y Cartier se han declarado la guerra...

Uno de aquellos irresistibles ataques de risa le hizo cosquillas en la garganta. Margo se las arregló para evitar su estallido, pero la voz le temblaba peligrosamente.

—Estaba solo... bueno... reorganizando mi armario.

La mirada que él le dirigió fue tan inexpresiva y seca que le hizo perder por completo su precario control. Llevándose la mano al estómago fue como pudo hasta el arcón y se dejó caer encima de él con una explosión de carcajadas. Josh se agachó y recogió del suelo al azar una chaqueta de color azul pizarra; pasó los dedos por el tejido.

—Este hombre es un genio —dijo, antes de lanzar el Armani sobre la cama.

Aquello la hizo prorrumpir en nuevas risas. Cuando, por fin, consiguió recuperar la respiración lo suficiente para poder hablar, le espetó:

—Mira, Josh... Sin duda eres el único ser vivo de la tierra, que yo conozca, capaz de ver esto y no salir corriendo. —Y porque lo quería por eso, le tendió la mano invitándolo a sentarse en la cama a su lado—. Ha sido una crisis temporal —dijo, permitiéndose el gesto de apoyar la cabeza en el hombro de él—. Creo que ya la he superado.

Él le pasó el brazo alrededor del cuello, sin dejar de observar aquel caos.

—¿Es todo lo que tienes? —preguntó.

—¡Oh, no! —se burló ella—. Tengo otro armario en el dormitorio de al lado. Pero ya he guardado las cosas.

—Claro. —La besó en la frente, frunciendo el ceño al ver las joyas—. Dime, duquesa… ¿Cuántos pendientes calculas que tienes?

—Ni la más remota idea —respondió Margo—. Todavía no me he ocupado de los accesorios… —Y, como ya se sentía mejor, suspiró—: Los pendientes son como los orgasmos: una jamás puede tener demasiados.

—La verdad es que jamás lo había considerado desde este punto de vista…

—Es que tú eres un hombre… —Le dio una amistosa palmadita en la rodilla—. ¿Te traigo ese vino?

Ella no llevaba nada debajo de la bata, y a Josh comenzaban a cosquillearle las yemas de los dedos sobre la fina seda.

—¿Voy yo a buscarlo? —preguntó.

«Mantén la distancia», se aconsejó a sí mismo. Esa era la clave. Porque lo último que ella querría que él hiciera ahora era que cambiara de idea y se pusiera a sobarla…

—La cocina… —comenzó a decir Margo.

—¡Ya sé dónde está la cocina! —Esbozó una sonrisa al advertir la sorpresa en sus ojos—. Si te he de ser sincero, quería entrar aquí para asustar a tu amante.

—No tengo ningún amante en este momento.

—Pues es práctico, ¿no?

Salió del dormitorio, convencido de haberle dado algo que rumiar. Cuando regresó, satisfecho por haber encontrado un Barolo excelente en su alacena, ella estaba arrodillada en el suelo, ocupada en devolver cuidadosamente las joyas a sus estuches.

La bata jugueteaba de nuevo resbalándole del hombro. Josh estuvo tentado de apretarle personalmente el cinturón de seda, con un doble nudo, para que el tejido dejara de deslizarse con efectos tan devastadores sobre él.

Cuando lo vio y se puso en pie, Josh no pudo evitar un atisbo de su larga y delgada pierna. Aquella fugaz visión hizo que le dolieran todos los músculos de su cuerpo,

Pero lo peor de todo fue que ella no intentara que también

él se pusiera de rodillas. Porque, si lo hubiera hecho, él habría podido, sin ningún escrúpulo, echarla encima de la cama y colmar finalmente sus fantasías.

Pero aquella despreocupada sexualidad era Margo en estado puro.

Tomó el vaso que él le tendía y le sonrió.

—Supongo que tengo que darte las gracias por haber interrumpido mi ataque de locura…

—¿Me cuentas cómo te asaltó esa locura?

—Una idea estúpida —dijo. Se acercó a las puertas de la terraza del dormitorio y las abrió de par en par. La noche se coló en el interior, llena de sonidos y olores. La inhaló, de la misma manera que inhalaba los vapores del vino—. La verdad es que amo Milán. Casi tanto como…

—¿Como…?

Irritada consigo misma, sacudió la cabeza.

—No importa —respondió—. Estoy discurriendo maneras para seguir aquí, con algún nivel de confort, claro. Regresar a Templeton House no es una opción…

—¿Y dejarás que Peter te cierre las puertas de casa?

Dio un respingo al oír aquello y se volvió. Las bombillas de colores de la terraza temblaban a su alrededor y su brillo se traslucía a través de la seda fina de la bata.

—Me tiene absolutamente sin cuidado lo que pueda pensar Peter Ridgeway, pero no pienso ponerle difíciles las cosas a Laura.

—Laura puede arreglárselas. Ya no permite que Peter la desvíe del camino que ella se ha trazado. Si te hubieras molestado en quedarte un poco más, lo habrías podido ver por ti misma.

Margo notó surgir de nuevo la irritación que le provocaba. Pero, a pesar de todo, respondió sin dejar que asomara a su voz:

—Aun así, tiene un matrimonio que ha de preocuparla. Y, por alguna ridícula razón, el matrimonio es importante para ella. ¡Solo Dios sabe por qué quiere seguir atada a un solo hombre, especialmente tratándose de un fulano tan fatuo como Peter!

Josh bebió un sorbo, ensimismado.

—¿No eras tú la que planeabas casarte con Alain, ese charlatán baboso traficante de drogas?

—Yo ignoraba que traficara con drogas —alegó ella en un intento de mantener intacta su dignidad.

—Bueno…, digamos solo un charlatán baboso.

—¡Vale, sí! Puedes decir que la experiencia me ha dado un nuevo enfoque de la situación y me ha quitado el poco respeto que aún tenía por esa institución, en general. Pero la cuestión es que Laura está casada y que yo no pienso hacérselo más difícil aún.

—También es tu casa, Margo…

Ahora se le ensanchó el corazón y se le partió un poco también.

—Eso él no lo puede cambiar. Pero no está bien correr siempre a refugiarte en tu hogar. Además, aquí he sido feliz y puedo volver a serlo.

Josh se acercó a ella, deseando verle los ojos.

—Kate dice que estás pensando vender tu piso…

Era muy sencillo leerlos. Ahora estaban rabiosos.

—Kate habla demasiado.

Se volvió para estudiar por última vez el resplandor de las luces. Él la obligó a mirarlo de nuevo.

—Está preocupada por ti. Y yo también.

—No tenéis por qué estarlo. Se me ha ocurrido un plan.

—¿Por qué no te llevo a cenar? Y me lo cuentas.

—No estoy segura de haber llegado ya a la etapa de poder explicarlo, pero puede que coma algo, sí. Claro que tampoco hace falta que salgamos. La *trattoria* nos servirá a domicilio lo que deseemos.

—Y, de paso…, así no te arriesgas a tropezar con alguien que te conozca —concluyó él sacudiendo la cabeza—. No seas cobarde, Margo.

—Me gusta ser cobarde.

—Pues, entonces…, será mejor que te vistas. —Josh le acarició deliberadamente con la punta del dedo la piel descubierta del hombro hasta subir por la garganta, viendo cómo sus ojos se ensombrecían y se tornaban cautelosos—. Porque estás provocando problemas aquí y ahora mismo.

Casi se había quitado ya la bata cuando se lo pensó mejor y se detuvo. ¡Qué cosquilleo extraño podía provocar la piel desnuda!

—Tú ya me has visto desnuda.

—Cuando tenías diez años. —Josh le colocó bien la bata, con la satisfacción de advertir que el cuerpo de ella se estremecía un instante—. Aquello no cuenta. —Y, para comprobar de nuevo su reacción, enganchó los dedos en el cinturón de la bata y le dio un tironcito—. ¿Quieres arriesgarte otra vez, Margo?

El peligro se había dejado sentir en el aire, brusca, inesperada, fascinantemente. Ella se decidió por la cautela y dio un paso atrás.

—Me vestiré y saldremos.

—¡Sabia elección!

Pero no se sintió segura cuando él salió del dormitorio y cerró la puerta a su espalda. Se sintió… excitada.

Lo había hecho para obligarla a salir. Esta era la conclusión sencilla y lógica a la que llegó Margo. La única que le parecía posible cuando se instaló en el pequeño y concurrido restaurante y se entregó con fruición a saborear el primer plato que había elegido: un *antipasto di funghi crudi*.

—Prueba uno —le pidió, al tiempo que le acercaba a los labios una seta marinada, que ella rechazó apartando su codo—. Nadie prepara las verduras como los italianos.

—Nadie convierte en comestibles tantas cosas como los italianos —dijo ella, mientras jugueteaba con su ensalada de tomate con mozzarella. Se había acostumbrado tanto a no pedir más que un solo plato, que tomar despreocupadamente algo más le parecía hacer trampa.

—Necesitas dos o tres kilos más, Margo —dijo Josh—. Y cinco más no te harían ningún daño.

—Engordo cinco kilos, y me caerá encima una factura enorme de la modista por retocar todo mi guardarropa.

—Come. Vive peligrosamente.

Margo mordisqueaba un trocito de queso.

—¡Menudo hombre de negocios estás hecho…! —comenzó, y provocó una carcajada de él.

—¿Podrías ampliarme esa idea?

—No pretende ser un insulto. Lo que quiero decir es que me resulta difícil imaginarte como un ejecutivo, tomando decisiones empresariales… Tu padre daba siempre esta imagen enérgica. Tú eres más…

—¿Irresponsable? —sugirió Josh.

—No. Informal. —Impaciente consigo misma, soltó un bufido—. De verdad que no pretendo insultarte, Josh. Pero lo cierto es que cualquier cosa que hagas, la haces parecer fácil. Fíjate en Peter.

—No, gracias.

—Comparado contigo —prosiguió Margo—, a él se le nota tenso, en pleno esfuerzo. Como si lo llevara escrito en la cara: «un triunfador y ambicioso hombre de empresa».

—Mientras que yo, por el hecho de ser el heredero de la fortuna de los Templeton, vivo relajado… ¿es eso? Y, sin preocupaciones, me dedico a recorrer los lugares más de moda del mundo, seduciendo mujeres entre partida y partida de squash… ¿O debería decir jugando al squash entre seducción y seducción de alguna mujer?

—No estoy muy segura —dijo Margo, sin alterar la voz—, pero eso no viene al caso ahora.

—¿Y a qué venía, entonces, esa lapidaria observación tuya?

—A reconocer que he sido injusta contigo. —Demasiado acostumbrada a él para sentirse molesta por su ironía, Margo se encogió de hombros—. Algún talento tienes que tener para el negocio, porque tus padres no son unos insensatos. Por mucho que te quisieran, jamás te hubieran dado rienda suelta para zascandilear en los hoteles. Se habrían limitado a permitir que derrocharas tu legítima y vivieras como un gandul.

—Me conmueve la confianza que tienes en mí —comentó con sorna, y llenó los vasos de los dos hasta el borde—. Creo que necesitaré más bebida.

—Y te licenciaste en derecho…

—Sí, ese título es lo único que se les ocurrió darme una vez que hube acabado de dar la lata en Harvard.

—No seas tan picajoso. —Le dio un golpecito en la mano—. El caso es que yo diría que debes de saber algo de dirigir… cosas. Me han hecho algunas ofertas interesantes —empezó—. La más lucrativa y menos complicada es una de *Playboy*.

Los ojos de Josh adquirieron un brillo tan cortante, tan duro, que le sorprendió a Margo que no arrancaran destellos de la cubertería.

—Entiendo —dijo él simplemente.

—Yo ya he posado desnuda antes…, o casi desnuda —siguió y, recelosa del sentido de su anterior respuesta, cortó otro trocito de queso—. Las revistas europeas no son tan puritanas como las estadounidenses…

—¿Y a ti te parece que un anuncio artístico en la edición italiana de *Vogue* está a la misma altura que una foto a doble página en una revista de despelote? —Por la cabeza de Josh pasaban pensamientos asesinos, que lo hacían sentirse tan ridículo como un amante cornudo.

No, no le parecía lo mismo. La comparación era una estupidez.

—Pero el cuerpo es el mismo —dijo, con un gesto de indiferencia—. La cuestión es que me he estado ganando la vida delante de una cámara posando con ropa y sin ella, en diversos grados de desnudez. Y que veo ante mí una posibilidad de seguir haciéndolo…, una posibilidad que pondría alguna distancia entre mis acreedores y yo. Lo que me ofrecen me permitiría volver a poner mis pies en tierra. Aunque no fuera más que a la pata coja.

Josh tenía sus ojos fijos en la cara de ella. Cerca de su mesa, a un camarero se le cayó una bandeja llena de platos, y provocó un verdadero estrépito, pero Josh ni pestañeó.

—¿Me estás pidiendo que estudie esa oferta? —le preguntó.

Aquella había sido su idea, pero luego la había reconsiderado y volvió a reconsiderarla ahora rápidamente al advertir el tono cortante de su pregunta. Por eso respondió:

—No. Simplemente, te mencionaba una de mis alternativas.

—¿Es eso lo que quieres ser, Margo? ¿La fantasía húmeda de un adolescente de manos sudorosas? ¿La chica del mes para el taller de reparación de automóviles, o como ayuda visual en las clínicas de fertilidad?

—Eso que dices es de muy mal gusto —le espetó, rígida.

—¿Qué te parece de mal gusto? —la forma como explotó él hizo que varios comensales giraran la cabeza y murmuraran.

—No me grites —le dijo en un susurro—. Jamás has tenido el menor respeto por lo que hago. No sé cómo se me pudo ocurrir que podrías hacer algún comentario sensato sobre mis proyectos…

—¿Conque quieres un comentario sensato? ¡Fantástico! —Bebió vino para tragar la bilis que le había subido por la garganta—. Sigue adelante con ella, y hazlo, duquesa. Toma el dinero y corre. No te preocupe si eso es embarazoso para tu familia. ¿Por qué tendría que preocuparte? Así que no oculten las risitas la próxima vez que vean a tu madre en la cola del supermercado. Y si los chicos se burlan de Ali en la escuela, no es problema tuyo. Asegúrate solo de que te paguen bien.

—Ya basta —dijo Margo en voz baja.

—¿Tú crees? —replicó él, insistiendo—. Pero ¡si no he hecho más que empezar a calentarme!

—Te dije que era una opción. No que fuera a aceptarla. —Se refrotó, impaciente, la sien izquierda con los dedos, para librarse del dolor de cabeza que comenzaba a darle punzadas en ella—. ¡Maldita sea, Josh...! Se trata simplemente de un cuerpo..., ¡de mi cuerpo!

—Tú no eres una persona aislada: estás conectada a otras. Esperaba que hubieras empezado a darte cuenta de cómo les afecta a ellas lo que haces.

—Me doy cuenta —suspiró y dejó caer la mano con gesto de cansancio—. Vale, me doy cuenta. A juzgar por tu reacción, la cosa no iría muy bien...

Poco a poco, Josh iba deponiendo su ira, y ahora estudiaba a Margo.

—¿Solo se trataba de esto? ¿De emplearme para tantear el terreno?

Ella logró esbozar una sonrisa.

—Sí. Una mala idea, ya lo veo. —Apartó de sí el plato y dejó escapar un suspiro—. Vamos a la siguiente. Pasaremos por alto la propuesta de un productor de cine alemán, que me ofrece una buena cantidad de marcos si le dejo incluirme en su última película porno.

—¡Caray, Margo...!

—Ya te he dicho que pasaríamos eso por alto. Y ahora dime... ¿Cómo lo haces cuando decides renovar la decoración de uno de tus hoteles?

Él se pasó la mano por la cara.

—Bueno..., mientras trato de salvar el salto que han dado tus pensamientos..., ¿qué tal si pedimos otro plato? —Hizo una seña al camarero y pidió *tagliolini* para él y *risotto* para Margo.

Con la barbilla apoyada en la palma de la mano, Margo estaba rumiando su siguiente opción.

—Hablas italiano mucho mejor que yo. Esto podría ser útil también.

—Margo, querida... No te salgas por la tangente antes de

que te alcance —le pidió. Todavía le hervía la sangre ante la idea de verla exhibirse a todo color ante cualquier hombre que tuviera unas cuantas monedas en el bolsillo para contemplar babeante la foto de ella en una revista o pantalla—. ¿Me estás pidiendo consejo para decorar?

—No, no…, claro que no. —La mera idea de ello la hacía sonreír. El dolor de cabeza y el mareo que la ira de Josh habían provocado empezaban a remitir—. Pero tengo curiosidad por saber qué haces con los muebles cuando renuevas las habitaciones.

—¿Necesitas muebles?

—Responde a mi pregunta, Josh. ¿Qué haces con ellos cuando cambias la decoración?

—De acuerdo…, está bien. Rara vez hacemos eso en alguno de nuestros hoteles más acreditados, porque la clientela valora en ellos la tradición. —¿Qué demonios estaría pasando en aquellos momentos por aquella fascinante cabecita suya?, se preguntó; pero después se encogió de hombros, diciéndose que no tardaría en averiguarlo—. Sin embargo, cuando adquirimos otro hotel, de ordinario renovamos las habitaciones para adaptarlas al estilo Templeton, empleando el estilo local como inspiración. Conservamos lo que se adapta a nuestros estándares, y en ocasiones enviamos piezas a algún otro lugar. Lo que no nos sirve, normalmente se vende en subasta, que es también de donde nuestro decorador y comprador sacan los objetos que necesitamos reponer. Compramos también en tiendas de antigüedades y en almonedas de fincas.

—Subasta —murmuró Margo—. Sería lo mejor, lo más sencillo. Las subastas, las tiendas de antigüedades, los remates… podría decirse que en realidad son establecimientos de ventas de objetos de segunda mano, ¿no? Quiero decir que todo lo que venden ha tenido un dueño anterior, ha sido usado ya… En ocasiones la gente valora más las cosas si han pertenecido a algún otro.

Sonrió al camarero, provocando casi una nueva caída de los platos por efecto de la brusca subida de la tensión sanguínea del destinatario:

—*Grazie, Mario. Ho molta fame.*

—*Prego, signorina. È un piacere. Buon appetito.*

Se alejó de la mesa haciendo una gran reverencia, de manera que evitó por muy poco colisionar con un pinche de la cocina.

—Tu italiano es perfecto —observó secamente Josh—. Ni siquiera necesitas palabras…

—Es un hombre encantador. Tiene una mujer preciosa que cada año le obsequia con una *bambina*. Y nunca trata de asomarse al escote de mi blusa. —Lo pensó mejor, y rectificó—: Bueno…, casi nunca. Pero, en fin… —dijo, al tiempo que atacaba el *risotto* con auténtico entusiasmo—, estábamos hablando de tiendas de segunda mano.

—Si tú lo dices…

—Sí. ¿Cuál es el porcentaje del valor que corresponde habitualmente al propietario del objeto vendido?

—Eso dependería de diversos factores.

—¿De qué factores?

Decidiendo que ya había dado suficientes muestras de paciencia y de buena disposición a informar, Josh sacudió la cabeza.

—No, tú primero. ¿Por qué quieres saberlo?

—Estoy pensando en… ¿cómo lo llamáis?…, en redimensionarme a la baja…, ¡eso! —dijo, y ensartó una gamba de su plato.

—De hecho, ahora ya nunca añadimos «a la baja». Se entiende que redimensionarse es lo políticamente correcto.

—Vale. A mí también me gusta más. Redimensionarme… —Sonrió pensándolo—. Me he pasado diez años coleccionando cosas. Pensaba que ahora podría deshacerme de algunas de ellas. Mi apartamento está completamente atiborrado, y jamás he encontrado la ocasión para entresacar de mi armario lo que ya no quiero. Y puesto que ahora puedo contar con algo de tiempo libre, pensaba...

Su voz se iba apagando. Josh no había dicho nada, pero ella era consciente de que comprendía que lo único que buscaba era salvar su orgullo. Por eso se decidió a confesar llanamente:

—Necesito el dinero. Es estúpido fingir otra cosa. Kate piensa que la mejor solución es liquidarlo todo. —Trató de sonreír de nuevo, y añadió—: Y, puesto que hemos descartado *Playboy*...

—No quieres que yo te ofrezca un préstamo... —murmuró él—. Me pides que me cruce de brazos y contemple tranquilamente cómo vendes tus zapatos a cambio de dinero para pagar tus compras del supermercado...

—Y mis bolsos, y mis cajitas de porcelana y mis candelabros... —Él no iba a sentirlo por ella... ¡Señor...! Nadie iba a compadecerla por eso—. Mira —siguió—: la Streisand lo hizo hace un par de años, ¿recuerdas? No fue porque necesitara dinero, pero... ¿qué diferencia hay? Vendió cosas que había estado coleccionando durante años y dudo mucho de que le hiciera ascos al dinero. Tengo la sensación de que yo no voy a ser capaz de vender mi rostro en un futuro previsible, y no quiero vender mi cuerpo, así que he recortado mis opciones y las he reducido a mis cosas.

No necesitaba compasión, así que él tampoco se la ofrecería, decidió Josh.

—¿Era eso lo que estabas haciendo cuando llegué? ¿Inventario?

—De una forma impulsiva, casi histérica. Pero ahora me he tranquilizado y he recobrado la razón, y comprendo que este plan, el plan de Kate en realidad, es muy válido. —Alargó la mano y cubrió la de él con la suya—. Josh..., cuando me viste a mi regreso a casa me preguntaste si necesitaba ayuda. Ahora te estoy diciendo que sí. Te la estoy pidiendo.

Él bajó la vista y miró su mano, el brillo del zafiro y de los diamantes que adornaban el tono suave de su piel.

—¿Qué quieres que haga? —preguntó.

—Ante todo, que todo esto quede entre nosotros por ahora.

Él dio la vuelta a su mano y enlazó sus dedos con los de Margo.

—De acuerdo. ¿Qué más?

• —Que, si puedes, me ayudes a pensar dónde y cómo puedo vender lo que tengo que vender. Cómo conseguiré el mejor precio. Yo no he administrado bien mi dinero. Ni tampoco he hecho un buen uso de mi vida. Pero voy a empezar ahora. No quiero que me desplumen por no saber si algo vale o no vale, o por vender con demasiadas prisas.

Josh levantó su vaso de vino con la mano libre, y reflexionó. No solo sobre lo que Margo le estaba pidiendo, sino lo que quería decir y lo que pudiera hacerse al respecto.

—Puedo ayudarte, si estás segura de que eso es lo que quieres.

—Lo estoy.

—Tal como yo lo veo, tienes un par de posibilidades. Podrías contratar a un agente. —Sin dejar de mirarla a los ojos, volvió a llenar de vino los vasos de ambos—. Conozco una empresa de aquí, de Milán, que es muy de fiar. Te visitarán, valorarán lo que hayas seleccionado y te darán por ello aproximadamente el cuarenta por ciento de su valor.

—¿El cuarenta por ciento? Pero ¡eso es terrible!

—En realidad, es más de lo que suelen ofrecer. Pero hemos hecho muchos tratos con ellos y probablemente lo conseguirías.

Sonrió con aire forzado, rechinando los dientes.

—¿Y cuáles son mis otras opciones?

—Podrías probar con alguna casa de subastas. Podrías hablar con algún tasador y, después, ponerte en contacto con algunas de las tiendas para coleccionistas de antigüedades y enterarte de lo que podrían valer tus cosas allí. —Josh inclinó el cuerpo hacia ella, mirándola siempre a la cara—. Pero, si me preguntas qué es lo que pienso yo…, creo que deberías venderte a ti misma.

—¿Cómo dices?

—Margo Sullivan puede vender cualquier cosa. ¿Qué otra cosa has estado haciendo estos diez últimos años, si no es promocionar los productos de otros? ¡Véndete a ti misma, Margo!

Desconcertada, se apoyó en el respaldo de su silla.

—Perdóname, pero… ¿no eres tú quien acabas de darme un rapapolvo por proponer precisamente eso?

—No me refiero a una fotografía tuya. Hablo de ti. Abre una tienda. Llénala con tus cosas. Anúnciala. Promociónala.

—¿Abrir una tienda? —Su risa salía a borbotones mientras alargaba la mano para alcanzar el vaso—. Yo no puedo abrir una tienda.

—¿Por qué no?

—Porque yo… No sé por qué —murmuró y apartó de sí deliberadamente el vaso de vino—. He bebido demasiado vino, y ahora no sé explicarlo.

—Tu piso es ya un almacén en pequeña escala.

—Hay docenas de razones por las que eso no funcionaría, Josh. —Su cabeza había comenzado ya a pensarlas—. No sé nada acerca de cómo llevar un negocio, la contabilidad…

—Aprende —dijo él, simplemente.

—Y están luego los impuestos y los honorarios. Los permisos. ¡El alquiler, bendito sea Dios! —En pleno desconcierto, comenzó a pasear los dedos, arriba y abajo, por el collar que llevaba a la garganta—. Estoy intentando eliminar facturas, no incurrir en más. Necesitaría dinero.

—Sí…, un inversor…, alguien dispuesto a sufragar los gastos del comienzo.

—¿Quién sería tan estúpido como para hacer eso?

Él levantó su vaso.

—Yo lo haría.

7

Pasó la mayor parte de la noche descartando la idea. Dando vueltas en la cama y repitiéndose todas las objeciones que tenía que haber planteado desde el principio.

Era una idea ridícula. Insensata y necia. Y se le presentaba ahora, justamente cuando estaba intentando con todas sus fuerzas dejar de comportarse de una manera ridícula, de abandonar la insensatez para guiarse por la lógica.

Cuando las vueltas en la cama la dejaron suficientemente nerviosa, se levantó para caminar en la oscuridad. Era obvio que Josh sabía poco más que ella de aquel negocio o no le habría sugerido un plan tan absurdo.

Ella no era una comerciante, ¡por Dios! Que supiera apreciar cosas bellas significaba solo que tenía gustos caros. Pero no que pudiera dedicarse a comerciar con ellas. Quizá entendiera algo de vender, pero entre ser la Mujer Bella Donna e intentar convencer a un turista para que soltara un cheque de viaje a cambio de un pez de cristal firmado por Daum, había una diferencia insalvable.

Por supuesto que acudiría la gente…, al principio. Por curiosidad, por la satisfacción de ver a la otrora famosa y ahora en entredicho Margo Sullivan tratando de vender sus pertenencias. Y probablemente al principio haría algunas ventas también. Y alguna matrona de la buena sociedad con un exceso de liftings faciales se complacería en indicar a sus visitantes, al enseñarles su vitrina de curiosidades, la cajita de rapé antigua que le había comprado a «aquella pobre modelo caída en desgracia».

Margo rechinó los dientes. Bueno…, pero, en todo caso, tendría en el bolsillo el dinero de la pretenciosa mujer, ¿no?

Sobreponiéndose, sacudió la cabeza. No…, era una idea imposible. Montar un negocio era demasiado complicado, y llevar uno estaba más allá de sus fuerzas. De intentarlo, estaría preparando el terreno para otro fracaso.

—Cobarde —le diría Josh.

—Cierra el pico —respondería ella—. Tú no te jugarías el culo. Solo tu dinero.

Y, en cualquier caso, ella no iba a aceptar su dinero. La idea de estar en deuda con él era más de lo que su orgullo podía sufrir. Aunque pudiera tragarse el orgullo, no creía que sus nervios resistieran trabajar con él. Sin duda se presentaría a husmear más que de costumbre, a controlarla, a vigilar su inversión.

A mirarla de la forma como la miraba. Margo, con un gesto inconsciente, se pasó la mano entre los pechos. ¿La había mirado siempre así? ¿O era solo que ella había comenzado a advertirlo? Reconocía el deseo en la mirada de un hombre en cuanto lo veía. Estaba acostumbrada a notarlo. No había ninguna razón para que la boca se le pusiera seca y el pulso se le acelerara y comenzase a dar saltos solo porque fueran los ojos de Josh.

Unos ojos que a Margo le resultaban tan familiares como los suyos propios. Los conocía, le conocía a él desde toda la vida. Tenía que haber sido cosa de su imaginación…, de una imaginación confundida por el alboroto de sus emociones. Era solo el hecho de sentirse tan rechazada lo que la había llevado a confundir con deseo lo que era solo bondad y preocupación por parte de un viejo amigo.

Eso era todo, claro.

Pero se daba cuenta también de que no había podido confundir su propia reacción cuando él la tocó, cuando los dedos de Josh acariciaron su hombro. El roce de la carne sobre la carne. Y, por un instante, como en un súbito fogonazo, ella había fantaseado con que aquellos dedos descendían, separaban la bata, abarcaban sus pechos y...

Tenía que estar al borde de la locura para urdir una fantasía erótica a propósito de Josh Templeton.

Josh era un amigo, un hermano prácticamente. Y, aquella, en la situación presente, la menor de sus preocupaciones.

Tenía que centrarse en cuestiones prácticas, no en intrigas sexuales. Tras el episodio de Alain, había decidido que el sexo, la aventura amorosa y hasta el rumor de una relación debía de quedar relegado al último lugar de su lista de prioridades. Lo mejor y más razonable que podía hacer sería llamar a Josh por la mañana y pedirle que le proporcionara el nombre del agente que había mencionado. Ella se desprendería de todo cuanto no necesitara para sobrevivir con lo más básico, obtendría el cuarenta por ciento, y seguiría adelante.

Vendería el coche también. Y sus pieles. Ya había cancelado su cita con el estilista Servio Valente en Roma dos veces al mes así como su habitual excursión, dos veces al año, al balneario francés de Les-Prés-et-les-Sources. No habría más paseos a vía Montenapoleone, con imprevistos asaltos a Valentino y Armani.

Se las arreglaría con lo que tenía, o con lo que le habían dejado, y buscaría un trabajo.

¡Y mala suerte para ella por sentir demasiada vergüenza para arramblar tranquilamente con un cheque de seis cifras a cambio de una inocente serie de fotos!

Además..., ¿qué clase de tienda sería?, se preguntó, mientras su mente seguía dando vueltas con obstinación al asunto. La gente no entraba en una tienda esperando adquirir en el mismo lugar un bolso de Gucci y un pájaro de Steuben. No sería una tienda de ropas de segunda mano, de curiosidades o de objetos de piel. Sería un batiburrillo confuso, en el que no habría manera de orientarse.

Pero sería único.

Sería suyo.

Con las manos apretadas contra la boca, Margo intentó imaginársela. Estanterías llenas a rebosar con una elegante pero simpática mezcolanza de objetos inútiles pero bellos. Vitrinas de cristal que dejarían pasar los destellos de las joyas; mesas, sillas y caprichosas otomanas; para relajarse en ellas y para venderlas. Una habitación concebida como un enorme armario ropero por el que pasear. Una pequeña zona para sentarse, donde ella serviría té y copas de champaña a los visitantes. Con la porcelana y la cristalería también a la venta... No solo podía funcionar, sino que sería divertido, además. Una aventura. ¡Y al cuerno los detalles, la letra pequeña, la sensatez...! Ya los resolvería todos sobre la marcha.

Con una risa fruto de la inconsciencia, entró apresuradamente en el dormitorio y arrojó algunas ropas a la cama.

Josh estaba soñando, soñando con todo lujo de detalles. Incluso podía olerla: oler aquella fragancia suya que emanaba de todos los poros e invadía directamente todos sus sentidos. Estaba murmurando su nombre, suspirando casi, mientras él cubría su cuerpo de caricias. ¡Dios...! Aquella piel suya era como satén, suave y blanca, y su cuerpo generoso y ardiente se entregaba a él a medida que sentía su abrazo.

Arqueó la espalda, temblando, y...

—¡Oh, maldita sea! Un pellizco.

Intentó abrir los ojos como pudo, pestañeando en la oscuridad. Habría jurado que le dolía el hombro, donde unos dedos se habían hundido en su músculo. Y podía jurar que la estaba oliendo en el aire.

—Lo siento. Parecías dormir como un leño.

—¿Margo? ¿Estás loca? ¿Qué hora es? ¿Qué estás haciendo aquí? ¡Señor...! —Continuó protestando malhumorado, mientras la luz que ella había encendido le daba en los ojos—. ¡Apaga ese maldito interruptor o te asesinaré!

—Había olvidado el mal genio que tienes cuando te despiertas... —Demasiado animada para tomárselo a mal, apagó la luz y se acercó luego a las cortinas, que abrió enseguida a la agradable luz del amanecer—. Y ahora, respondiendo a tus preguntas: creo que es factible; hace un cuarto de hora que ha amanecido; he venido a darte las gracias.

Le sonrió, mientras él seguía mirando aturdidamente el techo artesonado de la habitación. La cama era un lago de sábanas de satén arrugadas sobre una superficie brillante de satén azul intenso. El cabezal era una fantasía de querubines y frutas, talladas y doradas. Lejos de parecer ridículo arropado en aquel esplendor, daba la sensación de estar en perfecta consonancia con él.

—¡Cielos, Josh…! ¡Qué guapo estás con ese aspecto adormilado y gruñón, y con ese rostro tan sexy aún sin afeitar…! —Se inclinó sobre él para restregárselo en broma, y enseguida protestó cuando él, de un tirón, la obligó a tenderse en la cama a su lado. Antes de que Margo pudiera recuperar la respiración, se vio inmovilizada bajo el cuerpo alto y duro de un hombre.

Un cuerpo masculino totalmente excitado. En esta ocasión no era posible atribuirlo a un equívoco de su imaginación. Las caderas de ella se arquearon como respuesta, antes de poder hacer nada para impedirlo, mientras los ojos de él se tornaban opacos. Luego hizo fuerza instintivamente para liberar una mano y le golpeó el pecho con ella.

—No he venido a pelearme contigo…

—Entonces…, ¿por qué estás aquí y cómo has entrado en mi suite?

—Me conocen abajo. —¡Santo Dios…! Estaba sin aliento, temblando. Y ardiendo—. Me bastó decir que me estabas esperando…, y que tal vez estuvieras bajo la ducha, y entonces…, el recepcionista me dio una llave. —La mirada de él, clavada en su boca, era como un hierro candente—. Ah, vaya… Me da la sensación de que he interrumpido uno de tus sueños lascivos…, así que puedo bajar al vestíbulo y esperar hasta que…

Se cortó, decidiendo que era mejor no completar su pensamiento, hasta que él la sujetó por la muñeca y tiró de su brazo atrayéndola hacia sí.

—¿Hasta qué?

—Lo que sea. —Josh tenía la boca cerrada, pero ella casi podía sentirla sobre la suya: dura y ansiosa—. Quería hablar contigo, pero, evidentemente, tenía que haber esperado. Hasta luego.

—Estás temblando —murmuró él. Tenía también los ojos levemente cargados por la falta de sueño, y sus cabellos, kilómetros y kilómetros de su mata de pelo, se desparramaban desordenadamente sobre las revueltas sábanas—. ¿Nerviosa?

Margo podía oír su propia respiración anhelante, y sabía que no confundía el deseo que advertía en aquel sonido.

—No es eso.

La obligó a bajar la cabeza y le mordió levemente con sus dientes encima de la barbilla. Cuando ella gimió, esperó estar haciéndola sufrir al menos un poco por una sola de las muchas noches en que había ardido por su culpa.

—¿Curiosidad?

—Sí.

Él siguió recorriendo con los labios el trayecto hasta su oreja, sin que se le pasara inadvertido el deseo que se manifestaba en sus ojos.

—¿Te has preguntado alguna vez por qué no hemos acabado así antes? —le preguntó.

A ella le estaba costando mantener una línea coherente de pensamientos dentro de su cabeza con él mordisqueándole el cuello.

—Quizá —respondió—, una o dos veces.

Josh levantó la cabeza. La luz del sol que amanecía daba sobre él. Con sus cabellos despeinados, sus ojos oscuros, su rostro en la sombra, parecía un hombre duro e inconsciente, un hombre peligrosa y atractivamente masculino.

—No lo hagas —le pidió ella, aunque ignoraba de dónde

salía su negativa, cuando todas las fibras de su cuerpo estaban instándola a suplicarle que siguiera.

—Que no haga ¿qué?

—No me beses —dijo con un suspiro entrecortado, al que siguió otro tomando aire—. Porque, si lo haces, los dos vamos a dejarnos llevar y yo estoy demasiado trastornada por dentro para hacerlo sin que dentro de una hora me importe un pimiento haberlo hecho.

—No tiene por qué importarte un pimiento dentro de una hora. —La boca de él siguió por la sien, y empezó a juguetear con la comisura de los labios—. Esto va a durar más, mucho más.

—¡Por favor, Josh...! Hace apenas unas horas me convenciste de que cuanto yo hago afecta a otras personas...

—Pues créeme —murmuró—. Soy uno de los afectados.

A Margo el corazón le latía en los oídos, insistentemente.

—No puedo permitirme arruinar otra parte de mi vida. Necesito un amigo. Necesito que seas mi amigo.

Josh dejó escapar una maldición y rodó hacia un lado en la cama.

—No te ofendas, Margo, pero vete al infierno.

—No me ofendo. —Evitó tocarlo, convencida de que, si lo hiciera, alguno de los dos saltaría como un cohete. Durante unos momentos permanecieron allí echados sobre el arrugado satén, en silencio, sin moverse y sin apenas respirar—. Estoy ahorrándonos un montón de problemas.

Los ojos de él se movieron buscando los de ella.

—Solo estás posponiéndolo. Volveremos a esto.

—Llevo algún tiempo eligiendo con quiénes me acuesto...

Josh se movió aprisa, y la agarró de nuevo por la muñeca para atraerla a sí.

—Tienes que ir con cuidado, duquesa... No es, precisamente, un buen momento para refrotarme por la cara tus amantes.

Aquello era exactamente lo que Margo necesitaba para romper el hechizo. Levantó la barbilla:

—No te hagas el gallito ahora. Ya te haré saber si y cuándo me apetece jugar. —Notó un cambio en sus ojos y se le encendieron los suyos—. Prueba, pruébalo tan solo…, y te arrancaré la piel de los huesos. No eres el primer hombre que ha pensado que podía pillarme por la espalda y hacerme disfrutar.

La soltó, pero solo porque le pareció mejor opción que estrangularla.

—Haz el favor de no compararme con los peleles y zangolotinos con los que has malgastado tu tiempo.

Dándose cuenta de que estaba a punto de estallar, saltó de la cama.

—No he venido para sacarte de entre las sábanas ni para pelearme contigo. Estoy aquí para hablar de negocios.

—La próxima vez, pídeme hora. —Sin preocuparse ya por sutilezas, echó hacia atrás las sábanas. Margo ni pestañeó cuando lo vio salir de ellas y caminar desnudo hacia el baño contiguo—. Puesto que estás aquí, pide que nos sirvan el desayuno.

Esperó hasta oír el agua de la ducha saliendo antes de dejar escapar un largo suspiro de alivio. Un minuto más —reconoció— y hubiera sido capaz de comérselo crudo. Apretando con la mano su alborotado vientre, se dijo que había sido una gran suerte para los dos que ella hubiese evitado el error que habían estado a punto de cometer.

Pero, al volver ahora la mirada a la cama, no se sintió feliz. Simplemente, estaba frustrada.

Mientras Josh se vestía, Margo disfrutó de su primera taza de café y picoteó en el cestillo de plata de pastas recién horneadas que habían dejado en la mesita para el desayuno, dispuesta con su mantel en el hueco de la ventana del comedor de la suite.

Se relajó contemplando la vista de la *piazza* con las efigies de dioses y caballos alados de mármol blanco.

Como cualquier otra suite de un hotel Templeton, ofrecía, además de una espléndida vista, un interior suntuoso. Una gran alfombra oriental se extendía sobre un suelo de baldosas de tono marfil. Las paredes estaban empapeladas con un motivo de rosas de hojas doradas, y el artístico trabajo de las cornisas y el artesonado de los techos añadía una nota de opulencia. Asientos curvilíneos con tapicería de brocado y cojines con borlas, equipos de imagen y sonido discretamente disimulados en muebles de delicada talla, estatuillas, lámparas antiguas, pesados ceniceros de cristal, grandes jarrones llenos de flores, el completo mueble-bar de caoba, con su barra curva delante de una pared de cristal… todo ello con el sello distintivo de Templeton.

El estilo *art nouveau*, suficientemente rico y decadente, a la vez, como para hacer suspirar al más saciado de los huéspedes. Margo suspiró también.

Pero, en Templeton, el estilo se daba la mano con la eficiencia. Una simple pulsación de un botón del funcional teléfono blanco instalado en cada habitación de la suite podía conseguir cualquier cosa, desde toallas limpias a entradas en *La Scala* o una botella de champán Cristal bien frío en un cubo de plata con hielo. Había una cesta de fruta en la amplia mesa de café, con jugosos racimos de uva y brillantes manzanas. Detrás del bar, el pequeño frigorífico contendría whisky escocés de diversas marcas, chocolatinas suizas, quesos franceses…

Las flores, abundantes incluso en el baño y en los vestidores, eran siempre frescas: un personal bien preparado y siempre dispuesto se ocupaba de sustituirlas y cambiarles el agua todos los días.

Olió el capullo de rosa colocado en la mesa del desayuno. Era fragante, con el tallo largo, y acababa de despuntar. «Perfecto», pensó Margo. Como era de esperar de cualquier cosa que llevara el sello de Templeton.

Incluido, se dijo en el instante en que Josh entraba en la habitación, el heredero de Templeton.

Porque se sentía un poco culpable por haber invadido su habitación al amanecer, le sirvió una taza de la pesada cafetera de plata. Añadiéndole un generoso chorro de crema de leche, como sabía que prefería él.

—El servicio en Templeton Milán sigue siendo el mejor de la ciudad. Y también el café —le pasó la taza en cuanto Josh se sentó frente a ella en la mesa.

—Me acordaré de trasmitirle tus comentarios al director..., en cuanto lo haya despedido por haberte dejado entrar.

—No seas quisquilloso, Josh —dijo Margo, y le dedicó su sonrisa más persuasiva, solo un poco molesta cuando vio que no hacía mella en él—. Siento haberte despertado. No se me ocurrió pensar en la hora que era.

—Esta de no pensar es una de tus habilidades más perfeccionadas.

Ella tomó una frambuesa del bol y se la metió en la boca.

—No pienso pelearme contigo y tampoco pienso disculparme por no haber querido dejar que me follaras solo para no herir tu amor propio.

La sonrisa de Josh era afilada y cortante como un escalpelo.

—Mira, duquesa… Si te hubiera quitado la ropa, ahora no solo no tendrías que disculparte, sino que estarías dándome las gracias.

—Oh, ya veo… Me equivocaba. Tu amor propio no está herido, sino dolorosamente hinchado. Aclaremos las cosas, Joshua —dijo, inclinándose hacia delante, con una expresión de confianza en sus ojos—. Me gusta el sexo. Pienso que es una excelente forma de entretenerse. Pero no quiero entretenerme de esa forma cada vez que alguien sugiere un revolcón. Elijo el momento, el lugar y con quiénes lo practico.

Satisfecha, se echó hacia atrás en el respaldo y tomó perezosamente una pasta pequeña de la cesta. Aquello, pensó zanjaría el asunto.

—Todo esto te valdría… —replicó él. Tenía razón en lo que decía y, por otra parte, el café era excelente y lo ponía de mejor humor—, si no fuera porque hace apenas media hora estabas temblorosa y gimiendo debajo de mí.

—Yo no gemía.

—Oh, sí. Por supuesto que sí —insistió Josh sonriendo; ahora se sentía mejor, mucho mejor—. Y a punto de derretirte de placer.

—Yo nunca me derrito de placer.

—Lo harás.

Margo dio un mordisco a la pasta.

—Todo eso son fantasías de muchacho… Y ahora, si hemos acabado ya de correr lanzas por materias de sexo…

—Mira, querida… Yo ni siquiera he sacado aún mi lanza…

—Esa me parece una frase de doble sentido impropia de ti.

Pero ella lo había entendido.

—Es temprano… ¿Por qué no me explicas el motivo de que esté ahora desayunando contigo?

—He pasado en vela toda la noche.

El comentario que se le ocurrió a él ahora no era simplemente picante, sino escabroso. Lo descartó.

—¿Y eso?

—No podía dormir. He estado dándole vueltas a la situación en que me encuentro, a las opciones que me sugeriste. La primera parece la más sensata. Llamar a un agente y que me haga una oferta por mis cosas, mis joyas… Probablemente sería la solución más rápida y la menos complicada.

—De acuerdo.

Margo se apartó de la mesa, frotándose las manos mientras caminaba. Sus botas de ante no hacían ningún ruido sobre las baldosas del pavimento, como si pisaran sobre la gruesa alfombra.

—Probablemente va siendo ya hora de que aprenda a actuar con sensatez —continuó—. Tengo veintiocho años, estoy sin empleo y con el lobo gruñendo a la puerta. Al principio me compadecía a mí misma, pero ahora me doy cuenta de que he tenido una increíble racha de suerte. He visitado lugares y he hecho cosas, cosas con las que siempre había soñado. ¿Y por qué?

Se detuvo en el centro de la habitación y se puso a caminar lentamente, dando vueltas bajo la espléndida y dorada araña de cristal. Con sus ceñidos pantalones de estilo Jodhpur y la blusa blanca plisada, tenía un aspecto voluptuoso y vibrante.

—¿Por qué? —preguntó Josh.

—Pues porque tengo una cara y un cuerpo que dan bien por la cámara, fotogénicos. Eso es todo. Un rostro fotogénico, un cuerpo que levanta pasiones. No es que no haya tenido que trabajar de firme, espabilarme y ser tenaz… Pero la base de todo ello es pura suerte, Josh: la de los genes que me han correspondido por azar. Ahora, a través de unas circunstancias que tanto pueden haber dependido de mí como no haber dependido en absoluto, todo eso ya está. Y lo único que hago es quejarme de ello.

—Tú nunca has sido una quejica, Margo…

—Podría dar clases de eso. Ya es hora de que crezca, de que adquiera responsabilidad, de que sea sensata.

—Hablar con un agente de seguros de vida… —dijo Josh secamente—. Solicitar la tarjeta de una biblioteca…, dedicarte a cortar cupones y recibir dividendos de acciones…

Margo le dirigió una mirada despectiva:

—Muy bueno para alguien que no solo ha nacido con un pan debajo del brazo, sino con toda una panadería…

—Resulta que tengo, de hecho, las tarjetas de varias bibliotecas… —se defendió—. En alguna parte.

—¿Puedo seguir?

—Lo siento. —Le hizo ademán de que continuara, pero estaba preocupado. La veía animosa y feliz, pero no le parecía que hablara como Margo. No como la deliciosamente irreflexiva Margo—. No te interrumpo.

—Vale. Probablemente puedo capear esto; incluso podría conseguir algún pequeño rodaje o un puesto en las pasarelas de París o de Nueva York… Llevaría tiempo, pero pienso que lo lograría. —En un esfuerzo para pensar con claridad, pasó el dedo por un candelabro en forma de doncella vestida con larga túnica flanqueada por dos receptáculos gemelos con sendos cirios dorados—. Hay otras formas de conseguir dinero con un trabajo de modelo. Podría volver a posar para catálogos, que es donde comencé.

—¿Vendiendo bodys para Victoria's Secret?

Margo dio media vuelta, echando fuego por los ojos.

—¿Qué hay de malo en eso?

—Nada. —Josh partió por la mitad un panecillo—. Aprecio como el que más un body bien vendido.

Ella tomó aire lentamente. No conseguiría enojarla; no ahora.

—No será fácil conseguir contratos en mi situación actual. Pero ya lo he hecho antes.

—Tenías diez años menos entonces… —apuntó él amablemente.

—Gracias por recordármelo —respondió Margo entre dientes—. Pero fíjate en Cindy Crawford, Christie Brinkley, Lauren Hutton… ¡No son precisamente quinceañeras! Y en cuanto a tu otra brillante solución…, la idea de abrir una tienda me parece cómica. Anoche se me ocurrieron media docena de razones válidas para rechazarla. Y, pasando por alto el hecho de que yo no tengo ni idea de cómo llevar un negocio, está la circunstancia, más general de que, si fuera tan insensata como para intentarlo, el resultado podría ser empeorar mucho más mi situación…, que ya es muy inestable. Lo más probable es que tuviera que declararme en quiebra antes de seis meses, afrontar otra humillación pública y verme forzada a venderme a mí misma en las esquinas a viajantes ávidos de emociones baratas.

—Tienes razón. Hay que descartarla.

—Por completo.

—Entonces… ¿cuándo quieres empezar?

—Hoy mismo. —Con una risa jubilosa, se lanzó hacia él y le pasó los brazos por el cuello—. ¿Sabes qué hay mejor que tener a alguien que te conoce a la perfección?

—¿Qué?

—Nada —respondió, y le estampó un sonoro beso en la mejilla—. Y ahora, si vas a salir…

—Sigue desinhibiéndote. —La agarró por los cabellos y atrajo su boca sonriente a la suya.

Pero no era cosa de risa. Margo lo descubrió enseguida. Los labios de él eran ardientes y hábiles, y ella tenía los suyos entreabiertos y deseosos de responder. El lento roce de la lengua de Josh envió a través de su cuerpo súbitas ondas de ansia que alcanzaron hasta las yemas mismas de sus dedos.

Debería haberle resultado familiar. Ella ya le había besado antes, saboreado antes. Pero aquellos besos fraternos ocasionales no la habían preparado para esta súbita sacudida de puro deseo animal.

Una parte de su mente trataba de mirar hacia atrás para recordar que aquel era Josh. El mismo Josh que había ridiculizado su preciosa colección de muñecas cuando tenía seis años. Que la había desafiado a trepar con él por los acantilados cuando tenía ocho, y que la había llevado a cuestas hasta la casa cuando ella se hirió la pierna con una roca.

Josh…, que no le había ahorrado sonrisas irónicas ante sus enamoramientos de adolescente con sus amigos, que la había enseñado pacientemente a conducir un coche de cinco marchas. El mismo Josh que siempre había estado a la vuelta de la esquina en cualquier lugar al que ella hubiera ido a parar en su vida.

Pero en esta ocasión era como besar a una persona nueva. A alguien peligrosamente excitante. Dolorosamente tentador.

Él había estado esperando ese momento. ¿Acaso no había soñado centenares de veces gustar así su sabor? ¿Tenerla firmemente entre sus brazos, con su boca respondiendo a la de él, dejándose llevar por una furia represada?

Había aceptado esperar, de la misma manera que había aceptado soñarlo. Porque sabía que ella se entregaría. Porque sabía que necesitaba ser suya.

Pero no iba a ponérselo tan fácil.

Retrocedió, complacido de ver, cuando se abrieron sus pestañas, que tenía los ojos oscuros y empañados. Esperaba ardientemente que la misma emoción que notaba en sus entrañas estuviera también abrasando las de ella.

—Eres algo extraordinario besando... —pudo decir Margo—. Ya había oído rumores. —Se daba cuenta de que él la tenía en sus rodillas, pero no estaba segura de si era él quien la había sentado allí, o ella la que sencillamente las había ocupado—. Pero ahora pienso que, en realidad, tal vez te habían subestimado. De hecho, una noche me escapé de la cama y salí hasta la piscina para ver cómo le metías mano a Babs Carstairs. Me impresionaste.

Nada de cuanto ella hubiera podido decir estaría mejor calculado para que el deseo languideciera.

—¿Estuviste espiándonos a mí y a Babs?

—Solo una vez. O un par de veces... ¡Demonios, Josh...! Yo entonces tenía trece años... La curiosidad.

—¡Señor...! —Él recordaba exactamente hasta dónde habían llegado las cosas con Babs cierta preciosa noche de verano, junto a la piscina—. ¿Viste...? No, no me lo digas..., no quiero saberlo.

—Laura, Kate y yo estábamos de acuerdo en que Babs era hiperpechugona...

—¡Hiperp...! —Se cortó antes de repetir la palabra y, antes de reírse de ella, hizo una mueca—. ¿O sea que tú, y Laura y Kate? ¿Cómo es que no se os ocurrió vender entradas para el espectáculo?

—Me parece lo más normal del mundo que una hermana pequeña espíe lo que hace su hermano mayor.

Los ojos de Josh destellaron.

—Yo no soy tu hermano.

—Desde la posición en que me encuentro ahora, yo diría que este hecho salva nuestras almas inmortales de la condenación…

El destello se transformó en mueca.

—Tal vez tengas razón. Yo te necesito Margo. Hay toda clase de cosas increíbles, obscenas, indescriptibles que necesito hacerte.

—Bueno… —Dejó escapar un suspiro—. Lo siento por nuestras almas inmortales. Pero, mira…, tengo que confesarte que este cambio me resulta un poco brusco.

—No has prestado atención.

—Obviamente, no. —No podía apartar los ojos de él. Sabía que sería más prudente hacerlo: había sobrevivido a todos los juegos que practican hombres y mujeres, manteniendo su control siempre, sin excepción. Aquellos ojos grises, fríos y seguros de sí, la prevenían de que no iba a tener ninguna opción con él. No por mucho tiempo—. Ahora sí te estoy prestando atención, pero aún no estoy preparada para el pistoletazo de salida.

—Yo hace años que me puse en marcha —dijo él. Sus manos rozaban los costados de Margo, le acariciaban los pechos—. Te llevo ventaja.

—Tengo que decidir si quiero darte alcance —dijo ella riendo, y se bajó de sus piernas—. ¡Se me hace tan extraña esta idea de vernos a ti y a mí manteniendo una relación sexual…! —Después se llevó la mano al corazón para serenarlo, pues tenía la sensación de que se estaba precipitando como una yegua en celo—. Y, por otra parte…, ¡me resulta tan sorprendentemente tentadora! Hubo una época…, y no hace mucho, cuando yo habría pensado: «¡Qué demonios! Será divertido». Y te habría desafiado a ver quién de los dos llegaba antes a la cama.

Cuando vio que él se ponía en pie de un salto, soltó una nueva carcajada e interpuso la mesa entre los dos.

—Y que conste que no me estoy mostrando remilgada. No creo en eso.

—¿Cómo te estás mostrando?

—Cauta, por una vez en la vida. —De repente, su mirada se despejó y la expresión de su boca se hizo tierna en lugar de burlona—. Me importas demasiado, Josh. Y acabo de entender que yo te importo también. No mi cara —añadió señalándola con un gesto—, sino lo de dentro. Debo poner orden en mi vida. Hacer con ella algo de lo que pueda sentirme orgullosa. Y ahora me siento llena de nuevos planes, de nuevos sueños… Tengo que conseguir que funcionen. Y para eso es necesario dedicarles tiempo y esfuerzos. El sexo distrae mucho…, si lo haces bien. —Sonrió de nuevo—. Y nosotros lo haríamos a conciencia.

Él hundió los pulgares en los bolsillos.

—¿Qué piensas hacer? ¿Voto de castidad?

La sonrisa de Margo se extendió lentamente por su rostro:

—Me parece una excelente idea. Y siempre puedo contar contigo para convertirlo en una solución viable.

Josh se quedó boquiabierto.

—Bromeas… —dijo.

—Hablo completamente en serio. —Y, encantada con ellos dos, se acercó a él y le dio un cachetito en la mejilla—. Sí. Seré célibe hasta que haya puesto orden en mi vida y mis negocios marchen viento en popa. Gracias por sugerírmelo.

Josh le rodeó la garganta con la mano, aunque, más que estrangularla a ella, tenía ganas de ahogarse a sí mismo.

—Podría seducirte en tan solo treinta segundos…

Estaba poniéndose chulo.

—Si yo te lo permito —replicó ella en tono suave—. Pero eso no ocurrirá hasta que esté lista.

—¿Y se supone que yo debo entrar en un monasterio hasta que lo estés?

—Tu vida es cosa tuya. Puedes tener lo que desees —respondió Margo; y, después, volviéndose hacia donde estaba la cesta con las pastas, le miró por encima del hombro y añadió—: excepto a mí.

Pero la idea tampoco le parecía muy acertada. Así que, mientras mordisqueaba la pasta, lo pensó mejor:

—A menos, claro está, que hiciéramos una especie de apuesta…

Se estaba limpiando deliberadamente con la lengua las miguitas que se le habían quedado pegadas al labio inferior. Pero a Josh no se le pasaba por alto cuándo trataba de volverlo loco una mujer…

—¿Qué clase de apuesta? —preguntó.

—A que puedo abstenerme del sexo más tiempo que tú. A que puedo comprometerme como una mujer adulta a mantener el control de mis hormonas y abordar seriamente una profesión.

Con rostro inexpresivo, él vertió café caliente en su taza y llenó luego la de Margo. Se estaba riendo por dentro. Ella no tenía ni idea del tiempo que le iba a hacer falta para abrir las puertas de un establecimiento como el que planeaba crear. Podrían ser meses. No podría resistir tanto, pensó, mientras levantaba su taza y la observaba por encima del borde. Él se ocuparía de que fuera así.

—¿Qué nos apostamos?

—Tu coche nuevo.

El café se le atragantó.

—¡Mi coche! ¿Mi Jaguar?

—Es lo justo. Tengo que vender mi coche y no sé cuándo estaré en condiciones de sustituirlo. Si eres el primero en rendirte, me quedo con el Jaguar. Lo pones a mi nombre. Y lo envías a Italia.

—¿Y si te rindes tú primero? —Al ver que ella hacía un gesto descartando semejante posibilidad, añadió sonriendo—: Me quedaré tus pinturas.

—¡Mis paisajes urbanos! —Su corazón vaciló solo con pensarlo—. ¿Todas ellas?

—De la primera a la última. A menos que te dé miedo arriesgarlas...

Margó levantó la barbilla y le tendió la mano.

—¡Trato hecho!

Él la tomó en la suya, luego se la acercó a la boca, pasó los labios sobre su muñeca y siguió así hasta la palma de su mano.

—¡Buen intento! —murmuró ella soltándose—. Y ahora tengo cosas que hacer. He de ir a vender mi coche.

—No irás a llevarlo a un compraventa... —objetó él, mientras ella tomaba ya su bolso y su chaqueta—. ¡Te timarán!

—¡Oh, no...! —Se paró ante la puerta, mostrando una sonrisa pícara e irresistible—. No..., no lo harán.

8

A Margo la asombró la rapidez con que se metió en todo aquello. Jamás había pensado lo divertido, lo estimulante que podía ser poner en marcha un negocio así y ocuparse de él. El coche fue el principio de todo.

No la había avergonzado lo más mínimo emplear cada gramo de su encanto, todo su atractivo sexual y generosos chorros de feminidad no ya para utilizarlos como bazas con que adornar sus regateos, sino como auténticas armas que Dios le daba y ella sabía manejar a la perfección. Aquello era una guerra.

Tras elegir cuidadosamente el comprador-vendedor de coches, había emboscado a su presa con halagos y con sonrisas, esgrimiendo con maestría alegatos acerca de su inexperiencia en aquella clase de tratos e insistiendo en lo mucho que confiaba en su rectitud y buen juicio. Hizo aletear repetidamente las pestañas, puso cara de desvalida y lenta, dulcemente, aniquiló al pobre infeliz.

Y le sacó hasta el último céntimo que el otro podía pagar, dejándolo jadeante y exhausto.

Con el joyero, o la joyera, pues se trataba de una mujer, lo había tenido más difícil. Margo había elegido dos de sus mejores y más caras piezas. Y tras sondear a su oponente y darse cuenta de que tenía frente a sí a una mujer de negocios inteligente, obstinada y poco dada a sentimentalismos, decidió adoptar su misma pose.

Había sido, recordaba Margo, un mano a mano al estilo femenino; habían negociado, discutido, desdeñado cada una las ofertas de la otra…, se habían insultado recíprocamente y, al final, habían llegado a unos acuerdos con los que las dos podían considerarse satisfechas.

Ahora, sumando a esto lo que obtendría de las pieles, tenía suficiente dinero en metálico para alejar a sus acreedores más impacientes durante unas cuantas semanas.

Aprovechando aquel tiempo de respiro, abordó y completó la tarea de realizar un catálogo aproximado de sus posesiones y se puso a empaquetarlas ya que cuanto antes las considerara un inventario, más fácil le resultaría desprenderse de ellas. Habían dejado de ser bienes personales suyos; ahora eran bienes con los que negociar.

Estudiaba cada mañana el periódico en busca de un local asequible que pudiera alquilar. Los precios la hacían torcer el gesto y preocuparse, y en su momento tuvo que reconocer que no podría permitirse montar su tienda en un emplazamiento de primera. Ni podría permitirse tampoco anunciarse por medios convencionales si quería que le durara el dinero. Lo que equivalía a decir que necesitaba un local de segunda categoría y que tenía que buscar sistemas trabajosos y no convencionales para anunciarse.

Vestida cómodamente con mallas y camiseta se arrellanó en una silla y observó el espacio de su sala. Había despejado sin contemplaciones todo cuanto había en las mesas: gran parte de los objetos estaban ahora guardados en cajas de embalaje y cajones. Sus pinturas aún seguían colgando de las paredes: un símbolo, se dijo, de lo mucho que estaba arriesgando ahora en tantos aspectos de su vida.

Se había ocupado también de las demás habitaciones del piso. El contenido de su guardarropa había quedado reducido a la cuarta parte de su volumen inicial. El restante 75 por ciento se hallaba ahora cuidadosamente embalado. Había sido implacable a la hora de seleccionar: con vistas más en su nuevo estilo de vida que en sus sentimientos. No es que pretendiera vestir ahora como una dependienta: vestiría de la misma manera como quería llevar su negocio: con gusto, estilo y atrevido orgullo.

Con un poco de suerte, uno de los tres locales que había quedado en ir a visitar esa tarde sería el que estaba buscando.

Estaba ansiosa por empezar antes de que la prensa se enterara a fondo de su verdadera situación. Ya había habido algunos comentarios en los periódicos acerca de que «La Margo» vendía sus joyas para pagar sus crecientes deudas. Y se había acostumbrado también a salir del edificio por la puerta de servicio trasera, para evitar a los reporteros y paparazzi que a menudo se apostaban frente a su apartamento.

Incluso estaba preguntándose ya si, a la vista de la situación, no debía renunciar a su piso. Kate había tenido razón al decir que intentar conservarlo era reducir inútilmente sus ya menguados recursos. Si encontrara un buen lugar para la tienda, podría, simplemente, trasladarse a vivir allí mismo. De forma temporal.

Así, por lo menos, pensó riendo, podría seguir teniendo sus cosas a mano.

Habría deseado tener allí a Josh para discutir la idea con él, pero este se hallaba en París. No, recordó, ahora estaba en Berlín, y después iría a Estocolmo. No había forma de saber cuándo podría hablar de nuevo con él, y mucho menos verlo.

Los pocos días que habían pasado juntos en Milán, aquella vibrante y excitante mañana en su suite, estaban convirtiéndose ahora más en un sueño que en un recuerdo. Se preguntaba, por ejemplo, a veces si realmente la había mordido cuando la besó, pero cada vez que pensaba en ello volvía a sentir su leve mordisco de nuevo.

Probablemente estaría ahora mismo mordisqueando la oreja de alguna fräulein, pensó Margo, y dio una patada a la esquina del sofá al levantarse. Él nunca había sido capaz de tener quietas sus hábiles manos en presencia de una mujer complaciente. ¡El muy...!

Claro que, como mínimo, ella iba a sacar un coche de todo aquello. Porque, si no otra cosa, Josh Templeton era un hombre de palabra.

Pero ahora no podía perder el tiempo pensando en él, imaginarlo bebiendo grandes tragos de cerveza y buscándole las cosquillas a alguna escultural diosa alemana... Tenía que cambiarse de ropa y adoptar la imagen adecuada para acudir a sus citas. Y, mientras se arreglaba, practicó la técnica que emplearía con el agente de la inmobiliaria: exigente, se dijo, mientras se hacía una trenza con el pelo. Sin demostrar ningún entusiasmo.

—*Questa camera...* —Un expresión de desdén, un gesto de rechazo con la mano...

—*Piccola...*

O bien sería demasiado grande para adecuarse a sus necesidades. Dejaría escapar pequeñas pero audibles manifestaciones de desilusión mientras la recorrían y después permitiría que el de la inmobiliaria intentara convencerla. Cosa que, por supuesto, no acabaría con sus reticencias. Le diría que el alquiler era absurdo. Después le preguntaría si tenía alguna otra cosa..., advirtiéndole que tenía concertada otra visita en cosa de una hora.

Dio un paso atrás y se estudió a sí misma en el espejo. Sí..., el traje de chaqueta negro era muy formal, pero tenía ese aire que el ojo italiano sabía reconocer y apreciar. La trenza francesa era muy femenina, favorecedora, pero sin ser recargada, y el enorme bolso de Bandalino, que recordaba la forma de un portafolios.

Las probabilidades apuntaban a que su oponente —ahora ya se había acostumbrado a considerar un oponente a cualquiera que tuviese enfrente en cuestiones de negocios— habría reconocido su nombre. Y cuando menos cabía dar por seguro que reconocería su rostro, lo cual era una gran ventaja.

Posiblemente supondría que iba a entrevistarse con una chica de escaso caletre, frívola y con la cabeza llena de pájaros. Eso le daría a ella no solo una ventaja, sino la fabulosa satisfacción de demostrarle que se equivocaba.

Dejó escapar un largo suspiro y se miró a sí misma. Margo Sullivan no era una chica frívola —le insistió a su propio reflejo—. Margo Sullivan era una mujer de negocios, con cerebro, ambición, planes, objetivos y determinación para lograrlos. Margo Sullivan no era una perdedora: era una sobreviviente.

Cerró los ojos un momento, esforzándose por asimilar sus propias palabras de ánimo, porque necesitaba creerlas. Nada importaba que sintiera por dentro un temblor de duda, a condición de que todos los demás las creyeran.

¡Y pobre de ella si no se las creía también!

El teléfono comenzó a sonar en el momento en que se ponía el bolso al hombro y se disponía a salir. «Deje su nombre y un breve mensaje —le espetó, mentalmente, al terco timbrazo de dos tonos—, que yo no le llamaré luego. »

Pero la voz impaciente de Kate la detuvo.

—¡Manda al infierno todo esto, Margo...! ¡Ponte de una vez! ¿Es que no vas a contestar jamás a este trasto? Sé que estarás ahí cerca de pie, mirando con desdén el teléfono. Descuélgalo, ¿quieres? Es importante.

—Siempre es importante —murmuró Margo, sin deponer su sonrisa desdeñosa.

—¡Maldita sea, Margo! Es acerca de Laura.

Se abalanzó corriendo al teléfono y se llevó el auricular al oído.

—¿Le ha ocurrido algo? ¿Sucede algo malo? ¿Ha sufrido algún accidente?

—No, no... Está bien. Pero quítate el pendiente de la oreja. No hace más que dar golpes en el teléfono.

Indignada, Margo descargó su preocupación sobre Kate.

—Si se te ha ocurrido emplear este sucio truco para lograr que hablara contigo...

—¡Como si no tuviera nada mejor que hacer a las cinco de la mañana de un quince de abril, que ponerme a llamar a la gente por teléfono...! Mira, chica... Llevo veintiséis horas sin dormir y me he quemado las entretelas del estómago a base de beber cafeína ardiendo... No la tomes conmigo ahora.

—Eres tú la que me has llamado, ¿recuerdas? Justo cuando me disponía a salir por la puerta.

—Pues Laura está ahora camino de un abogado.

—¿Un abogado? ¿A las cinco de la mañana? Me dijiste que no se trataba de un accidente...

—Bueno, no tomes a la letra eso de estar en camino... Ha concertado una cita con él para las diez. Yo ni siquiera me hubiese enterado, pero resulta que su abogado es un cliente de la empresa y pensó que yo estaba al corriente. Me dijo que lamentaba mucho haberla visto tan trastornada, y que...

—¡Al grano, Kate...!

—Perdona. Tengo los nervios de punta. Se divorcia de Peter.

—¿Que se divorcia? —Puesto que la silla que solía hallarse junto al teléfono estaba ya ahora en la sección del inventario, Margo se sentó bruscamente en el suelo—. ¡Cielos, Kate...! No me digas que se han peleado por mi causa...

—Lo siento muchísimo, Margo..., pero tienes que saber que el mundo no gira a tu alrededor —dijo Kate, y añadió más amablemente—. No es por tu culpa. No he logrado sacarle gran cosa cuando fui a verla, pero parece que el factor decisivo ha sido que fue a verlo y se lo encontró con su secretaria. Y que él no estaba precisamente dictándole una carta...

—Estás bromeando, Kate. Eso es tan...

—¿Corriente? —sugirió Kate secamente—. ¿Trillado? ¿Enojoso?

—Sí.

—Bueno..., es la gota que colmó el vaso. Ella no dice que haya sucedido antes. Pero lo que yo sí puedo decirte es que no va a darle una oportunidad más. Y lo dice muy en serio.

—¿Está bien?

—Parece muy tranquila; tomárselo todo de una forma muy civilizada. Y yo estoy ahora terriblemente agobiada de trabajo. No puedo ocuparme de ella. Además, tú ya sabes cómo es Laura cuando lo está pasando mal de veras.

—Sí, lo guarda todo dentro —murmuró Margo, y sacudió, impaciente, el pendiente que tenía en la mano—. ¿Y las niñas?

—No lo sé. Si pudiera escaparme de aquí, lo haría ahora mismo. Pero todavía me quedan otras diecinueve horas antes del punto crítico. Iré a verla entonces.

—Yo podré estar ahí en unas diez horas.

—Eso es lo que esperaba que dijeras. Te veo luego en casa.

—No sé por qué me sorprende que hayas volado diez mil kilómetros por una cosa así, Margo. —Laura estaba cosiendo competentemente unas estrellas en el tutú de Ali para el recital de ballet de su hija—. Es muy propio de ti.

—Necesito saber cómo estás, Laura. Necesito saber qué está ocurriendo.

Margo dejó de pasear por la salita y puso las manos en jarras. Estaba más allá del agotamiento y en la flotante sensación de hallarse todavía viajando. Su cálculo de diez horas había sido, muy típico en ella, de lo más optimista. Había empleado cerca de quince en completar todas las conexiones y escalas. Ahora la fatiga cerraba sus ojos, mientras que Laura estaba allí tranquilamente sentada, enhebrando el hilo en la aguja.

—¿Querrías dejar un minuto esa cursilería y hablar conmigo?

—Ali se llevaría una enorme desilusión si te oyera llamar cursilería a su tutú de hada. —Pero su hija estaba en la cama, pensó Laura: segura e inocente por el momento—. Siéntate, Margo, antes de que te dé un desmayo.

—No quiero sentarme —replicó Margo. Estaba segura de que, si lo hiciera, se dormiría sin sentirlo.

—No pensé que eso te afectaría tanto. Tú no has tenido nunca demasiada simpatía por Peter.

—Te quiero a ti. Y, además, te conozco, Laura. No arrojarías por la borda diez años de matrimonio si no te sintieras muy herida.

—No estoy herida. Estoy aturdida. Y pienso seguir aturdida todo el tiempo que pueda. —Pasó con suavidad la mano por la malla del vestido de ballet, para alisar la falda—. Abajo hay dos niñas pequeñas que necesitan alguien fuerte y estable en su vida. Margo... —Alzó la vista y la miró con expresión de perplejidad—. No creo que él las quiera. Pienso que no le importan en absoluto. Yo podría vivir sin que él me amara. Pero ¡ellas son sus hijas! —Acarició de nuevo el tul, como si fuera la mejilla de su hija—. Él deseaba niños. Otros Ridgeway..., chicos que se convirtieran en hombres y continuaran el apellido de la familia... Pero, en fin... —concluyó dejando la falda a un lado—, yo le he dado hijas.

Margo encendió un cigarrillo con un rápido gesto, y se obligó a sentarse.

—¿Cómo ha sido? Cuéntame.

—Dejó de quererme, sin más. En realidad, no estoy segura de que me haya querido alguna vez. Él buscaba una esposa importante. —Se encogió de hombros—. Pensó que había dado con una. En los dos últimos años empezamos a estar en desacuerdo por un montón de cosas. O diría mejor que yo empecé a expresar mi desacuerdo en voz alta. A él no le importaba. ¡Oh, bueno...! No sirve de nada entrar en detalles. —Sacudió las manos con un gesto de impaciencia dirigido sobre todo a ella misma—. El caso es que nos distanciamos. Empezó a pasar cada vez más tiempo fuera de casa. Yo pensaba que tenía una aventura, pero se enfurecía tan anormalmente cuando lo acusaba, que llegué a creer que me equivocaba.

—Pero no te equivocabas.

—No estoy segura, con respecto a entonces, quiero decir. Pero no importa. —Laura volvió a encogerse de hombros, tomó el tul otra vez para tener algo con que ocupar las manos—. No me ha tocado desde hace más de un año.

—¡Un año! —Tal vez fuera una tontería asombrarse ante la idea de un matrimonio sin intimidad, pero, aun así, Margo se asombró.

—Al principio yo quería que acudiéramos a un consejero matrimonial, pero a él lo escandalizaba la idea. Luego pensé que debería seguir alguna terapia, y eso todavía lo escandalizó más. —Laura logró esbozar una fugaz y leve sonrisa—. La cosa acabaría sabiéndose, y a él lo preocupaba lo que pudiera pensar y comentar la gente.

Nada de sexo. En absoluto. Durante un año. Margo logró superar finalmente su asombro y lo resumió en una frase:

—Pero ¡eso es ridículo!

—Tal vez. Pero dejó de importarme. Me resultaba más sencillo dejar de preocuparme por eso y concentrarme en mis hijas, en la casa. En mi vida.

¿Qué vida?, quería haberle preguntado Margo, pero se mordió la lengua.

—Sin embargo, en las últimas semanas pude ver que eso comenzaba a afectar a las niñas. A Ali en particular. —Volvió a dejar el tutú cuidadosamente y cruzó los brazos en el regazo para tenerlos quietos. Luego siguió—: Cuando te marchaste, decidí que teníamos que arreglar las cosas. Que teníamos que solucionar lo que estuviera mal. Decidí ir a verlo a su apartamento del ático. Pensaba que sería mejor que habláramos allí, lejos de las niñas. Yo estaba deseando hacer lo que fuera para recomponer las cosas.

—¡Estabas deseando…! —la interrumpió Margo poniéndose en pie de un salto y arrojando una furiosa bocanada de humo—. Suena como si…

—No importa cómo suene —dijo Laura en voz baja—. Es lo que es. En cualquier caso, era ya de noche cuando salí hacia allí. Tuve que acostar a las niñas primero. Y durante todo el trayecto estuve ensayando un discursito acerca de lo que habíamos sido juntos durante una década: una familia, una historia.

La hizo reír recordar ahora aquello y se levantó, decidiendo que podía permitirse una copita de brandy. Mientras servía dos, una para Margo y otra para ella, siguió contando el resto:

—El apartamento del ático estaba cerrado, pero yo tengo una llave. No estaba en el despacho. —Tendió una copa a Margo y volvió a sentarse con la suya en la mano—. De entrada me disgusté conmigo misma, pensando que habría ido a alguna cena de negocios u otra cosa así y que yo me había molestado inútilmente en presentarme allí. Pero luego distinguí luz bajo la puerta del dormitorio. Estuve a punto de llamar. ¿Puedes imaginar lo patética que era la situación, Margo, para que yo dudara incluso entre llamar o no a su puerta? Pero, en lugar de eso, la abrí. —Tomó un sorbo de brandy—. Estaba en plena cena de negocios, sí.

—¿Su secretaria?

Laura soltó una carcajada ronca.

—Como en un mal vodevil francés. Allí estaban el marido mujeriego, despatarrado en la cama con su secretaria rabiosamente pelirroja y un bol de gambas saladas.

Margo tuvo que hacer un esfuerzo para reprimir una risita:

—¿Gambas? —preguntó.

—Y lo que parecía ser salsa agridulce, con una botella de Dom Perignon para pasarlo todo. Entra entonces la confiada y abandonada esposa. Y el cuadro se congela. Nadie dice palabra: solo se escuchan las notas del *Bolero* de Ravel.

—¡El *Bolero*! ¡Jesús! —Con la respiración entrecortada por el esfuerzo por contener las carcajadas, Margo se dejó caer en un sillón—. Lo siento, Laura. De verdad lo siento. Pero no puedo evitarlo. Estoy demasiado cansada para luchar contra la risa.

—Adelante, ríete tranquila. —Laura notó que también a ella le estaban entrando ganas de reír—. Realmente es cómico. Penoso. Al final es la esposa la que rompe el silencio y dice con una dignidad increíblemente estúpida: «Lamento muchísimo interrumpir vuestra cena...».

Le costó un gran esfuerzo, pero Margo consiguió susurrar:

—No me digas que dijiste eso...

—Lo hice. Me estaban mirando con ojos desorbitados. Jamás había visto en Peter una expresión así. Casi valió la pena todo por poder ver su cara. Su joven y fresca secretaria comenzó a chillar y a tratar de taparse, y en sus prisas por recuperar la modestia acabó volcando la salsa de las gambas en la entrepierna de Peter.

—¡Oh! ¡Oh! ¡Cielo santo!

—Fue solo un instante —suspiró Laura, a la vez que se preguntaba quién de los tres se habría sentido más ridículo—. Les dije que no se levantaran, que ya sabría encontrar la salida yo sola. Y me fui.

—¿Así, sin más?

—Así simplemente.

—Pero... ¿qué dice él? ¿Cómo se lo ha tomado?

—No tengo ni idea. —Sus dulces ojos grises se endurecieron con una expresión que era Templeton en estado puro: severa, ardiente, testaruda—. No me pongo al teléfono cuando llama. Esa estúpida verja eléctrica suya por fin ha servido de algo. —Se le endureció también la boca al decir eso, y a Margo, que lo advirtió, le pareció que era como si la seda se transformara en acero—. No puede entrar —siguió— porque he dado instrucciones al personal de que no le dejen pasar. En todo caso, solo lo ha intentado una vez.

—¿No vas a hablar siquiera con él?

—No hay nada de que hablar. Yo podía tolerar y toleraba la indiferencia. Podía tolerar y toleraba su absoluta falta de afecto y de respeto hacia mí y mis sentimientos. Pero lo que no toleraré ni un instante son sus mentiras y su infidelidad. Tal vez piensa que chingar con su secretaria es simplemente ejercer su derecho de pernada... Pero va a tener que entender que las cosas son muy diferentes.

—¿Estás segura de que eso es lo que quieres?

—Es como va a ser. Mi matrimonio está acabado. —Miró, sin ver, el interior de su copa de brandy—. Y no hay más que hablar.

«La nota de obstinación típica de los Templeton», pensó Margo. Apagó su cigarrillo y acercó su mano a una de las de Laura. La tenía rígida.

—Sabes que no te va a resultar fácil, cariño…, ni legal ni emocionalmente… —advirtió.

—Haré lo que tenga que hacer, pero no seguiré representando en sociedad el papel de esposa fácilmente burlada.

—¿Y las niñas?

—Ya las compensaré. —Como fuese. De alguna manera—. Haré lo que sea justo por ellas. —Pequeñas lenguas de temor parecían agitar sus palabras, pero las ignoró—. No puedo hacer otra cosa.

—De acuerdo. Cuenta siempre con mi apoyo. Pero, mira… Voy a bajar ahora a preparar algo para la cena. Kate estará hambrienta cuando llegue aquí.

—Kate no vendrá esta noche. Siempre se queda en cama veinticuatro horas después de la fecha tope para presentar las declaraciones de renta.

—Vendrá —prometió Margo.

—Debéis de haber pensado las dos que yo estaba en el lecho de muerte… —murmuró Laura—. Pero, bueno… Me aseguraré de que su habitación esté lista. Y también la tuya. Luego podemos preparar unos bocadillos…

—Yo prepararé los bocadillos. Ocúpate tú de las habitaciones. —Lo cual, pensó Margo mientras salía, le daría a ella suficiente tiempo para sonsacarle información a su madre.

Encontró a Ann exactamente dónde y cómo esperaba encontrarla; en la cocina, preparando ya unos emparedados con fiambres y verduras crudas.

—No tengo mucho tiempo —empezó Margo, y fue directamente a la cafetera—. Laura bajará en un minuto. No está bien, ¿verdad?

—Está haciendo todo lo que puede. Pero no hablará. Aún no se ha puesto en contacto con sus padres.

—¡El muy canalla! ¡Esa babosa! —A Margo le temblaban las piernas por efecto de la fatiga y se le hacía difícil montar una escena en la cocina, pero le asestó su mejor golpe—: ¡Y esa putilla de secretaria suya haciéndole horas extraordinarias! —Se cortó al captar la mirada de su madre—. De acuerdo, yo no me porté mucho mejor cuando me lié con Alain. Y quizá no me sirva de excusa el que pensara que estaba en trámites para obtener el divorcio. Pero ¡al menos no vivía a expensas de la familia de su mujer! —Bebió el café solo para reabastecer su organismo de combustible—. Luego podrás darme un sermón sobre mis pecados. Ahora estoy preocupada por Laura.

La perspicaz mirada de la madre advirtió las señales de agotamiento y preocupación.

—No pienso sermonearte. Jamás sirvió de nada cuando eras niña y difícilmente serviría de algo ahora. Tú vas por tu camino, Margo, como siempre has hecho. Pero esta vez tu camino te ha traído aquí, cuando tu amiga te necesita.

—¿Tú crees? Laura fue siempre la fuerte, la buena… —dijo Margo, y añadió con una sonrisa—: la amable.

—¿Piensas que eres la única que te desesperas cuando el mundo se derrumba en pedazos a tu alrededor? ¿La que quiere esconder la cabeza bajo el cobertor en lugar de enfrentarse al mañana?

Un fugaz destello de ira hizo que Ann depositara con violencia sobre el emparedado la rebanada de pan que debía cubrirlo. Oh, sí… Estaba cansada y dolida, y sus emociones saltaban como una pelota de goma desde la alegría de ver nuevamente a su hija en la casa, a la amargura de Laura y su propia frustración de saber que no podía hacer nada por ninguna de ellas.

—Está asustada y abrumada por sus sentimientos de culpa y la preocupación. Y las cosas solo pueden ir a peor para ella. —Apretó los labios con fuerza para serenarse, pero no lo logró—. Su hogar está roto y, lo veas tú o no, también está roto su corazón. Ya es hora de que le devuelvas algo de lo que ella siempre te ha dado a ti, y la ayudes a restañar sus heridas.

—¿Y para qué piensas que he venido aquí? —replicó Margo—. He dejado todo lo que estaba haciendo y he volado más de diez mil kilómetros para ayudarla.

—Un gesto muy noble. —La mirada penetrante y acusadora de Ann atravesó a su hija—. Siempre has tenido especial habilidad para los grandes gestos, Margo, pero el ser constante requiere algo más. ¿Cuánto tiempo te quedarás esta vez? ¿Un día, una semana…? ¿Cuánto tiempo pasará antes de que te sientas demasiado inquieta y quieras despegarte? ¿Antes de que el esfuerzo de querer a alguien se te haga una montaña? ¿Antes de regresar precipitadamente a tu sofisticada vida, donde no tienes que preocuparte por nadie que no seas tú misma?

—Bueno… —A Margo le temblaba la mano, y dejó por eso la taza sobre la mesa—. ¿Por qué no lo sueltas todo, mamá? Parece como si aún tuvieras muchas más cosas dentro…

—¡Oh…! Para ti es muy fácil, ¿no?, llegar y marcharte a tu antojo. Enviar postales y regalos, como si eso compensara el hecho de dar la espalda a todo lo real que has recibido…

Las preocupaciones de Ann la impulsaban a manifestar rencores acumulados a lo largo de años. Salían a borbotones, sin darle la posibilidad de retenerlos y de evitar que salpicaran de amargura a las dos.

—Creciste en esta casa fingiendo que no eras la hija de una criada, y la señorita Laura te trató siempre como a una hermana. ¿Quién te enviaba dinero cuando te escapaste? ¿Quién empleó su influencia para conseguirte tu primera sesión de fotos? ¿A quién tuviste siempre cerca, estuvieras donde estuvieses? —preguntó, apilando rebanadas de pan como repartiría cartas un tahúr airado—. Pero tú... ¿has estado cerca de ella? Estos últimos años, cuando luchaba por mantener unida su familia, cuando se ha sentido sola y triste, ¿te ha tenido a su lado?

—¿Cómo podía saber yo lo que ocurría?

—Porque te lo habría dicho la señorita Kate. Y, si tú no hubieras estado tan ensimismada en tu papel de Margo Sullivan, le habrías prestado atención.

—Jamás he sido lo que tú querías que fuera —dijo Margo, con un suspiro de cansancio—. Nunca he sido Laura. Y no puedo serlo.

El sentimiento de culpabilidad se mezclaba ahora en Ann con el cansancio y la preocupación.

—Nadie te ha pedido que seas alguien que no eres, Margo...

—¿No lo has hecho, mamá? Si yo fuera más amable, más generosa que Laura, más sensata y más práctica que Kate... ¿Piensas que no lo sé, que no he oído todo eso de ti cada día de mi vida?

Sorprendida y desconcertada, Ann sacudió la cabeza.

—Quizá si te hubieses contentado con lo que tenías y con lo que eras, en lugar de huir de todo ello, habrías sido más feliz —dijo.

—Y quizá si alguna vez, al mirarme, te hubieras sentido satisfecha de lo que yo era, no habría huido tan lejos ni tan pronto.

—Yo no pienso asumir las culpas de la forma como has vivido tu vida, Margo...

—No. Las asumiré yo. —¿Y por qué no?, pensó. Ya era una larga cuenta; sumar algo más no supondría gran cosa—. Y que sean para mí las censuras y la gloria. De esa forma no necesito tu aprobación.

—No sé que me la hayas pedido nunca —replicó Ann, y salió de la habitación dejando que Margo rumiara sus palabras.

Le dio tres días. Era extraño. En realidad, jamás habían vivido juntas las tres en la casa de mayores. A los dieciocho años, Laura se había casado, Margo había escapado a Hollywood y Kate, siempre luchando por superar aquel único año de diferencia que había entre ellas, se había graduado enseguida e ingresado en Harvard.

Ahora se habían instalado en la casa las tres. Kate con la excusa de que no tenía fuerzas para volver conduciendo a su apartamento en Monterey, y Margo alegando que estaba en un compás de espera. Decidió que su madre tenía razón en algunas cosas. Laura hacía lo posible para afrontar la situación, pero esta era muy difícil y no podía más que empeorar. Ya empezaban a presentarse algunas visitas; principalmente, como observó Margo, de habituales del club de campo, en busca de chismes a propósito de la ruptura de la pareja Templeton-Ridgeway.

Una noche, Margo encontró a Kayla apostada a la puerta del dormitorio de Laura, temerosa de que su mamá pudiera dejarlas también.

Fue entonces cuando dejó de pensar que las cosas podrían arreglarse y ella regresar a Milán. Y cuando decidió que su madre tenía razón en algo más: en que ya iba siendo hora de que Margo Sullivan dejara de ir de acá para allá y devolviera lo que le habían dado a ella. Telefoneó a Josh.

—Son las seis de la madrugada —se quejó él cuando lo localizó en el Templeton de Estocolmo—. No me digas que te has convertido en ese monstruo de la sociedad civilizada que es la persona madrugadora…

—Escucha, Josh. Estoy en Templeton House.

—Ah, muy bien… Ahí debe de estar anocheciendo, entonces… Pero… ¿qué es eso de que estás en Templeton House? —preguntó en cuanto se le despejó la cabeza—. ¿Qué demonios haces tú en California? Se suponía que estabas montando un negocio en Milán.

Margo se tomó un momento antes de responder. Se daba

cuenta de que sería la primera vez que lo decía en voz alta. La primera vez que reconocería haber perdido una parte de su vida.

—No voy a regresar a Milán. Al menos, no pronto. —Y mientras la voz de él estallaba en sus oídos con preguntas y acusaciones, Margo vio cómo se desvanecía su sueño. Confió en poder sustituirlo por otro—. Calla un momento, ¿quieres? —le ordenó—. Necesito que hagas algo, todo lo que haga falta, para enviarme mis cosas aquí.

—¿Tus cosas?

—La mayoría de ellas están ya dentro de cajas, pero habrá que embalar las que aún no lo están. Templeton debe de tener un servicio para encargarse de trabajos así.

—Sí, por supuesto…, pero…

—Te devolveré el dinero que cueste, Josh, pero ahora no sé a quién llamar y tampoco puedo asumir este gasto en estos momentos. El pasaje de avión me ha dejado casi sin blanca.

Típico de ella, pensó Josh y se metió una almohada bajo la espalda para estar más cómodo.

—Muy típico… Pero, entonces…, ¿por qué demonios te gastaste el dinero en comprar un pasaje de avión a California?

—Pues porque Peter estaba tonteando con su secretaria y Laura va a divorciarse de él.

—No puedes salir volando hacia cualquier lugar que… ¿Qué demonios estás diciendo?

—Ya me has oído. Ha presentado una demanda de divorcio. No creo que él vaya a oponerse, pero tampoco me parece que vaya a ser una separación amistosa. Laura está tratando de llevar este asunto ella sola lo mejor que pueda, y yo he decidido que no voy a permitir que lo haga sin ayuda.

—Déjame hablar con ella. Dile que se ponga.

—Está durmiendo. —Si Laura hubiera estado despierta y a su lado, tampoco le habría pasado el teléfono. La glacial violencia de la voz de Josh se hacía perceptible al otro extremo de la línea—. Hoy ha tenido otra sesión con el abogado y ha vuelto destrozada. La mejor solución que yo veo es quedarme aquí. Le pediré que me ayude a encontrar un local adecuado para la tienda. Eso la distraerá. Laura se siente mucho mejor preocupándose por otro, que cuando tiene que preocuparse por ella misma.

—¿Piensas quedarte en California?

—Así no tendré que preocuparme por el IVA ni por las leyes italianas, ¿verdad? —Notaba odiosas lágrimas de autocompasión escociendo en sus ojos, y parpadeó con fuerza para contenerlas. Luego, para asegurarse de que su voz seguía saliendo firme y brusca, apretó los dientes—. Hablando de leyes, Josh… ¿puedo enviarte un poder notarial, o como se llame? Te necesito para que vendas mi piso, me transfieras fondos y te ocupes de todos los pequeños detalles legales.

Precisamente los detalles de lo que planeaba Margo estaban ya asombrándolo a él a medida que se le venían a la cabeza. «¿Había dicho que era *típica*?», pensó. ¡Nada en Margo era típico, nunca!

—Redactaré uno y te lo enviaré por fax. Fírmalo, si te parece, y me lo envías al Templeton de Milán. ¿Dónde demonios está Ridgeway ahora?

—He oído que sigue aún en su apartamento del ático.

—Ya arreglaremos eso pronto.

Personalmente, Margo no tenía nada que oponer a la fría crudeza que advertía en la voz de él, pero…

—Mira, Josh… No estoy muy segura de que a Laura le pareciese bien que lo echaras con cajas destempladas en este momento…

—Pero resulta que yo estoy por encima de Laura en la cadena de mando de Templeton… Me encargaré de embarcar tus cosas tan pronto como sea posible. ¿Alguna sorpresa más para la que deba ir preparándome?

Justo antes de salir de Milán, a Margo le había llegado el cargo de su tarjeta de American Express. Pero decidió que no valía la pena darle otro susto en este momento.

—No —dijo—, nada que valga la pena mencionar. Siento cargarte con todo esto, Josh… Lo digo de veras. Pero es que no veo de qué otra forma puedo quedarme aquí con Laura y montar esa tienda y conseguir ponerla en marcha si me envían a la cárcel por deudas.

—No te preocupes. El caos es lo mío. —La imaginó dejando todo en aquel caos para salir corriendo en ayuda de una amiga. La lealtad, se dijo, es y ha sido siempre su virtud más admirable…—. ¿Cómo va nuestra apuesta? ¿La mantienes todavía?

—Estoy bien. Y sigue intacta aún. ¿Y tú? ¿Estás solo en esa cama? —añadió.

—Sí, claro…, exceptuando las seis componentes del equipo sueco de balonvolea… Helga tiene un remate fabuloso… ¿No me preguntas qué llevo puesto?

—Un tanga negro, sudor y una sonrisa de oreja a oreja.

—¿Cómo lo has adivinado? ¿Y tú qué llevas?

Ella se pasó lentamente la lengua por los dientes.

—Oh…, solo este pequeño… diminuto… body de encaje.

—Y zapatos de tacón de aguja, claro…

—Naturalmente. Con unas medias muy divertidas. Llevan bordadas en la parte de arriba unas rositas rojas…, que hacen juego con la que llevo justamente ahora entre mis pechos… Tendría que decirte también que acabo de salir de la bañera, y que aún estoy un poco… mojada.

—¡Cielos…! Eres demasiado buena en este juego. Voy a tener que colgar.

La respuesta de Margo fue una larga y ronca carcajada.

—¡Lo que voy a disfrutar conduciendo ese Jaguar…! Hazme saber para cuándo debo esperar ese envío.

Cuando oyó el clic del aparato al colgarlo, volvió a reírse, se giró… y se dio casi de narices con Kate.

—¿Cuánto tiempo llevas ahí? —le preguntó.

—El suficiente para sentirme confusa. ¿Estabas practicando el sexo telefónico con Josh? ¿Con nuestro Josh?

Margo se echó despreocupadamente los cabellos por detrás de la oreja.

—Solo era un jueguecito preliminar… ¿Por qué?

—Entendido —dijo Kate. Tendría que reconsiderar luego el asunto—. Y ahora, cuenta… ¿qué es eso de montar una tienda y llevarla?

—¡Eres…, eres…! ¡Tienes unas orejas muy largas tú…! —Le tiró de ellas con tanta fuerza que Kate casi gritó de dolor—. Bueno, si te sientas, quizá te cuente las líneas generales del plan…

Kate escuchó atentamente sus explicaciones. Sus únicos comentarios fueron ocasionales gruñidos, bufidos o murmullos. Hasta que, al concluir Margo:

—Supongo que has calculado los costes de puesta en marcha —dijo.

—Ah…

—Vale. Y que has pensado en los permisos, honorarios, solicitado un número de identificación fiscal…

—Me quedan algunos detalles por solventar —mumuró Margo—. Pero… ¿tienes que ser precisamente tú quien me arrojes agua fría a la cara?

—¡Vaya por Dios…! Yo pensaba que era solo excelente sentido común.

—¿Por qué no voy a poder hacer un negocio con la venta de mis cosas? —preguntó Margo—. ¿Qué hay de malo en transformar una humillación en una ventura? El que no haya pensado en solicitar un estúpido número no significa que no pueda llevar esto adelante.

Arrellanándose en su asiento, Kate juntó las yemas de los dedos. No era una idea completamente descabellada. De hecho, tenía algún sólido mérito financiero; una liquidación de bienes ligada al ya viejo concepto de libre empresa. Kate decidió que podría ayudarla a resolver algunos de los detalles, si Margo estaba realmente dispuesta a darle una oportunidad al capitalismo. Sería arriesgado, por supuesto, pero

Margo siempre se había mostrado partidaria de asumir ricsgos.

—¿Trabajarás tú misma en la tienda?

Con mirada de perplejidad, Margo se puso a estudiar su manicura.

—Me veo más en eso que ocupando un puesto como asesora.

—¡Margo Sullivan vendiendo ropa y cachivaches usados! —se maravilló Kate.

—*Objets d'art...*

—Lo que sea —dijo Kate, divertida, y estiró las piernas que tenía cruzadas a la altura de los tobillos—. Me da la sensación de que por fin se ha congelado el infierno.

9

Margo llegó ante el escaparate de la tienda de la transitada Cannery Row, y enseguida supo que lo había encontrado. La amplia cristalera brillaba bajo la luz del sol y estaba resguardada de los elementos por una pequeña y encantadora galería cubierta. La puerta era de cristal biselado y estaba decorada con un grabado que representaba un ramo de lirios. Tenía relucientes guarniciones de bronce propias de otros tiempos. El tejado de arista estaba rematado por filas de tejas españolas, cuyo color rojo se había apagado y transformado en rosa por efecto de los años y de la intemperie.

Podía oír la musiquilla metálica de un tiovivo, los graznidos de las gaviotas y la animada charla de los turistas. De los puestos y restaurantes al aire libre del Fisherman's Wharf, el Muelle del Pescador, llegaban olores de cocina transportados por la fuerte brisa que soplaba del mar. De cuando en cuando se escuchaba el traqueteo de los cochecitos de pedales para parejas que circulaban por la calle.

Los ruidos del tráfico eran un rumor continuo: coches que buscaban desesperadamente una plaza de aparcamiento que difícilmente hallarían en aquel activo emporio de comercio turístico. Los peatones paseaban por las aceras, muchos de ellos con niños que o eran todo ojos y sonrisas, o daban un recital de malhumorados berrinches.

En todas partes había movimiento: de personas, de ruidos, de acciones. Las tiendecitas que se alineaban a lo largo de la calle, los restaurantes y las atracciones, los atraían día tras día, mes tras mes.

Todos los otros locales que había visto, con sus estrechos escaparates comerciales, sus naves de almacén vacías…, habían sido meros pasos, pensó, para llegar a este.

—¡Es perfecto! —murmuró.

—Pero ¡si ni siquiera has entrado en él! —señaló Kate.

—Sé que es perfecto. Justo lo que quiero.

Kate intercambió una mirada con Laura. Tenía una idea bastante aproximada de cuál podía ser el alquiler en aquella zona. Si vas a soñar, pensaba, sueña a lo grande. Pero Margo se salía siempre con la suya.

—Probablemente el de la inmobiliaria estará dentro ya. —Llegar tarde era parte de la estrategia de Margo. No quería demostrar demasiado interés—. Dejadme hablar a mí.

—Vale. Deja que hable ella —murmuró Kate, y entornó los ojos mirando a Laura—. Después de ver este iremos a almorzar, ¿de acuerdo? —Podía olfatear el olor a pescado frito y salsas picantes, proveniente del Muelle del Pescador. Y notaba en su estómago las molestas punzadas del hambre—. Este será el último antes del almuerzo.

—Será el único más que veremos —afirmó Margo.

Con los hombros dispuestos para la batalla, avanzó hacia la puerta. Tuvo que hacer un esfuerzo para no quitar y romper el letrero de SE ALQUILA. Ya estaba trepando por su espina dorsal la emoción de sentirse propietaria. No sabía explicar ese sentimiento, ni tampoco el hecho de que hubiera pasado innumerables veces por delante de aquel mismo edificio sin haber sentido nada de nada.

Ahora sí lo sentía, y eso le bastaba.

La pieza principal era amplia y estaba vacía. Había profundas marcas en el piso de madera dura donde habían estado las estanterías y los mostradores ahora retirados. La pintura había perdido su blancura original para adquirir un tono de engrudo viejo, y tenía muchos agujeritos donde el anterior inquilino había colgado mercancías.

Pero Margo se fijó solo en el precioso arco que comunicaba con el espacio contiguo, en el encanto de la escalera de caracol de hierro forjado que ascendía en apretada espiral al segundo nivel, en la etérea galería circular. Y enseguida reconoció en sí misma los habituales síntomas: la aceleración de su pulso, el aumento de la agudeza de su visión… A menudo había sentido lo mismo cuando entraba en Cartier y veía algo que le parecía estar justamente esperándola.

Previendo problemas, Laura le pasó la mano por el brazo.

—Margo…

—¿Estáis viendo? ¿Estáis viendo lo mismo que yo?

—Veo que necesita un montón de arreglos para ponerlo en condiciones —dijo Kate, y arrugó la nariz. La atmósfera apestaba a… ¿incienso…? ¿Marihuana…? ¿Velas rancias…?—. ¡Y una buena fumigación!

Sin hacer caso de sus comentarios, Margo fue hacia una puerta con la pintura descascarillada y la abrió. Dentro había un minúsculo aseo con un antiguo lavabo de pie y azulejos desportillados. Aquello la emocionó.

—¿Hola? —La voz llegaba del piso de arriba, y fue seguida del rápido taconeo de unos zapatos de salón sobre la madera. Laura torció el gesto.

—¡Oh, no…, Luisa…! Me dijiste que tenías una cita con un tal señor Newman, Margo…

—Y así era.

La voz llamó de nuevo. De haber habido algún lugar bajo el que esconderse, Laura hubiera corrido hacia allí.

—¿Es usted, señora Sullivan? —La mujer apareció en lo alto de la escalera. Iba completamente de rosa, desde su fina chaqueta suelta a sus zapatos de tacón alto.

Llevaba el pelo teñido de ese rubio ceniza que los peluqueros eligen a menudo para disimular las canas, peinado sin contemplaciones para darle la forma de un casco que se abombaba solo alrededor de sus sonrosadas mejillas. El oro tintineaba en sus muñecas, y sobre el pecho izquierdo lucía un enorme broche en forma de sol.

«Cincuenta y tantos —le echó Margo con mirada experta—, y tratando desesperadamente de aparentar cuarenta y pico. Se ha hecho un lifting facial bastante decente, pensó, sonriendo educadamente mientras la mujer bajaba por la escalera de caracol, sin dejar de parlotear todo el rato—: Clases regulares de aerobic para mantenerse en forma, con la ayuda de una operación para rebajar la barriga y una liposucción...»

—... solo para refrescar mi memoria —proseguía la mujer, de la que fluían palabras a borbotones, como de un manantial—. No ha estado aquí desde hace varias semanas. Se suponía que vendría a enseñárselo el bueno de Johnny, pero ha tenido un pequeño accidente con el coche esta mañana. —Cuando llegó finalmente al pie, algo falta de aliento, le tendió la mano—. Encantada de conocerla. Soy Louisa Metcalf.

—Margo Sullivan.

—Sí, por supuesto que sí... —Sus ojos de color uva centellearon por efecto del interés y de una sombra de tono bronce cuidadosamente aplicada—. La he reconocido inmediatamente. No tenía ni idea de que mi visitante de la una era la Margo Sullivan. Y es usted realmente tan encantadora como en todas sus fotografías. Porque a menudo las retocan, ¿no? Y luego resulta que conoces a alguien cuya cara has visto fotografiada centenares de veces..., y te llevas una gran decepción. Ha tenido usted una vida muy interesante, ¿verdad?

—Y aún la sigo teniendo —respondió Margo, lo que hizo que a Louisa se le escapara la risa.

—Sí, por supuesto que sí. Es muy afortunada en ser tan joven y tan linda. Estoy segura de que podrá superar cualquier pequeño contratiempo. Estaba usted en Grecia, ¿verdad?

—Hola, Louisa.

Se volvió, llevándose la mano al corazón.

—¡Laura, querida…! ¡Qué agradable sorpresa! No me había dado cuenta de que estabas aquí.

Conocedora de la rutina, Laura se encontró con ella a medio camino e intercambiaron besos al aire.

—¡Estás guapísima, Louisa!

—Oh…, es mi atuendo profesional —dijo ella, alisándose la chaqueta, bajo la cual su pecho palpitaba feliz ante la perspectiva de cotilleo—. Disfruto dedicando unos pocos días a la semana a mi pequeña afición. ¡Las gestiones inmobiliarias te llevan a sitios tan interesantes y conoces a tanta gente en ellas…! Y, como Benefict está tan ocupado en su trabajo y los niños se han hecho mayores, algo tengo que hacer yo con mi tiempo. —Su mirada centelleante se endureció de pronto—. No sé cómo te las arreglas tú, querida, con esas dos preciosas niñas que tienes, para ocuparte de obras benéficas y llevar una intensa vida social. Ayer mismo le decía a Barbara, ya sabes, mi hija Barbara, lo asombrosa que me pareces. Dirigir todas esas comisiones y desempeñar tantas actividades, a la vez que educar a dos niñas… Sobre todo ahora que vas a tener que pasar por una circunstancia semejante. Un divorcio. —Susurró la palabra como si la creyera malsonante—. Tan descorazonador para todos los implicados, ¿verdad? ¿Cómo lo estás llevando, querida?

—Estoy bien. —Más por desesperación que por cortesía, Laura empujó a Kate a escena—. Te presento a Kate Powell, Louisa.

—Encantada de conocerla.

Kate ni se molestó en decirle que ya se habían visto antes por lo menos media docena de veces. Las mujeres como Louisa Metcalf jamás la recordaban.

—¿Te interesa este edificio, Laura? —continuó—. Tengo entendido que la persona que nos llamó deseaba algo en alquiler, pero si tú deseas hacer una inversión, ahora que vas por tu cuenta, por así decir, sería perfecto para ti. Una mujer sola necesita pensar en su futuro, ¿verdad? Al propietario le encantará venderlo.

—En realidad es Margo quien…

—Oh, por supuesto. Perdona. —Dio media vuelta sobre sí misma para dirigirse a Margo, como el cañón que pivota para apuntar desde lo alto de la torreta de un tanque—. Ha sido la sorpresa de encontrar a una vieja amiga, comprenda. Y ustedes dos han sido amigas también durante años, ¿verdad? Es estupendo que nuestra Laura pueda tenerla a usted cerca en los momentos de dificultad. En cuanto al edificio…, es una maravilla, ¿verdad? Y una situación excelente. No tendría la más mínima dificultad en encontrar un inquilino adecuado. Y yo puedo recomendarle un administrador de fincas muy de fiar.

¿Adquirirlo? Ser su propietaria. Margo tuvo que tragar la saliva que se encharcaba en su boca. Temiendo que Louisa pudiera percibir el afán de territorialidad que manifestaban sus ojos, se volvió de espaldas y se alejó un poco.

—Aún no me he decidido entre alquiler o compra —dijo, y observó con regocijo las caras de Kate y de Laura—. ¿Quiénes eran los últimos inquilinos?

—Oh, bueno… Fue una etapa bastante desagradable. Por esa razón el propietario está considerando la posibilidad de venderlo. Montaron una de esas tiendas new age; ya sabe; esoterismo, astrología. Personalmente, no entiendo ese negocio, ¿y usted? Cristales, extraños instrumentos de música, gongs… Resultó que también se dedicaban a vender drogas. —Musitó la última palabra, como si pensara que Margo pudiera ser ella misma una adicta—. Marihuana, concretamente. ¡Oh, querida! Espero que esto no le resulte violento, habida cuenta de sus recientes problemas…

Margo le dirigió una mirada de desaprobación.

—No, en absoluto. ¿Podríamos ver el piso de arriba?

—Por supuesto. Es muy espacioso. Lo empleaban como una pequeña vivienda: tiene una cocina que es una monada, casi como si fuera la de una casa de muñecas y, naturalmente, una vista espléndida.

Empezó a subir la escalera precediéndolas, sin dejar de charlar acerca de las excelencias del edificio, mientras las demás la seguían.

—No lo dirás en serio —susurró Kate al tiempo que agarraba a Margo por el brazo—. No puedes permitirte pagar el alquiler de este local, mucho menos comprarlo.

—Calla. Estoy pensando.

Era difícil pensar con el incesante parloteo de Louisa, así que Margo decidió hacer oídos sordos. Cerrarlos a todo, salvo a las voces de un singular placer. Era espacioso, en efecto, sorprendentemente amplio. Y si el pasamanos de la escalera se movía en la parte de arriba y no proporcionaba apenas protección…, ¿qué importaba eso? Había una estrella de cinco puntas pintada en el piso, pero sin duda podría borrarse.

Tal vez era caliente como un horno, y el hueco de la cocina era apenas suficiente para que cupiera en ella uno de los Siete Enanitos. Pero había unas pintorescas ventanas salientes y de perfil curvo en su parte superior, que ofrecían curiosas vistas del mar.

—Tiene grandes posibilidades —seguía Louisa—. Necesita algún arreglillo cosmético, una mano de pintura o empapelarlo… Sin duda sabrá usted lo que se paga de alquiler por metro cuadrado en esta zona. —Abrió el portafolios que había dejado en la estrecha encimera de la cocina y sacó de él una carpeta—. Este edificio tiene dos plantas de cincuenta y ocho metros cuadrados útiles. —Le tendió unos papeles a Margo—. El propietario se ha mostrado muy considerado manteniendo un alquiler razonable. Naturalmente, los importes de los servicios corren por cuenta del arrendatario.

Kate abrió el grifo y vio salir de él a sacudidas un agua grisácea.

—¿Y las reparaciones? —preguntó.

—Oh, estoy segura de que podrá hacerse algo al respecto —respondió Louisa desdeñando la objeción de Kate con un movimiento de la mano y un enredo de sus pulseras—. Querrá usted estudiar el contrato, claro. No quiero meterle prisa pero me siento obligada a decirle que tenemos concertada para mañana otra visita de alguien interesado, y que cuando se sepa oficialmente que el edificio está en venta, bueno… —interrumpió la frase sonriendo—. Creo que el propietario pide solo doscientos setenta y cinco mil dólares.

Margo sintió que su sueño reventaba de pronto…, como un globo inflado en exceso. Se las arregló para fingir un encogimiento de hombros a pesar del peso que los abrumaba.

—Es bueno saberlo —dijo—. Como le decía, aún no estoy segura de que sea exactamente lo que estoy buscando. He visto otras propiedades. Tengo que pensármelo.

Al leer por encima el contrato, se dio cuenta de que Kate…, ¡maldita sea...!, estaba en lo cierto: hasta el alquiler quedaba fuera de sus posibilidades. Pero se dijo también que tenía que haber un camino.

—Me pondré en contacto con usted en un par de días —dijo con una sonrisa cortés, pero sin mostrarse especialmente interesada—. Gracias por haberme dedicado su tiempo, señora Metcalf.

—Oh…, no tiene importancia. Disfruto mucho enseñando fincas. Es más divertido mostrar viviendas, claro. Usted ha estado viviendo en Europa, ¿verdad? ¡Qué emocionante! Si está pensando en comprar una segunda vivienda aquí, en esta zona, tengo una fabulosa casa de diez dormitorios en Seventeen Mile. Una auténtica ganga. Los dueños están en mitad de un penoso proceso de divorcio, y… oh… —Miró a su alrededor como si quisiera excusarse con una risita ante Laura, pero sus ojos siguieron brillando—. Menos mal… Deben de haber bajado ya. No quería herirla con esta alusión al divorcio. ¡Qué vergüenza lo que está ocurriendo entre ella y Peter!, ¿verdad?

—En realidad, no —replicó Margo, cortante—. Pienso que él es un canalla.

—Oh… —Su rostro cambió de color gradualmente—. Lo dice usted por lealtad hacia su vieja amiga, ¿verdad? Lo cierto es que nadie se sorprendió más que yo cuando me enteré de que se separaban. Formaban una pareja encantadora. ¡Y él es tan educado, tan atractivo y tan galante…!

—Bueno…, ya sabe usted lo que se dice acerca de las apariencias: que engañan. Y ahora, señora Metcalf, si usted no tiene inconveniente, creo que voy a husmear un poco más por aquí. —Margo la agarró firmemente por el brazo y la condujo escaleras abajo—. Tal vez podré decidirme mejor si lo veo un ratito a solas.

—¡Faltaría más! Tómese todo el tiempo que quiera. Simplemente cierre la puerta de golpe al salir. Yo tengo la llave. Ah, y le dejo mi tarjeta. No dude en llamarme si desea echarle un vistazo otra vez, o si desea que le muestre esa maravillosa casa que le digo de Seventeen Mile.

—Lo haré, sin duda —dijo Margo que, al no ver abajo ni a Kate ni a Laura, acompañó a Louisa hasta la salida.

—Ah…, despídame de Laura, ¿lo hará usted? Y de su joven amiga. Espero verlas pronto a usted y a Laura en el club.

—No lo dude. Y ahora, adiós. Ha sido usted muy amable. —Margo se apresuró a cerrar la puerta, que chirrió levemente—. Y no vuelva usted por aquí —musitó, luego llamó en voz alta—: Está bien. ¿Dónde os habéis metido vosotras dos?

Fue Kate la que respondió:

—Estamos aquí arriba. En el baño.

—¡Jesús…! ¡Esconderse en el baño…! ¡Qué cosa más impropia para dos mujeres adultas…! —Las encontró una vez hubo subido de nuevo por la escalera. Laura estaba sentada en el borde de la vieja bañera de patas, y Kate mirándola desde su pedestal en el inodoro. En otras circunstancias, Margo hubiera dicho que estaban manteniendo una discusión seria e intensa—. ¡Muy bonito esto de haberme dejado sola con esa cotorra…!

—Dijiste que llevarías tú sola la negociación —le recordó Kate.

—No había nada que negociar, en realidad. —Desanimada, Margo se sentó junto a Laura en el borde de la bañera—. Tal vez podría ahorrar para la renta, si no como nada en los próximos seis meses. Lo cual no supone un problema muy serio. Pero no me quedaría lo imprescindible para los gastos de puesta en marcha. Necesito comprarlo —dijo suspirando—. Es exactamente lo que ando buscando. Algo me dice que podría ser feliz aquí.

—Tal vez sean los persistentes efluvios de la marihuana rancia…

Margo dirigió a Kate una mirada incendiaria.

—Solo he fumado hierba una vez, cuando tenía dieciséis años. Y tú misma diste varias caladas en aquella velada memorable.

—No me tragué el humo —replicó Kate con una sonrisa—. Fue lo que dije entonces, y me atengo a ello.

—Entonces, explícanos por qué decías que habías bailado un *pas de deux* con Barishnikov.

—No recuerdo ese hecho…, solo que él me pidió que lo llamara Misha…

—¡Menos mal que yo solo pude aportar dos porros que había conseguido sacarle a Biff…! —dijo Margo fingiendo un suspiro de alivio—. Pero, bueno…, por desgracia, esto es la realidad. No puedo permitirme ese local.

—Yo sí puedo —dijo Laura.

—¿Qué quieres decir con eso de que tú sí puedes?

—Digo que puedo comprarlo, y que luego te lo puedo alquilar, y que iremos juntas en el negocio.

Margo casi se lanzó a abrazar a Laura antes de que prevalecieran la cordura y su orgullo.

—No, no… No voy a empezar así esta nueva parte de mi vida. —Hurgó en su bolso en busca de un cigarrillo, y prendió este con una violenta sacudida de la mano—. No pienso dejar que me saques de apuros. Esta vez, no.

—Cuéntale lo que me dijiste antes cuando lo propuse, Kate.

—De acuerdo. Primero le pregunté si se había vuelto loca. No porque pensara que tú no querrías arriesgarte a poner en marcha este plan tuyo, Margo, sino porque no creo que puedas sacarlo adelante.

Los párpados de Margo se contrajeron mientras exhalaba el humo del tabaco.

—Vaya…, gracias, Kate.

—Como idea, es admirable —siguió Kate en tono conciliador—. Pero empezar un nuevo negocio es arriesgado en cualquier momento, con cualquiera. La inmensa mayoría de los negocios se van al garete en el primer año. Es una ley básica de la economía, aunque la gente tenga alguna formación y conocimientos en materia de ventas. Eso sin mencionar que Monterey y Carmel están plagadas de boutiques y de tenduchos con objetos de regalo. Pero… —prosiguió Kate haciendo un gesto con la mano antes de que Margo pudiera replicar— algunas han tenido éxito e incluso han prosperado. Pero ahora vamos a dejarte de lado un momento y consideremos la situación actual de Laura. Como se casó a la ridícula edad de dieciocho años, jamás ha hecho ninguna inversión por su cuenta. Está la organización Templeton, claro, de la que es accionista. Pero, aparte de su participación en Templeton, no tiene acciones, bonos ni propiedades. Y, puesto que ha presentado una demanda de divorcio y tiene suficiente solvencia económica, es de muy buen sentido económico para ella buscar inversiones.

—Jamás he comprado nada por mi cuenta —intervino Laura—. Nunca he tenido nada que no me viniera a través de la familia, o que poseyera conjuntamente con Peter. Así que, cuando miraba este edificio, me he dicho: «¿Y por qué no? ¿Por qué no debería comprarlo? ¿Por qué no puedo apostar por mí misma…, por las dos?».

—Pues porque si yo lo fastidio todo…

—No lo harás. Tienes algo que demostrar aquí, ¿no es verdad, Margo?

—Sí, claro que sí. Pero eso no incluye arrojarte al abismo conmigo.

—Escucha… —Con una expresión grave y dulce en sus ojos, Laura apoyó una mano en la rodilla de Margo—. Durante toda mi vida he hecho lo que me decían que hiciera: tomar por la senda tranquila y bien cuidada. Ahora quiero hacer algo solo por divertirme. —La idea la hacía sentir un poco de vértigo—. Voy a comprar este edificio, Margo, tanto si quieres tú adquirir una parte como si no.

Margo tragó saliva y descubrió que no era orgullo lo que acumulaba en su garganta: era excitación.

—Bueno… ¿Qué dineral estás pensando en clavarme como alquiler?

La primera sorpresa llegó en el banco. Kate había aconsejado entregar un cheque de caja por el 10 por ciento del importe solicitado, no solo como paga y señal para el contrato, sino también para negociar una rebaja en el precio del orden de veinticinco mil dólares.

Pero en la cuenta no había dinero.

—Debe de tratarse de un error. Debería tener, como mínimo, el doble de esa cantidad en metálico.

—Un momento, por favor, señora Ridgeway —dijo el empleado, y se apresuró a alejarse de la ventanilla mientras Laura daba nerviosos golpecitos con los dedos.

Mientras comenzaba a sentir interiormente una rara sensación de nerviosismo, Margo apoyó la mano en el hombro de Laura.

—¿Se trata de una cuenta a nombre de Peter y tú, Laura?

—Sí, claro. La tenemos, básicamente, para llevar el control de las cuentas de la casa. Voy a sacar de ella menos de la mitad, así que no debería haber ningún problema. Tenemos régimen de gananciales. Mi abogado me explicó cómo funciona eso.

En aquel instante salió del vestíbulo el vicepresidente del banco con la mano tendida.

—¿Querría usted venir a mi despacho un momento, Laura?

—Estoy ante una urgencia, Frank. Necesito un cheque de caja.

—Será solo un minuto. —El banquero pasó un brazo por los hombros de Laura.

Margo hizo rechinar los dientes al ver que el otro se alejaba con Laura.

—¿Sabes tú lo que ha hecho ese bastardo? —le preguntó a Kate.

—Sí, sí. Lo sé. —Estaba furiosa y se apretó los ojos con los dedos—. Debería haber pensado antes en ello. ¡Señor…! Debería haberlo pensado. Pero es que ha sido todo tan rápido…

—Tendrán dinero en alguna otra parte, ¿no? En otro banco. Acciones, bonos, una cartera a través de un agente.

—Deben de tenerlo. Puede que Laura le haya dejado a Peter el cuidado de sus finanzas, pero ninguno de los dos es tan insensato como para poner todos sus huevos en el mismo cesto. Y estará, además, el seguro sobre limitación de responsabilidad en cuanto a los fondos depositados en un banco. Pero es una gota de agua en un cubo. —Tenía, con todo, un mal presentimiento—. ¡Mierda! —exclamó—. Nunca me dejó ver sus libros de cuentas. Ah, aquí viene. ¡Cielos… su cara lo dice todo! —murmuró.

—Peter ha vaciado la cuenta. —Con la cara pálida y la vista nublada, Laura las llevó hacia la puerta—. La mañana después de haberlo encontrado en la cama con su secretaria, vino y se llevó todo salvo un par de miles de dólares. —Laura tuvo que detenerse y se llevó la mano al estómago—. Habíamos abierto también unas pequeñas cuentas de ahorro para las niñas, para que pudieran ingresar dinero ellas mismas. También se lo ha llevado. Les ha robado su dinero.

—Busquemos un lugar para sentarnos —sugirió Margo.

—No, no. Tengo que hacer llamadas. He de ponerme en

contacto con el agente. Ni siquiera sé cómo se llama. Se cubrió el rostro con las manos y probó a serenar la respiración—. ¡He sido tan estúpida...! ¡Tan estúpida...!

—No, no lo eres —dijo Kate furiosa—. Vamos a ir a casa. Buscaremos esos números, y llamaremos a todos los que hagan falta. Conseguiré que queden congeladas todas tus cuentas.

Pero no había gran cosa que congelar.

—Cincuenta mil —dijo Kate al cabo de un rato; se apoyó en el respaldo de su asiento, se quitó las gafas de lectura y se restregó los ojos—. Bueno..., ha sido muy generoso de su parte dejarte tanto. Calculo que es aproximadamente un cinco por ciento de vuestros bienes gananciales. —Pensativa, sacó una pastilla de su tubo de pastillas contra el ardor de estómago—. La buena noticia es que no ha podido tocar tus acciones de Templeton y que no tiene ningún derecho a la casa.

—El dinero para cuando fueran a la universidad... —dijo Laura en un hilo de voz—. Ha cancelado también los depósitos de Ali y de Kayla para cursar estudios en la universidad... ¿Cómo puede haber tenido valor para él esa pequeña cantidad de dinero?

—Es probable que no haya sido solo cuestión de dinero. Quería darte una lección. —Margo sirvió otra copa de vino. Las ayudaría, tal vez, sentirse un poco achispadas—. Y si se salió con la suya, es porque a ti nunca se te pasó por la imaginación hacer algo así. Yo sí podría haberlo pensado, pero jamás se me ocurrió. Quizá tu abogado pueda recuperar una parte de esos depósitos.

—Lo más probable es que a estas alturas lo tenga todo en algún banco de las islas Caimán —dijo Kate, sacudiendo la cabeza, enfadada—. Tal como yo lo veo, lleva bastante tiempo sacando de vuestras cuentas conjuntas acciones, dinero y fondos de los dos y transfiriéndolos a una cuenta unipersonal. Ahora solo ha dado un barrido final. —Se mordió la lengua antes de permitirse reprender a Laura por haber firmado cualquier cosa que Peter le pusiera delante—. Pero tú tienes el papeleo, copias de las transacciones y retiradas de fondos; podrás utilizarlas para pleitear cuando comparezcáis ante el tribunal.

Laura se reclinó en su sillón; cerró los ojos.

—No pienso pleitear con él por el dinero. Puede quedárselo. Hasta el último céntimo.

—¡Y una mierda! —estalló Margo.

—No. A la mierda con él. El divorcio ya va a ser bastante duro para las niñas sin que los dos nos peleemos en un juicio por centavos y dólares. Tengo aún cincuenta mil dólares en metálico…, que es mucho más de lo que la mayoría de las mujeres tienen para empezar. Él no puede tocar la casa porque está a nombre de mis padres. —Levantó la copa de vino, pero no bebió—. Fui tan estúpida como para estampar mi firma, sin hacerle preguntas, en cualquier papel que me pidió que firmara. Me merezco que me haya desplumado.

—Tienes aún las acciones de Templeton —le recordó Kate—. Podrías vender parte de ellas.

—No tocaré las acciones de la familia. Son un legado.

—Laura… —Kate apoyó su mano en la de ella para tranquilizarla—. No te estoy diciendo que saques esas acciones al mercado. Josh o tus padres podrían adquirirlas o conseguirte un préstamo con la garantía de ellas hasta que todo esté arreglado.

—No. —Laura cerró los ojos y se obligó a sí misma a serenarse—. No voy a recurrir a ellos. —Respiró hondamente y abrió otra vez los ojos—. Y tampoco lo haréis ninguna de vosotras dos. He cometido errores, y soy quien los reparará. Ahora, Kate, necesito que estudies cómo puedo obtener suficiente dinero líquido para dar la entrada por el edificio.

—¡No me digas que vas a dar más de la mitad de lo que te queda en efectivo para comprar ese local…! —protestó Margo.

Laura le dedicó una sonrisa.

—Sí, te lo digo. ¡Claro que te lo digo! Mira…, sigo siendo una Templeton… Ya es hora de que empiece a actuar como tal. —Y antes de que ella pudiera hacerla cambiar de opinión, tomó la tarjeta que Margo había dejado sobre la mesa y marcó el número de teléfono indicado en ella—. Louisa… Soy Laura Templeton. Sí, eso es… Quiero hacerte una oferta por el edificio que hemos visto esta tarde.

En cuanto hubo colgado el aparato, se quitó sus anillos de boda y de compromiso. Dos sentimientos diferentes, el de culpa y el de liberación, se entremezclaban dentro de ella.

—Tú eres la experta, Margo —dijo—. ¿Cuánto piensas que puedo esperar obtener de la venta de estas dos cosas?

Margo echó un vistazo al diamante de cinco quilates de talla redonda y a la alianza con centelleantes brillantitos dispuestos en forma de canal. Por lo menos, se dijo, aún hay un poco de justicia en el mundo…

—No te preocupes por liquidar nada ahora, Kate —dijo en voz alta—. Me parece que el dinero para pagar la entrada va a salir de Peter, después de todo…

Esa noche, más tarde, Margo estaba sentada en su cuarto garabateando cifras, trazando diseños aproximados, anotando listas. Tenía que pensar en el empapelado, la pintura, la fontanería… Habría que remodelar el espacio de la tienda para incluir un vestidor, y para eso harían falta carpinteros.

Ella podría trasladarse a vivir al piso de arriba, tal como estaba, lo que la evitaría tener que ir cada día a Monterey para vigilar la marcha de las obras. De hecho, aún podría recortar gastos si se encargaba de pintar ella misma, en lugar de contratar profesionales.

Porque… ¿qué dificultad podía haber en extender con un rodillo pintura sobre una pared?

—Sí, entra —respondió a un golpecito dado a su puerta en el momento en que se estaba preguntando si los carpinteros facturaban su trabajo por horas o por tareas.

—¿Margo?

Distraída, levantó la mirada de los papeles y parpadeó al ver a su madre.

—Oh…, pensé que se trataba de una de las niñas.

—Casi es medianoche. Están durmiendo.

—Perdí la noción del tiempo. —Apartó los papeles esparcidos sobre la cama.

—Siempre lo hacías. Cuando te dedicabas a soñar despierta. —Ann paseó la vista por los papeles, divertida ante las sumas y restas que su hija había estado haciendo. Habían hecho falta sobornos, amenazas y gritos para conseguir que Margo hiciera de niña sus deberes escolares con las operaciones aritméticas más simples—. Aquí has olvidado que te llevabas cinco —dijo.

—Oh, bueno… —Margo apartó el papel—. La verdad es que necesito una de esas calculadoras minúsculas. Kate lleva siempre una en el bolsillo.

—He estado hablando con la señorita Kate antes de que se marchara. Me dijo que ibas a iniciar un negocio.

—Y, claro, eso es ridículo cuando una olvida que se lleva cinco en una suma… —Margo saltó de la cama y tomó la copa de vino que había subido consigo—. ¿Te apetece beber algo, mamá? —preguntó—, ¿o todavía estás de servicio?

Sin decir nada, Ann entró en el cuarto de baño contiguo y volvió con un vaso. Sirvió un poco de vino.

—La señorita Kate cree que lo has pensado bastante bien y que, aunque las probabilidades están en tu contra, puede funcionar.

—Kate es de un optimismo ciego…

—Es una mujer muy sensata y me ha prestado asesoramiento financiero durante años.

—¿Que Kate es tu contable…? —Margo dejó escapar una risita y volvió a sentarse—. ¡Debería haberlo supuesto…!

—Sería prudente que utilizaras sus servicios si llevas adelante ese negocio tuyo…

—Pienso seguir adelante con ese negocio mío, sí. —Preparada para ver en la cara de su madre una expresión entre dubitativa y desdeñosa, Margo pestañeó—: Uno, porque no tengo muchas opciones. Dos, porque vender cosas que la gente no necesita es lo que sé hacer mejor. Y tres, porque Laura cuenta conmigo.

—Son tres buenas razones. —En la cara de Ann no había más que una sonrisa leve y enigmática—. La señorita Laura corre con los gastos…

—Yo no se lo he pedido —dijo Margo, herida—. No quería que ella lo hiciera. Se le metió en la cabeza la idea de comprar el edificio, y no ha habido manera de quitársela. —Viendo que Ann permanecía en silencio, Margo agarró una arrugada hoja de papel y la sacudió—. ¡Maldita sea! Estoy poniendo aquí todo lo que tengo, todo cuanto poseo, todo por lo que he estado trabajando. No es mucho dinero, pero no tengo nada más.

—El dinero no es tan importante como el tiempo y el esfuerzo.

—Pues es condenadamente importante ahora. No tenemos gran cosa con lo que empezar.

Asintiendo con la cabeza mientras caminaba por la habitación como si estuviera buscando algo que arreglar en ella, Ann reflexionaba.

—La señorita Kate me ha contado lo que ha hecho el señor Ridgeway. —Ann tomó un largo sorbo de vino—. ¡Ese frío y cochino bastardo merecería pudrirse en un infierno eterno! ¡Ojalá sea así!

Con una carcajada, Margo levantó su copa:

—¡Por fin hay algo en lo que estamos de acuerdo las dos…! Brindemos por ello.

—La señorita Laura confía en ti, y la señorita Kate también, a su manera.

—Pero tú no confías —replicó Margo.

—Yo sé que tú…, sé que tú lo convertirías en algún lujoso lugar, al que acudiría gente sin sentido común a tirar el dinero…

—Sí…, esa es la idea. Incluso ya tengo un nombre para él:

Vanidades… —La risa de Margo al decir eso fue espontánea y divertida—. Me va bien, ¿no crees?

—Ajá. Y lo vas a montar aquí, en California, para estar con la señorita Laura…

—Ella me necesita.

—Sí, claro que sí. —Ann bajó la vista y se quedó mirando su vaso—. La noche que volviste te dije algunas cosas que ahora lamento mucho. Fui dura contigo. Tal vez lo haya sido siempre. Pero te equivocabas cuando decías que yo quería que fueras como la señorita Laura o la señorita Kate. Tal vez quería que fuera algo que yo podía entender y tú, en cambio, no.

—Estábamos cansadas las dos y preocupadas —Margo cambió de posición encima de la cama, no muy segura de cómo manejar una disculpa por parte de su madre—. No espero que entiendas esta idea mía de montar una tienda, pero confío en que me creas si te digo que haré lo que haga falta para convertirla en realidad.

—Tu tía llevaba una tienda de chucherías en Cork. Tienes una vena de comerciante en tu sangre. —Ann se encogió de hombros: había tomado una decisión—. Costará mucho dinero, me imagino.

Margo asintió, indicándole sus papeles.

—Acabo de desvalijar a uno para poder pagar a otro y que me deje tranquila algún tiempo. Me sería de ayuda poder vender mi alma. Si es que aún tengo un alma para vender…

—Harías mejor en conservarla —dijo Ann. Buscó luego en el bolsillo de su falda y sacó un sobre de dentro—. Vale más que uses esto.

Curiosa, Margo tomó el sobre, lo abrió luego y lo dejó caer enseguida sobre la cama como si le hubieran salido dientes y la hubiesen pegado un mordisco—. ¡Es una cuenta en una agencia de cambio y bolsa!

—Sí, eso es. La señorita Kate me la recomendó. Inversiones muy conservadoras, como yo las prefiero. Pero han ido bastante bien.

—Son casi doscientos mil dólares… No tocaré tus ahorros. Podré arreglármelas yo sola.

—Me alegra oírte hablar así, pero no son mis ahorros. Son los tuyos.

—Yo no tengo ahorros, mamá. ¿No ha sido siempre este mi problema?

—No eras capaz de retener un centavo ni con el puño cerrado. Tú me enviabas dinero, y yo lo iba ingresando en el banco para ti.

Un poco asombrada, Margo se fijó en la cuenta de la agencia de inversiones. ¿Había enviado tanto dinero, había tenido tanto dinero para enviar? ¡Le parecía tan poca cosa entonces…!

—Yo te lo enviaba para ti.

—Y a mí no me hacía ninguna falta, ¿o sí? —Ann enarcó las cejas e inclinó su cabeza para mirar a su hija. La complació ver la expresión de orgullo que advertía en su cara—. Tengo un buen trabajo —siguió—, un techo espléndido bajo el que vivir…, vacaciones pagadas dos veces al año porque la señorita Laura insiste en que las necesito… Así que ingresaba en el banco el dinero que tú enviabas. Y aquí lo tienes.

Ann tomó otro sorbo de vino porque aquello no era lo que había querido decir:

—Escúchame por una vez, Margo. Para mí tenía mucho valor el hecho de que me enviaras dinero. Tal vez hubiera podido caer enferma, quedar incapacitada para trabajar y necesitarlo. Pero eso no ocurrió. Enviarlo fue una prueba de tu cariño.

—No, no lo fue. —A Margo la avergonzaba tanto saberlo como verse obligada a admitirlo—. Lo hacía por orgullo. Lo hacía para demostrarte que había triunfado, que era importante. Que te habías equivocado conmigo…

Comprendiéndola, Ann inclinó la cabeza.

—No hay mucha diferencia —dijo—, y el resultado es el mismo. Era tu dinero y lo sigue siendo. A mí me consoló que te acordaras de enviármelo, que lo tenías para poder enviármelo. Tú lo habrías derrochado si no me lo hubieses enviado…, así que las dos nos hicimos un favor la una a la otra. —Alargó la mano para acariciar los cabellos de Margo y, después, algo cohibida por esta demostración de afecto, dejó caer la mano por detrás a su lado—. Ahora tómalo y haz algo con él.

Al ver que Margo no decía nada, Ann chasqueó la lengua. Dejó el vaso y tomó luego la barbilla de Margo en la palma de la mano.

—¿Por qué te muestras tan reacia, chiquilla? ¿Ganaste ese dinero con un trabajo honrado o no?

—Sí, pero…

—Haz por una vez lo que te dice tu madre. Tal vez te sorprenda ver que tiene razón. Entra en este negocio en igualdad de condiciones con la señorita Laura, y enorgullécete de poder hacerlo. Y ahora, antes de meterte en la cama, recoge todo este lío de papeles que has organizado.

—Mamá… —preguntó Margo, que estaba ya recogiendo papeles, en el instante en que su madre se detuvo en la puerta—. ¿Por qué no me enviaste el dinero a Milán cuando supiste que estaba tocando fondo?

—Porque tú no estabas preparada para eso. Asegúrate de estarlo ahora.

10

Mío. Margo extendió los brazos y recorrió en círculo el espacio vacío de la estancia principal de la tienda de Cannery Row. Técnicamente no era suyo aún. Todavía faltaban dos semanas para completar la transacción, pero la oferta había sido aceptada y se había firmado el contrato. Y el préstamo bancario, con el apellido Templeton detrás, no había encontrado tropiezos.

Había recibido ya la visita de un contratista para discutir los cambios que deseaba realizar. Iban a costar mucho, por lo que, en consonancia con su nueva actitud ahorrativa, había tomado la decisión de ocuparse personalmente de los arreglos más simples. Estaba estudiando si alquilar unas lijadoras para suelos o comprar unas pistolas para sellar juntas y grietas. Incluso había mirado un instrumento maravilloso denominado rociador de pintura. Mejor cubrimiento, más rapidez. Más eficiente.

Y el edificio tampoco sería suyo —se recordó a sí misma—: sería de las dos —Laura, ella—… y del banco. Pero de ahí a de dos semanas, ella estaría durmiendo en la pequeña habitación de arriba; aunque tuviera que hacerlo dentro de un simple saco de dormir.

Después, mediado el verano, las puertas de Vanidades se abrirían al público.

Y el resto, se dijo, sonriendo, sería solo agua pasada.

Se dio la vuelta al oír un golpecito en el cristal y vio a Kate.

—¡Eh…! Ábreme, ¿quieres? Es mi hora del almuerzo. Pensé que te encontraría aquí babeando de satisfacción —dijo cuando Margo le abrió la puerta—. Todavía apesta —añadió tras ventear a manera de prueba.

—¿Qué quieres, Kate? Estoy ocupada.

Kate estudió el sujetapapeles y la calculadora de bolsillo que había en el suelo.

—¿Tienes alguna idea de cómo manejar eso?

—No hay que ser una contable titulada para emplear una calculadora...

—No..., yo me refería al clip sujetapapeles...

—¡Ja, ja!

—¿Sabes...? Este lugar tiene un no sé qué que la atrae a una. —Con las manos metidas en los bolsillos de los pantalones, Kate comenzó a dar vueltas—. Y está en una activa zona comercial, además. Debería atraer a mucha gente de paso. Y los que están de vacaciones siempre andan comprando cosas que no necesitan para nada. Aunque sea ropa de segunda mano. Todo va a ser de talla treinta y ocho, claro.

—Ya he pensado en eso. Estoy estudiando qué hacer para conseguir ropa de otras tallas... Conozco a mucha gente que vacía su armario cada año.

—Los espabilados compran cosas clásicas..., intemporales...: así no tienen que preocuparse luego.

—¿Cuántos blazers azul marino tienes tú, Kate?

—Media docena —respondió sonriendo, a la vez que sacaba su tubo de comprimidos: era su idea de un almuerzo—. Pero ya sabes cómo soy. He venido a hacer un trato contigo, Margo. Quiero entrar.

—Entrar... ¿en qué?

—En la compra del edificio. —Sacó una pastilla del tubo y la masticó—. Tengo algún dinero para invertir, y no veo por qué tú y Laura tengáis que ser las únicas que os divirtáis.

—No necesitamos una socia.

—Sí que os hace falta. Necesitáis a alguien que conozca la diferencia entre los números rojos y los negros. —Se agachó, recogió la calculadora y enseguida se puso a teclear cifras en ella—. Tú y Laura habéis puesto doce mil quinientos cada una, en metálico. Ahora tendréis que pagar los gastos de formalización, altas, seguros, tasas…, lo cual os pondrá en unos…, oh, dieciocho mil cada una, treinta y seis en total. —Sacó las gafas del bolsillo superior de su chaqueta, se las puso y continuó trabajando—. Divide eso entre tres y da doce mil para cada una, que es menos de lo que habéis apoquinado ya.

No dejaba de dar pasos mientras borraba cifras y añadía más:

—Ahora bien… nos quedan las reparaciones, la remodelación, el mantenimiento, el mobiliario, el permiso de apertura de negocio, más tasas, la contabilidad… yo podría llevarte los libros, pero en este momento no estoy en condiciones de llevar las cuentas de otro cliente, así que tendrás que contratar a alguien o aprender tú misma a sumar.

—¡Yo ya sé sumar! —protestó Margo, picada.

Kate se limitó a sacar una pequeña agenda electrónica y a anotar en ella un recordatorio de que tenía que encontrar una hora para darle a Margo un curso básico de contabilidad. Sonó entonces el teléfono móvil que llevaba en el portafolios, no lo abrió. Que se encargara de responder el buzón de voz hasta que estuviera concluido el asunto que la tenía ahora allí.

—Habrá que contar, además, los costes indirectos de las bolsas de compra, del papel de seda, las cajas, las cintas de la caja registradora —prosiguió—. Eso nos llevará en nada de tiempo a cantidades de seis cifras. Y, después, habrá que abonar comisiones a las compañías de tarjetas de crédito, puesto que tu clientela empleará sobre todo dinero de plástico. —Bajó las gafas hasta media nariz y miró por encima de la montura—. Porque aceptarás todas las principales tarjetas de crédito, ¿no?

—Yo…

—Mira…, me necesitas. —Y, satisfecha de su demostración, se subió las gafas de nuevo. Ninguna empresa que montaran Laura y Margo iba a excluirla a ella, fueran cuales fuesen los fondos que tuviera que arriesgar—. Yo actuaré solo como socia en silencio, capitalista, porque soy la única de las tres que tengo un trabajo real.

Las pupilas de los ojos de Margo se contrajeron:

—¿Como cuánto en silencio?

—Oh, solo vendré a echar un vistazo de vez en cuando —respondió. Su ordenada mente había dispuesto ya todos los asuntos prácticos—. Una vez comiences a vender, tendrás que pensar cómo y cuándo reemplazarás las existencias, el porcentaje que necesitas para garantizar tu margen de beneficios. Ah…, y están, después, los honorarios legales. Pero podemos hablar con Josh para que se encargue de eso. ¿Cómo conseguiste que te dejara conducir su Jaguar? Porque ese Jaguar nuevo que está aparcado ahí fuera es el suyo, ¿no?

El rostro de Margo adoptó una expresión de autosuficiencia.

—Podría decirse que lo estoy probando… —respondió.

Kate enarcó las cejas, se quitó las gafas y las guardó en el bolsillo.

—¿Lo estás poniendo a prueba… a él?

—Todavía no.

—Interesante. Te daré un cheque por los doce mil dólares. Tendremos que redactar un contrato de sociedad.

—Vale… un contrato de sociedad.

—¡Señor…! ¡Realmente me necesitáis! —Agarró a Margo por los hombros y le estampó un beso en los labios—. Las tres nos queremos un montón, nos fiamos las unas de las otras… Pero tienes que dar carácter legal al negocio. Ahora mismo, todo el género que tienes es tuyo, pero…

—Laura ha aportado también una parte del género —la interrumpió Margo, y añadió con malévola expresión risueña—: Estamos vendiendo todo lo que había en la oficina de Peter.

—¡Buen comienzo! ¿Cómo lo lleva Laura?

—Bastante bien. Aunque está preocupada por Ali. La chiquilla se llevó un disgusto cuando vio que Peter no se presentaba para su festival de ballet. Corre la voz de que está en Aruba.

—Espero que se ahogue allí. Aunque…, no…Espero que

203

primero lo devoren los tiburones, y que se ahogue luego. Iré a casa este fin de semana y pasaré algún rato con las niñas. —Sacó un cheque ya rellenado y firmado—. Aquí tienes, socia. Y ahora tengo que irme.

—No hemos hablado de esto con Laura…, —objetó Margo.

—Ya lo he hecho yo —dijo Kate jovialmente mientras abría la puerta y se daba de bruces con Josh—. Hola —le saludó dándole un beso—. Hasta otra.

—A mí también me alegra verte —le dijo mientras ella se iba, y después cerró cautamente la puerta.

Laura lo había prevenido ya de que no esperara encontrar nada maravilloso. Fue una buena idea.

—¿Habéis estado fumando hierba Laura y tú aquí dentro?

—Claro. Es lo que hace siempre a la hora del almuerzo. Tendremos que apuntarla a un programa de desintoxicación… —Emocionada consigo misma, Margo extendió los brazos—. Bueno…, ¿qué te parece?

—Bueno… Es un edificio, en efecto.

—Josh…

—Déjame un minuto… —Pasó por su lado hasta la habitación contigua, regresó, miró dentro del baño, observó la linda y potencialmente letal escalera… Movió la barandilla…, se estremeció—. ¿Quieres un abogado?

—Vamos a hacer que arreglen esto.

—Supongo que no se te ha ocurrido que a veces es más sensato probar con el pie cómo está el agua a zambullirte de cabeza en ella…

—Sí, pero no es tan divertido.

—Bueno, duquesa… La verdad es que podías haberlo hecho bastante peor. —Se acercó a ella y le levantó el rostro enfurruñado hasta acercarlo al suyo—. Pero dejemos ahora esto, ¿vale? He recorrido dos continentes pensándolo…

La atrajo hacia él y cubrió codiciosamente su boca con la suya. Al cabo de un momento de aparente desinterés, Margo se abandonó a aquel beso que sabía a deseo frustrado. ¡Era tan inesperado…! ¡Tan emocionante la manera como la boca de él encajaba en la suya, la forma como las duras líneas y planos de su cuerpo coincidían y se fundían perfectamente con las curvas del de ella…!

No le dio tiempo a pensar si era simplemente que había olvidado la sensación maravillosa de hallarse en los brazos de un hombre o si era por ser Josh. Pero, porque se trataba precisamente de Josh, necesitaba pensarlo.

—No entiendo cómo he podido olvidar todos estos años lo fuerte que eres —dijo, y se apartó de él, mostrando en los labios una rápida y burlona sonrisa.

El sistema nervioso de Josh se tensaba como un motor acelerado en exceso.

—Eso ha sido solo un ejemplo gratuito. Vuelve aquí y te aplicaré el tratamiento completo.

—Creo que lo tomaremos a pequeñas dosis. —Se alejó de él, abrió el bolso y sacó de dentro un paquete de cigarrillos. Su elegante pitillera estaba ya embalada con el resto del inventario—. Estoy aprendiendo a ser una mujer precavida.

—¡Precavida…! —Exploró de nuevo la habitación—. ¿Y por eso has pasado de la idea de alquilar una tiendecita en Milán para saldar tus deudas y vivir de una forma razonable a comprar un edificio en Cannery Road y sumar nuevas deudas?

—Bueno… No puedo cambiar completamente de la noche a la mañana, ¿o sí? —Lo miró a través de una nube de humo—. No me irás a regañar ahora en plan abogado, ¿eh, Josh?

—De hecho, lo soy. —Tomó su maletín, que había dejado a un lado, y lo abrió—. Tengo algunos papeles para ti —dijo. Buscó a su alrededor algún lugar donde sentarse y acabó haciéndolo en el primer peldaño de la escalera—. Ven… Ven aquí —repitió, indicando el estrecho espacio que quedaba a su lado—. Ya me las arreglaré para mantener mis manos apartadas de ti.

Margo cogió un pequeño cenicero de estaño y fue a tomar asiento junto a él.

—Me está empezando a gustar esto de los papeles —dijo—. Pienso incluso que me compraré un archivador para guardarlos...

A Josh se le escapó un suspiro. No supondría ninguna diferencia.

—¿Entiendes lo suficiente el italiano para aclararte con todo esto? —le preguntó.

Margo tomó los papeles que le ofrecía y se enfrascó en ellos frunciendo el ceño.

—Es un contrato de venta de mi piso —aquello removió emociones en su interior, en las que se mezclaban añoranza y alivio—. Trabajas deprisa... —murmuró.

—Es una oferta muy decente. —Le remetió el pelo por detrás de la oreja—. ¿Estás segura de que eso es lo que quieres?

—Es como son las cosas. No siempre puede uno tragar tranquilamente la realidad, pero esoy empezando a saborearla. —Cerró los ojos y apoyó la cabeza en el hombro de él—. Pero dame un minuto para sentir lástima de mí misma.

—Tienes todo el derecho.

—La autocompasión es una mala costumbre que tengo. Difícil de sacudírmela de encima, además. ¡Maldita sea, Josh...! ¡Me encantaba ese piso! A veces me ponía de pie en la terraza y pensaba: «Mira dónde estás, Margo... ¡Mira dónde estás!».

—Bueno..., ahora estás en otro lugar. —No era simpatía lo que necesitaba, decidió Josh, ¡sino un buen puntapié en el trasero!—. Y tú a mí me pareces la misma.

—No, la misma no. Jamás volveré a ser la misma.

—Sé fuerte, Margo... Te estás complaciendo en tus penas...

—¡Es fácil para ti decir eso, Joshua Conway Templeton —saltó ella—, la brillante estrella del imperio Templeton...! Nunca has perdido nada. Nunca has tenido que buscar a tientas tu camino y sudar por aferrarte a algo que todo el mundo decía que no podías tener. A ti jamás te ha dicho nadie que no pudieras tener algo y todo cuanto desearas.

—Es el final del sueño, duquesa, ¿no? —lo resumió él fácilmente—. Jugaste, y has perdido. Tus lamentaciones no cambiarán nada y, además, no te favorecen en absoluto a la cara.

—Gracias por apoyarme tanto... —Echando chispas por los ojos, le quitó de las manos el contrato—. ¿Cuándo recibiré el dinero? —preguntó.

—Llevará tiempo..., tiempo italiano, claro. Con un poco de suerte, tal vez esté arreglado en sesenta días. La liquidación final aparece en la página siguiente.

La vio volver la página para leer el documento hasta el final. Le ardían los ojos al ir pasando líneas, y el calor y la desesperación le empañaban la vista.

—¿Eso es todo? —preguntó.

—La cantidad que habías amortizado era pequeña. Para empezar, el banco se queda con su dinero, y, después, el gobierno retiene su porcentaje.

—Mejor eso a que te claven una estaca en el ojo —murmuró ella—. Aunque no mucho mejor.

—Saqué dinero de tu cuenta para saldar tu factura de American Express. Supongo que no se te ocurriría volar aquí en primera clase... —Cuando ella se limitó a mirarlo con frialdad, sacudió la cabeza—. No sé por qué lo he dicho... Estás de nuevo por debajo del límite del crédito de tu tarjeta Visa, pero yo no tiraría alegremente de ella. Una vez hayas distribuido la cantidad neta de lo que recibirás por el piso, lo único que te quedará será un agujero de unos ciento cincuenta mil dólares, excluidos intereses y recargos.

—Dinero para caprichos —dijo secamente Margo.

—Deberías pensar en no gastar en caprichos durante algún tiempo. Ahora, como representante tuyo, estoy dispuesto a liquidar tus deudas y ayudarte a gestionar cualquier otra en que incurras para poner en marcha tu negocio. Por cierto..., ¿has pensado ya un nombre para este establecimiento?

—Vanidades —dijo ella entre dientes mientras él desenterraba más papeles.

—Perfecto. He redactado ya los acuerdos que se necesitan.

—¿Ya los tienes? —preguntó ella despacio—. ¿Por triplicado?

El tono de su voz lo puso en guardia. Alzó la mirada y se encontró con la de ella, igualmente gélida.

—Naturalmente.

—¿Y qué es lo que tendría yo que aceptar, consejero Templeton?

—Devolver este préstamo personal en pagos mensuales regulares, a partir del sexto mes después de la firma. Eso te deja algún tiempo para respirar. Te comprometes también a vivir de acuerdo con tus posibilidades durante el plazo de vigencia del préstamo.

—Entiendo… Y, según tu opinión legal, ¿cuáles son esas posibilidades mías?

—He calculado un presupuesto para tus gastos personales. Alimentación, alojamiento, gastos médicos…

—¿Un presupuesto?

Josh ya se había esperado una explosión. Incluso podría decirse que, con cierto grado de perversidad, estaba deseando que se produjera. ¡Los berrinches de Margo eran siempre tan… estimulantes! No daba la impresión de que fuera a quedar decepcionado.

—¿Un presupuesto? —repitió estallando contra él—. ¡Lo que faltaba! Pero ¿tú quién te has creído que eres, petulante cretino? ¿Piensas que me voy a quedar como si nada y dejar que me trates como a una especie de boba descerebrada a la que hay que decirle cuánto puede gastar en polvos faciales?

—Polvos faciales… —Con toda deliberación, se puso a mirar los papeles, sacó una pluma del bolsillo y escribió rápidamente una anotación—. Eso debería figurar en el epígrafe «Lujos varios». Por cierto, creo que he sido muy generoso en ese apartado. Ahora bien, en cuanto a tu asignación para ropa…

—¡Asignación…! —Empleó sus dos manos para obligarlo a dar un paso atrás—. Déjame que te diga por dónde puedes meterte tu jodida asignación…

—¡Cuidado, duquesa…! —Se sacudió la pechera de su camisa…—. ¡Está comprada en Londres, en Turnbull y Asser!

El sonido ahogado que salió de la garganta de Margo fue lo mejor que pudo emitir. Si hubiera tenido a mano algo, algo que poder arrojarle, seguramente se lo hubiera tirado a la cabeza.

—¡Preferiría ser devorada viva por buitres a dejar que manejes tú mi dinero!

—Tú ya no tienes dinero… —empezó él, pero salía ya disparada contra él y comenzaba a perseguirlo por la habitación. Verla no hacía sino aumentar su deseo de besarla.

—Preferiría ser violada en grupo por una pandilla de enanos, que me ataran desnuda a un nido de avispas, verme obligada a alimentarme de babosas…

—¿Pasar tres semanas sin que te hicieran la manicura…? —sugirió él y observó cómo sus manos se transformaban en garras—. Si me atacas a la cara con esas…, tendré que hacerte daño.

—¡Oh…, cómo te odio!

—No, no es verdad. —Se movió rapidísimamente. Un momento antes estaba apoyado con indolencia en la tambaleante barandilla de la escalera, y al siguiente la tenía sujeta.

Empleó un instante en disfrutar de la oscura furia que encendía su rostro, la mirada letal de sus ojos, antes de aplastar bajo sus labios la enfurruñada boca de ella. Fue como besar la descarga eléctrica de un rayo: el mismo calor, el calambrazo de la sacudida mortal, el abrasador arranque de furia.

Sabía que cuando, finalmente, consiguiera acostarse con ella, se desencadenaría una auténtica tempestad.

Ella no se resistió. Aquello debería haberle hecho sentir mucha satisfacción pero, en lugar de eso, le dio la sensación de que lo excitaba aún más, y la agradó. Hasta que los dos se separaron el uno del otro, jadeando.

—Puede gustarme eso y, sin embargo, seguir odiándote.

Él le acarició el pelo y se lo retiró de la cara.

—Y yo puedo hacerte pagar ese odio.

Tal vez pudiera. Había en el mundo mujeres que tenían el don innato de saber exactamente cómo hacer sufrir a un hombre; abrasarlo, obligarlo a suplicar… Todas ellas podrían haber tomado lecciones de Margo Sullivan, Pero él no estaba tan loco como para decírselo. Volvió de nuevo a la escalera y recogió los papeles.

—O sea que sabemos muy bien dónde estamos, querida.

—Yo te diré exactamente dónde estamos, querido. No necesito ese insultante ofrecimiento tuyo. Voy a llevar mi vida a mi manera.

—Una vida que hasta ahora ha tenido un éxito clamoroso…

—Sé lo que hago. Borra de tu cara esa ridícula sonrisa.

—No puedo. Vuelve a salirme cada vez que dices que sabes lo que haces. —Guardó, a pesar de todo, los papeles en su maletín, y lo cerró—. Te diré una cosa, Margo… No me parece que esta idea tuya…, este lugar…, haya sido una idea completamente descabellada.

—Bueno…, dormiré mejor ahora, sabiendo que cuento con tu aprobación.

—Aprobación es un poco fuerte… Se trata más de una resignación esperanzada. —Dio un último meneo a la barandilla—. Pero tengo fe en ti, Margo.

El enfado se transformó en perplejidad.

—¡Maldita sea, Josh! No puedo aclararme contigo…

—Está bien… —Fue hacia ella y le rozó la mejilla con el dedo—. Creo que vas a conseguir algo de esta tienda y que eso soprenderá a todos. Especialmente a ti. —Se inclinó hacia ella y, cuando la besó esta vez, su actitud era despreocupada y cordial—. ¿Tienes dinero para el taxi?

—¿Cómo dices?

Sonriendo, Josh sacó unas llaves del bosillo.

—Por suerte, tenía otro juego de llaves para el Jaguar. No trabajes hasta muy tarde, duquesa.

Margo no sonrió hasta que él se hubo perdido de vista.

Después recogió su bolso, su sujetapapeles… Iba a hacer uso de su nueva tarjeta Visa recién revalidada para comprar un rociador de pintura.

Josh tardó menos de dos semanas en el Templeton de Monterey en poner a punto su estrategia para tratar con Peter Ridgeway. Ya había dejado claro, con una sola llamada telefónica desde Estocolmo, que lo mejor para su cuñado, personal y profesionalmente, sería ausentarse un corto tiempo de Templeton.

Hasta que, como lo expresó, todo amabilidad y simpatía, hubiera arreglado aquel asuntillo doméstico.

Siempre había procurado mantenerse al margen del matrimonio de su hermana. Como soltero que era, no se sentía calificado para ofrecer consejos matrimoniales. Y, puesto que, además, adoraba a su hermana y sentía cierto desprecio por su marido, había tenido que considerar también el hecho innegable de que sus consejos estarían fuertemente sesgados.

Por otra parte, Peter siempre había desempeñado bien su cargo ejecutivo en Templeton, sin que hubiera dado motivos de queja. Era, tal vez, un tanto rígido en su idea de cómo dirigir un hotel, manteniéndose distante del personal y de los problemas y logros de la gestión diaria, pero tenía buena mano para los grupos empresariales y los hombres de negocio extranjeros que proporcionaban buenos dineros a las arcas de Templeton.

Aun así, había llegado el momento de que debiera verse si la eficiencia profesional compensaba o no el disgusto personal a que se había hecho acreedor. Porque nadie, nadie, perturbaba a la familia de Joshua Templeton y salía indemne de ello. Josh había pensado en seguir la vía corporativa, limitándose simplemente a cortarle a Josh cualquier conexión con los hoteles Templeton y emplear su influencia para que aquel sinvergüenza no pudiera dirigir nunca ni un miserable motel de carretera en Kansas.

Pero aquello habría sido tan fácil…, tan incruento…

Coincidió con Kate en que el camino más sensato, y el más directo, era —en palabras de la propia Kate— obligar al miserable culo de Ridgeway a sentarse ante un tribunal. Josh conocía media docena de brillantes abogados de la familia que se frotarían las manos de júbilo ante la perspectiva de crucificar a aquel avaricioso y adúltero marido que había vaciado las cuentas de ahorros de sus propias hijas.

Oh, sí… aquella sería una dulce venganza, pensaba Josh mientras aspiraba la brisa matutina del mar cargada con el olor de las adelfas en flor. Pero también sería una penosa humillación pública para Laura y, por otra parte, también incruenta.

Aun así, lo mejor era tratar esas cosas de manera civilizada. Josh decidió también que el lugar más civilizado para equilibrar las respectivas fuerzas sería el club de campo. Y así, paciente como un gato, aguardó el regreso de Peter a California.

Peter aceptó sin dudar su invitación a jugar un partido de tenis una mañana. Era lo que Josh esperaba. Suponía que Peter pensaría que el ser visto en la pista de tenis intercambiando *lobs* con su cuñado acallaría algunos de los rumores que comenzaban a correr acerca de la posición que tenía en Templeton.

Josh estaba dispuesto a darle ese gusto.

Peter jugaba de ordinario al golf, pero se consideraba también un buen tenista. Se vistió para el partido de un blanco impecable, con la raya de sus pantalones cortos perfectamente planchada. Josh llevaba un atuendo similar, aunque menos formal, con el aditamento de una gorra de béisbol de los Dodgers para resguardar sus ojos del deslumbrante sol de la mañana.

Más tarde, Minn Whiley y DeLoris Solmes, que habían estado jugando su habitual partido de los martes por la mañana en la pista contigua, se sentarían a beber unas mimosas de champán, y comentarían la estampa de aquellos dos hombres rubios, bronceados, cuyas piernas proporcionadas y musculosas se movían rítmicamente al lanzar tremendos zurriagazos a un lado y hacia otro al golpear la pelota de brillante color amarillo.

Por supuesto Minn le diría a Sarah Metzenbaugh cuando esta se unió a ellas en la sauna, que esto había sido antes del incidente.

—No tengo tiempo para hacer esto tan a menudo como me gustaría —comentó Peter mientras sacaban las raquetas de sus bolsas—. Dieciocho hoyos de golf dos veces por semana es todo lo que puedo exprimir.

—Todo trabajo y nada de diversión —asintió Josh afablemente, sin que se le escapara la sonrisa desdeñosa de Peter. Sabía exactamente lo que pensaba Ridgeway de él: el joven rico y mimado que pasaba todo su tiempo yendo de fiesta en fiesta—. Me siento como si me quitaran algo si no puedo jugar por lo menos un set decente cada mañana.

Sin apresurarse, Josh sacó una botella de agua mineral.

—Me alegro de que hayas podido venir a verme. Estoy seguro de que entre los dos podemos arreglar este incómodo asunto. ¿Te alojas en el centro de vacaciones de la playa ahora que has regresado de Aruba?

—Me pareció lo mejor. Confiaba en que, si le daba a Laura algo de tiempo y espacio, ella entraría en razón. ¡Mujeres…! —Extendió sus elegantes manos, liberadas ahora de la alianza de boda de su matrimonio—. ¡Qué criaturas tan complicadas…!

—Dímelo a mí… Calentemos un poco —dijo Josh, y fue a situarse detrás de la línea, aguardando a que Peter se colocara en posición—. ¡Bola para el servicio! —Avisó, y golpeó la pelota con facilidad—. ¿Cómo estaba Aruba?

—Tranquila. —Peter regresaba lentamente a su puesto—. Nuestro hotel de allí tiene unos cuantos problemas. Convendría estudiarlos.

—¿De veras? —Josh había realizado un estudio completo de él hacía menos de ocho meses, y sabía que funcionaba perfectamente—. Haré una nota al respecto—. Falló deliberadamente un revés, enviando la bola muy fuera de la línea—. Estoy fallón —dijo, sacudiendo la cabeza—. Sirves tú. Dime, Peter... ¿Piensas oponerte al divorcio?

—Si Laura insiste en seguir adelante con ello, no veo qué sentido puede tener oponerme. Solo serviría para dar más pasto a los chismorreos. Ella se queja de que me absorben demasiado mis responsabilidades hacia Templeton... Una mujer como Laura debería entender cuáles son las exigencias de un negocio.

—O la relación de un hombre con su secretaria. —Enseñando los dientes en una sonrisa feroz, Josh envió la bola de manera que pasó zumbando junto a la oreja de Peter.

—Interpretó mal una situación. Punto para mí. —Mientras hacía botar una nueva pelota probándola, Peter sacudió la cabeza—. Francamente, Josh... Se había vuelto irrazonablemente celosa por el tiempo que tenía que pasar yo en la oficina. Estoy seguro de que eres consciente de la notable afluencia de convenciones que hemos tenido últimamente, y de la visita de diez días que nos hicieron el mes pasado lord y lady Wilhelm. Ocuparon dos pisos y la suite presidencial. No podíamos ofrecerles un servicio que no fuera perfecto.

—Naturalmente que no. Y Laura no acertó a ver la presión bajo la que te veías obligado a trabajar... —Hubiera debido recordarle a aquel memo que su hermana simplemente se había criado en el seno de una gran familia de la hostelería...

—Exactamente. —Jadeando un poco mientras Josh lo obligaba implacablemente a cruzar de lado a lado la pista, Peter no alcanzó a devolver la bola—. Y la cosa empeoró cuando esa ridícula y deslenguada Margo se presentó en la puerta. Laura estaba empeñada en recibirla en casa, sin pensar en las consecuencias.

—Nuestra buena y compasiva Laura... —dijo Josh de manera espontánea, y dejó que la conversación languideciera hasta que el tanteo del primer set se puso en 5-3.

—No fue precisamente muy galante de tu parte vaciar las cuentas bancarias, viejo...

Los labios de Peter se endurecieron. Había esperado que Laura tuviera demasiado orgullo para ir a lloriquearle a su hermano.

—Seguí el consejo de mi abogado. Una simple medida de autoprotección, porque Laura no ha tenido nunca el más mínimo sentido de las finanzas. Y lo cierto es que se trataba de una decisión justificada, como se ha demostrado ahora que ha dado pruebas de su falta de sentido común asociándose con Margo Sullivan... Tenderas..., ¡por amor de Dios!

—Tan bajo como las cantineras... —murmuró Josh.

—¿Cómo dices?

—Digo que quién sabe lo que pone ideas así en la cabeza de una mujer...

—En seis meses habrá perdido su capital..., eso si Margo no se escapa con él antes. Deberías haber intentado decirle que es una idea descabellada.

—Oh... ¿Tú crees que me hace caso?

Pensó en dejarle ganar a Peter el segundo set, pero luego decidió que estaba aburrido y quería acabar cuanto antes. Jugó con interés durante un rato y, después, solo por hacer más interesante el partido, permitió que Peter le rompiera el servicio.

—¡Mala suerte! —El placer de batir a su cuñado en su propio juego se le subió a Peter a la cara como si fuera vino.— Deberías trabajar tu revés.

—Mmm. —Josh se dirigió hacia su silla, se enjugó la cara, bebió unos tragos de agua... Mientras volvía a tapar la botella, dirigió una sonrisa a las mujeres que los miraban desde la pista contigua. Se sintió oscuramente complacido ante la idea de contar con un auditorio para la escena que estaba madurando en su mente—. Por cierto, antes de que se me olvide... —dijo—. He estado haciendo unas cuantas comprobaciones en el hotel. Observo que ha habido un número inusual de cambios de personal en los últimos dieciocho meses.

—No es necesario que te metas personalmente en los asuntos de Templeton Monterey, o del centro de vacaciones de la playa. Es mi territorio.

—Oh, no pretendo inmiscuirme, pero yo estaba aquí, y tú no estabas. —Tiró a un lado su toalla, hundió en ella la botella de plástico y volvió luego a colocarse al otro lado de la red—. Le encuentro extraño, sin embargo —dijo—. Templeton tiene una tradición de fidelidad y duración de sus trabajadores en el empleo.

«Bastardo entrometido, necio mimado…», pensó Peter. Pero controló con cuidado su ira mientras caminaba en dirección opuesta…

—Como verás, si te molestas en leer los informes, las personas encargadas de la selección de personal en niveles inferiores han cometido varios errores de juicio. Era necesario hacer una poda para seguir manteniendo nuestro nivel de servicio y buena apariencia.

—Estoy seguro de que tienes razón.

—De todas formas, mañana volveré a tomar el timón, así que no tienes que preocuparte.

—No estoy preocupado en absoluto. Es solo curiosidad. Te toca a ti servir, ¿no? —La sonrisa de Josh era tan perezosa como una siestecilla en una hamaca…

Reanudaron el juego. Peter falló su primer servicio y, después, superando su propia irritación, metió la bola en el campo con un trallazo fuerte y limpio. Josh aguardó su oportunidad haciendo correr a su adversario de un lado para otro de la pista, forzándolo a jugar a la defensiva y apuradamente. Con su respiración apenas alterada, siguió dándole conversación mientras el juego se ponía en un cuarenta a nada.

—El otro día, mientras estaba revisando unas cosas, me fijé en tu cuenta de gastos, por ejemplo. Setenta y cinco mil dólares en los últimos cinco meses en atenciones para clientes.

El sudor caía sobre los ojos de Peter, y eso lo enfurecía.

—En los quince años que llevo trabajando para Templeton, nunca ha cuestionado nadie mi cuenta de gastos...

—¡Pues claro que no! —Todo sonrisas en su cara, Josh reunía ya las bolas para su siguiente servicio—. Tú has estado casado con mi hermana durante dos tercios de esos quince años. Oh, y observé también esa gratificación para tu secretaria... —Hizo botar distraídamente una bola en el centro de la raqueta—. A la que te tirabas... Diez mil dólares son un detalle muy generoso. Debe de hacerte unos cafés sensacionales...

Deteniéndose y con las manos apoyadas en las rodillas para recuperar el aliento, Peter lo miró de soslayo por encima de la red.

—Las gratificaciones y los incentivos financieros son una política habitual en Templeton. Y no me gustan tus insinuaciones.

—No era una insinuación, Peter. Escucha bien. Fue una afirmación.

—Y patéticamente hipócrita viniendo de ti. Todo el mundo sabe cómo gastas tu tiempo y el dinero de la familia. Coches, mujeres, juego...

—Tienes razón en eso —dijo Josh que, con una sonrisa amistosa en la cara, se situaba tras la línea del servicio mientras botaba suavemente la pelota—. Y podrías decir que fue una hipocresía por mi parte mencionarlo siquiera. —Lanzó al aire la bola como si fuera a servir, pero la agarró en el aire y se rascó la cabeza—. Salvo por un pequeño detalle. No, no..., salvo por dos pequeños detalles, en realidad. Primero, que es mi dinero. Y, segundo, que yo no estoy casado. —Elevó la bola, la envió con un poderoso raquetazo y se apuntó un *ace* al tiempo que daba en mitad de las narices de Peter. Mientras este caía de rodillas, con las manos apretándose con los dedos las aletas de la nariz y sangrando entre ellos, Josh fue hacia allí haciendo girar su raqueta.

—Y, tercero, porque la mujer a la que estás jodiendo es mi hermana.

—¡Maldito hijo de perra! —La voz de Peter era gangosa, confusa y entrecortada por el dolor—. ¡Condenado bastardo…, me has roto la nariz!

—Agradece que no haya apuntado a tus cojones. —Agachándose, agarró a Peter por el cuello del polo salpicado de sangre—. Y ahora, escucha —murmuró mientras las mujeres de la pista de al lado chillaban y daban voces llamando al jugador profesional del club—. Escucha bien, porque solo te lo diré una vez.

A Peter le hacían chiribitas los ojos y una sensación de náuseas surgía de su estómago.

—Aparta tus jodidas manos de mí —dijo.

—No me estás escuchando —replicó Josh tranquilamente—. Y, en realidad, necesitas prestarme mucha atención. No vuelvas a pronunciar siquiera el nombre de tu mujer en público. Y si decido que has tenido aunque no sea más que un pensamiento acerca de ella que a mí no me guste, lo pagarás con algo más que con tu nariz. Y si vuelves a hablar acerca de Margo de la forma como antes me has hablado de ella, te arrancaré los huevos y haré que te los tragues.

—¡Te denunciaré, bestia! —El dolor irradiaba de su rostro como quemaduras y la humillación lo atravesaba—. Te demandaré por agresión.

—¡Oh, sí, hazlo, por favor! Entretanto, te sugiero que hagas otro viajecito. Vuelve a Aruba, o prueba en St. Bart, o vete al infierno. Pero de ningún modo quiero verte cerca de mí o de los míos. —Soltó a Peter con asco pero luego, como si lo pensara mejor, se limpió la sangre que le manchaba la mano con el propio polo de él—. ¡Ah, a propósito…! Estás despedido. Así que…, ¡punto, juego, set y la jodida partida!

Satisfecho de sus actividades mañaneras, decidió solazarse con un baño de vapor.

11

Podían ocurrir milagros, pensaba Margo. Necesitaron solo seis semanas, muchas agujetas en los músculos, y algo así como trescientos cincuenta mil dólares para crear uno.

Seis semanas antes se había convertido en la propietaria oficial de la tercera parte de un edificio vacío de Cannery Row. E inmediatamente después de que hubieran pasado de mano en mano las relucientes copas llenas con el vino burbujeante de Templeton, se arremangó para poner manos a la obra.

Fue una experiencia nueva tratar con contratistas, rodearse del ruido de sierras, martillos y hombres cargados con cinturones llenos de herramientas. Pasó en la tienda u ocupada con cosas de la tienda casi todos los momentos de vigilia de aquellas semanas. Los dependientes de las tiendas de suministros comenzaron a llorar de alegría cada vez que la veían entrar por la puerta. Sus carpinteros aprendieron a tolerarla.

Debatió con Laura diferentes pruebas de pintura, se desesperó con la elección entre el «rosa viejo» y el «malva desierto», hasta que la más leve variación en los tonos se convirtió en una decisión de proporciones monumentales. Durante días, el tema de las luces empotradas fue casi una obsesión. Conoció los gozos y los terrores de la ferretería, empleando tantas horas en elegir entre bisagras y tiradores de cajones como antes había pasado eligiendo joyas en los escaparates de Tiffany's. A base de pintar, aprendió a amar y a despreciar las excentricidades de su rociador de pintura de velocidad variable marca Sears. Y, como se volviera neuróticamente posesiva al respecto, se negó incluso a permitir que Kate o Laura lo usaran. Hasta que cierto día, después de una sesión de trabajo particularmente larga, pegó un salto al ver su imagen reflejada en el espejo.

Porque quien devolvió la mirada a Margo Sullivan, el rostro que promocionaba millones de frascos de alfa hidroxy, era una mujer que tenía sus hermosos cabellos metidos desordenadamente bajo una sucia gorra blanca, con las mejillas moteadas de pecas de color rosa intenso y los ojos sin maquillar exhibiendo, desnudos, una mirada algo delirante.

No supo si estremecerse o chillar.

Pero la impresión la llevó de inmediato a la vieja bañera de patas en busca de un baño caliente con espumosas sales marinas, y la urgió a aplicarse un tratamiento completo —facial, mascarilla con aceite caliente para los cabellos, manicura…—, solo para demostrar que no se había vuelto rematadamente loca.

Ahora, tras seis semanas de desquiciamiento, había empezado a creer que los sueños podían convertirse en realidad. Los suelos, lijados, cepillados e impregnados con tres capas de barniz satinado, estaban relucientes. Las paredes, su orgullo y satisfacción personal, eran de un suave rosa cálido. Las ventanas, que había limpiado personalmente con ayuda de la fórmula secreta de su madre —una solución consistente básicamente en vinagre y aplicada a base de codos— centelleaban en su flamante marco de moldura. La escalera de hierro y el pasamanos en espiral habían sido fijados y asegurados con tornillos nuevos y recibido un refulgente baño dorado.

En los dos baños se habían rellenado de nuevo las rendijas entre los azulejos y estos habían sido fregoteados a fondo, hasta conseguir el tono originario, que ahora hacían destacar las caprichosas toallitas para secarse los dedos, con rebordes de encaje.

Todo relucía y parecía recién estrenado en sus colores rosa y oro.

—Es como en Dorian Gray —comentó Margo.

Ella y Laura estaban acurrucadas en la zona de descanso de la habitación principal de la tienda, ocupadas en marcar los precios de los objetos contenidos en un cajón.

—¿Tú crees?

—Sí. La tienda se hace cada día más linda y brillante. —Se pellizcó sus cansadas mejillas y rió—. Y yo soy cada vez más como el cuadro del armario.

—Ah… Esto explica esas verrugas.

—¿Verrugas? —Un instante de pánico—. ¿Qué verrugas?

—Tranquila… —Era la primera vez en muchos días que Laura se reía con ganas—. Bromeaba.

—¡Caray…! La próxima vez dispárame mejor un tiro en la cabeza. —En cuando su presión sanguínea se hubo normalizado de nuevo, Margo levantó en alto un jarrón de loza vidriada, decorado con estilizadas flores—. ¿Qué opinas de esto? Es un Doulton…

De nada servía preguntarle a Margo cuánto había pagado por él. Laura lo sabía de sobras; no tendría ni idea. Siguiendo la rutina habitual, Laura echó un vistazo al montón de catálogos y listas de precios que habían reunido.

—¿Has mirado ahí?

—Más o menos. —En las pasadas semanas Margo había desarrollado una relación de amor-odio con las listas de precios. La encantaba la idea de marcar los precios, pero odiaba saber que se le había escapado por entre los dedos tanto dinero—.Yo diría que ciento cincuenta.

—De acuerdo, pues.

Con la lengua atrapada entre los dientes, Margo comenzó a teclear lentamente en el ordenador portátil sin el que, según Kate, no hubieran podido vivir de ninguna manera:

—Lote número 481… ¿Qué le pongo? ¿V por vajilla de vidrio, o C por objeto de colección?

—Hum…, V. Kate no está aquí para discutírnoslo.

—481-V. ¡Maldita sea…! ¡Me ha salido una C en lugar de la V! —Pulsó la tecla de «borrar» y probó de nuevo—: Ciento cincuenta dólares. —Después, aunque su gesto probablemente era ineficiente, como hubiera observado Kate, Margo etiquetó el jarrón, se levantó y fue a ponerlo en la vitrina con estantes de cristal que ya estaban llenándose. Luego volvió y encendió un cigarrillo—. ¿Qué demonios estamos haciendo, Laura?

—Divertirnos. ¿Qué te impulsó a comprar una cosa así?

Fumando en actitud contemplativa, Margo observó un vaso decididamente feo con asas laterales.

—Debía de estar pasando un mal día —dijo.

—Bueno… Es un Stinton, y está firmado, así que tal vez… —Pasó rápidamente las páginas de una lista de precios—, unos cuatro mil quinientos dólares.

—¿De verdad? —¿De verdad había estado alguna vez en condiciones de pagar tanto por tan poca cosa? Empujó el ordenador con el codo para pasárselo a Laura—. Mañana vendrán a pintar el rótulo en el escaparate. Y se supone que los del *Entertainment Tonight* se presentarán aquí hacia las dos.

—¿Estás segura de que quieres hacer eso?

—¿Bromeas? ¿Dejar escapar toda esa publicidad gratuita? —Margo estiró los brazos. Le dolían los hombros: una sensación a la que se estaba ya acostumbrando—. Además, me dará la oportunidad de ponerme elegante, de posar de nuevo ante una cámara. Estoy dudando entre el vestido verde salvia de Armani o el azul de Valentino.

—Ya hemos etiquetado el Armani…

—Vale. Pues que sea el Valentino.

—Mientras no te sientas incómoda…

—Valentino jamás ha hecho que me sintiera incómoda.

—Tú ya sabes lo que estoy queriendo decir. —Esta vez fue Laura quien levantó el vaso y decidió que resultaría menos feo en un rincón del estante—. Todas esas preguntas que te harán acerca de tu vida privada…

—De momento no tengo vida privada. Has de aprender a desdeñar las habladurías, querida. —Apagó el cigarrillo y se puso de rodillas para observar lo que quedaba dentro del cajón—. Si permites que te duelan cada murmuración y cada risita acerca de Peter y tú, las avispas se darán cuenta y seguirán atacando.

—Regresó a la ciudad la semana pasada.

Margo levantó con brusquedad la cabeza.

—¿Te está molestando?

—No, pero... Josh tuvo un incidente con él hace unos días, y yo no lo he sabido hasta esta mañana.

—¿Un incidente? —Margo, divertida, estaba contemplando una cajita de Limoges, que representaba un puesto de flores francés. ¡Dios! ¡Cuánto le gustaban esas naderías!— ¿Qué hicieron? ¿Desenvainaron sus estilográficas Mont Blanc y se enzarzaron en un duelo con ellas?

—Josh le partió la nariz a Peter.

—¿Queeé? —Vacilando entre la sorpresa y la felicidad, casi tropezó con el cajón—. ¿Que Josh le atizó un puñetazo?

—No. Se la rompió con una pelota de tenis. —Mientras Margo estallaba en carcajadas, Laura frunció el ceño—: Había gente en la pista contigua. La noticia corrió por el club. Tuvieron que llevar a Peter al hospital, y es muy posible que presente una denuncia.

—¿De qué? ¿Por agresión al haber elevado demasiado el servicio? Oh, Laura... ¡Es estupendo lo que cuentas! Me temo que no le he dado a Josh todo el crédito que se merece. —Se llevó la mano al estómago porque empezaban a dolerle las costillas de tanto reír...

—Tuvo que hacerlo deliberadamente.

—¡Pues claro que sería deliberado! Josh es capaz de darle con la bola desde cincuenta metros a un coche lanzado a toda velocidad. Si se hubiera tomado el tenis en serio, a estas horas estaría compitiendo en la pista central de cualquier club. ¡Lástima! ¡Ojalá hubiera podido presenciarlo! —Una luz de malvada satisfacción centelleaba en sus ojos—. ¿Sangró mucho?

—A chorros, según me han contado. —Estaba mal. Laura tenía que recordarse continuamente que estaba mal disfrutar con la imagen de la sangre de color rojo vivo manando a borbotones de las aristocráticas napias de Peter—. Se ha ido a Maui a recuperarse. Pero, Margo…, no quiero que mi hermano se dedique a estrellar pelotas de tenis en la cara del padre de mis hijas…

—Oh…, déjale que se divierta un poco. —Sin acordarse ya de etiquetar ni de registrar su número de lote en el ordenador, Margo colocó la cajita de Limoges en la parte delantera curva de la vitrina, donde había ya expuestas una docena de otras semejantes—. Por cierto, ¿sabes si Josh está saliendo con alguien?

—¿Saliendo con alguien?

—Ya me entiendes…, tonteando, rondando, practicando el sexo con alguien…

Laura, desconcertada, se frotó sus cansados ojos.

—No, que yo sepa. Pero la verdad es que hace ya años que ha dejado de fanfarronear delante de mí acerca de sus tórridas aventuras sexuales.

—Pero tú lo hubieras sabido —dijo Margo y, como si fuera algo vital para el mantenimiento de la paz en el mundo, se puso a pasar el trapo para limpiar a fondo los cristales de la vitrina—. Lo habrías oído, o intuido…

—Ahora está terriblemente ocupado, así que diría que lo más probable es que no. ¿Por qué lo preguntas?

—Oh… —Se volvió de espaldas con una amplia sonrisa en los labios—. Es que hemos hecho una pequeña apuesta… Pero tengo hambre —dijo bruscamente—. ¿Tú no? Pienso que deberíamos pedir que nos trajeran algo. Si Kate se presenta aquí después del trabajo y ve que no hemos acabado con este envío, nos soltará una nueva clase acerca de cómo debemos emplear el tiempo…

—Yo no tengo tiempo para clases hoy. Lo siento. Tengo que ir a recoger a las niñas. Es viernes —explicó—. Les prometí que las llevaría a comer fuera y, después, al cine. ¿Por qué no nos acompañas?

—¿Y abandonar todos estos tesoros? —Margo extendió los brazos como para abarcar en ellos cajas, montones de material de embalaje, tazas de café frío medio vacías—. Además, tengo que practicar mi técnica para envolver. Cualquier envoltorio que hago parece obra de un retrasado mental de tres años… A mí no me importa, en realidad, pero…

Interrumpió la frase en el momento en que se abría la puerta y, a través de ella, irrumpía Kalya en la tienda:

—¡Mamá! Venimos de visita. —Con una sonrisa radiante, se lanzó a los brazos de Laura y se acurrucó en ellos con algo más de fuerza que de costumbre.

—¡Hola, nena! —Laura la abrazó a su vez, mientras se preguntaba, inquieta, cuánto tiempo iba a necesitar la pequeña aquellos gestos que la hicieran sentirse segura—. ¿Cómo has venido?

—Tío Josh vino a recogernos. Dijo que podíamos venir a ver la tienda porque teníamos que interesarnos en lo que acabaría siendo nuestra herencia.

—¿Vuestra herencia ha dicho? —Risueña ahora, Laura dejó en el suelo a Kayla y observó cómo entraba en la estancia su hija mayor, más cauta, menos dichosa—. Bueno, Ali…, ¿qué te parece?

—La veo diferente de cómo era antes —respondió la niña. Y, después, como por instinto, fue derecha a la vitrina donde estaban las joyas.

—¡Buena chica! —declaró Margo, y pasó un brazo por los hombros de Ali.

—¡Son tan lindas! Es como un cofre del tesoro.

—Lo es. Pero en esta ocasión no es la dote de Serafina, sino la mía.

—Traemos pizza —anunció Kayla—. Tío Josh ha comprado

montones y montones de pizza para que podamos comer aquí sin necesidad de ir a un restaurante. ¿Podemos hacerlo, mamá?

—Si queréis… ¿Tú quieres, Ali?

Ali se encogió de hombros y siguió mirando las pulseras y broches.

—Me es igual —dijo.

—¡Y aquí llega el héroe del día! —dijo Margo, que cruzó el local mientras Josh, cargado con las cajas de pizza, empujaba la puerta con el codo. Luego ella inclinó el cuerpo por encima de las cajas y le estampó un sonoro beso en la boca.

—¿Esto es solo por la pizza? —dijo Josh—. ¡Vaya…! Podría haber traído también una bandeja de pollo frito…

—En realidad era una recompensa por tus proezas tenísticas…

Hablaba en voz baja, al advertir como respuesta el brillo de sus ojos, lo descargó de las cajas que llevaba y preguntó en voz más baja aún:

—¿Sigues durmiendo solo, querido?

—No me lo recuerdes. —Enarcó una ceja—. ¿Y tú?

Sonrió y le pasó un dedo por la mejilla.

—He estado demasiado ocupada para poder dedicarme a los deportes…, a ningún tipo de deporte —dijo—. Ali…, creo que hay una botella de Pepsi arriba, en la nevera.

—Ya nos hemos ocupado de eso —dijo Josh, que se estaba torturando a sí mismo con el olor de su perfume—. ¿Podrás traer las bebidas del coche, Ali?

—Yo también voy —Kayla salió corriendo hacia la puerta—. Puedo ayudar. Vamos, Ali.

—Bueno, bueno… —Mientras sus sobrinas cerraban de golpe la puerta, Josh se metió las manos en los bolsillos y exploró el local con la mirada—. Conque has estado ocupada… —Fue hacia la habitación contigua y no pudo contener una sonrisa: se parecía mucho al armario de Margo en Milán, con la diferencia de que ahora todas las prendas lucían discretamente una etiqueta.

—La lencería y prendas de noche están en el piso de arriba, encima del *boudoir* —dijo Margo.

—Naturalmente… —Josh levantó del suelo como por curiosidad un zapato de salón; le dio la vuelta. La suela apenas estaba gastada, y llevaba marcado su precio: noventa y dos con cincuenta.

—¿Cómo fijáis el precio?

—Oh…, tenemos nuestro pequeño sistema…

Volvió a dejar el zapato en el suelo y miró a su hermana.

—Espero que no te importe que haya traído a las niñas…

—No, no, en absoluto. Lo que sí me importa es que se te haya ocurrido pelearte con Peter.

Josh no se molestó en aparentar contrición.

—Te enteraste de eso, ¿verdad?

—Pues claro que me enteré. A estas horas creo que ya lo sabe todo el mundo desde el Big Sur hasta Monterey. —Lo rechazó cuando Josh se acercó a darle un beso—. Puedo arreglar mis problemas matrimoniales yo misma.

—Seguro que puedes. El hecho es que la bola se me escapó.

—Como una bala… —murmuró Margo.

—En realidad, trataba de acertarle en los cojones. Escucha, Laura… —prosiguió, cuando vio que ella se irritaba al ir a tocarla—, ya hablaremos de esto en otro momento, ¿vale?

No le dejó elección porque en aquel momento regresaban sus hijas trayendo unas bolsas del coche.

Josh había pensado también en traer platos de cartón, servilletas y vasos alegres para refrescos, además de un buen vino tinto de Burdeos. Parecía haber muy pocas cosas, se dijo Margo mientras disponían en el suelo el improvisado picnic, en las que a Josh Templeton no se le hubiera ocurrido pensar.

Era un poco descorazonador comprobar que lo había subestimado durante todos aquellos años. Sería un formidable enemigo, como había demostrado ya con un golpe de raqueta. Y también estaba ahora segura de que sería un inolvidable amante.

Josh captó su mirada y le pasó un plato.

—¿Problemas, duquesa? —preguntó.

—Es más que probable.

Pero disfrutaba escuchando a las niñas. Bajo las bromas y atenciones de Josh, Ali daba la impresión de recuperar poco a poco su brillo. «La pobre pequeña necesita un padre», pensó Margo. Ella entendía esa necesidad, el dolor de ese vacío. Había sido Thomas Templeton quien la ayudó a colmarlo y quien, al mismo tiempo, con su bondad y su cariño, la había hecho consciente de que no era su padre.

Margo no había tenido nunca un padre…, o lo había tenido un tiempo tan breve que no podía recordarlo. Su madre se había mostrado siempre tan callada con respecto al hombre con quien se había casado y al que había perdido, que Margo siempre temió hacerle preguntas acerca de él. Temerosa de que no hubiera nada que responder, a ninguna de ellas.

No había habido amor, se decía. Y, ciertamente, ninguna pasión.

Un matrimonio tibio más en el mundo tampoco era cosa que pudiera sorprender a nadie. Ni siquiera, pensaba, a los implicados en él. Una buena chica irlandesa católica se casaba y tenía hijos, como se esperaba de ella. Y luego aceptaba la voluntad de Dios bajando la cabeza. Ann Sullivan jamás se habría desesperado de dolor y se hubiera arrojado al mar por el despeñadero maldiciendo a Dios, como había hecho Serafina. Ann Sullivan se habría rehecho, vuelto al trabajo y olvidado.

Y con tanta facilidad, se decía Margo, que lo más probable era que hubiese poco que recordar. Era como si, en realidad, ella no hubiese tenido nunca padre.

¿Y acaso no había tratado de llenar con hombres ese vacío de su vida? A menudo con hombres maduros, como Alain; hombres que hubieran tenido éxito en la vida, que estuvieran en una buena y estable posición, siempre reacios a los compromisos. Hombres casados, hombres no casados, u hombres tibiamente casados y con esposas que miraran con indiferencia sus aventuras extraconyugales a condición de que sus maridos hicieran la vista gorda a las de ellas.

Estos habían sido siempre para ella una cómoda protección que los hombres que la vieran como un precioso trofeo al que mimar, al que consentir. Del que alardear. Hombres que, por otra parte, no se quedarían para siempre en su vida, lo cual los hacía, naturalmente, más atractivos, más prohibidos.

Notó una sensación de desfallecimiento en el estómago y bebió un sorbo de vino para tranquilizarlo. «¡Qué sensación tan horrible! —pensó—. ¡Qué patética!»

—¿Te encuentras bien, Margo? —Preocupada, Laura había apoyado la mano en su brazo—. Te has puesto pálida de pronto.

—No es nada. Solo un pequeño dolor de cabeza. —Se puso en pie y necesitó hasta la última brizna de su autocontrol para subir las escaleras sin correr.

Ya en el cuarto de baño, comenzó a revolver frascos de medicinas. Sus dedos descansaron en un tubo de tranquilizantes antes de dejarlo y sacar decididamente el de aspirinas. «Demasiado sencillo», pensó mientras dejaba correr agua fría del grifo. Demasiado sencillo tragar una pastilla y olvidar todo aquello.

—Margo… —Josh llegó tras ella y la sujetó por los hombros—. ¿Qué te ocurre?

—Malos pensamientos. —Sacudió la cabeza y tragó la aspirina—. No es nada. He tenido solo una pequeña y desagradable revelación.

Ella hubiera querido dar media vuelta, pero Josh continuaba manteniéndola firmemente sujeta y las espaldas de ambos seguían reflejándose en el espejo.

—¿Nerviosa por la inauguración de la tienda la semana que viene?

—Aterrada.

—Suceda lo que suceda, tú ya has logrado algo importante. Has adquirido este local y lo has hecho resplandecer. Ahora es una tienda bella y elegante, un establecimiento único. En gran parte gracias a ti.

—¿Y con un montón de objetos pretenciosos a la venta, marcados con su precio?

—¿Y qué?

Margo cerró los ojos.

—¿Y qué? Sé un buen amigo, Josh, y sostenme un minuto.

Él la volvió y la atrajo hacia sí. La oyó respirar entrecortadamente y le acarició los cabellos.

—¿Recuerdas aquel invierno cuando te pusiste a buscar por todas partes la dote de Serafina? —le preguntó.

—Claro. Estuve cavando en la rosaleda y en parte de la zona sur del césped. Mamá estaba avergonzada y se puso furiosa conmigo. ¡Si hasta amenazó con meterme en un barco y enviarme a la casa de mi tía en Cork! —Suspiró algo aliviada, consolada por la sensación de tenerlo cerca, de olerlo—. Pero tu padre no hacía más que reír y reír. Se lo tomaba a risa, y decía que yo demostraba tener un espíritu aventurero.

—Buscabas algo que necesitabas y no te arredraste ante nada. —Pasó los labios por sus cabellos para tranquilizarla—. Es lo que siempre has hecho.

—¿Y siempre he querido lo inalcanzable?

—No. —La soltó un poco y le levantó la barbilla—. Lo interesante. No soportaba la idea de que hubieras dejado de cavar entre los rosales, duquesa.

Suspirando de nuevo, Margo escondió la cabeza entre los hombros de él.

—La verdad es que odio tener que reconocerlo, Josh…, pero siempre has sido bueno conmigo.

—Lo sé —dijo él, y pensó que hacía ya mucho tiempo que ella lo había comprendido también.

No esperaba sentirse nerviosa. En los tres meses anteriores habían tenido muchas cosas que hacer: citas, entrevistas, decisiones que tomar, género que elegir… La decoración del local, su orientación… Hasta algo tan mínimo como la elección de las bolsas y cajas había dado lugar a horas de debate.

Habían tenido que aprender también muchas cosas: hacer un inventario, calcular porcentajes de beneficios y pérdidas, rellenar impresos fiscales, recargos y desgravaciones, impuesto sobre la renta, tasas por la propiedad…

Y entrevistas. El reportaje en *People* acababa de llegar a los quioscos, y el *Entertainment Weekly* publicaba un comentario con fotos de ella y de la tienda. Un comentario algo malicioso, pero era publicidad impresa.

Todo estaba encajando en su sitio, por lo que tenía la esperanza de que la inauguración real fuera más bien un anticlímax. Por eso el ataque de nervios veinticuatro horas antes de la gran fiesta de inauguración de Vanidades fue tan inesperado como mal recibido.

Con los años, Margo había adoptado diversos métodos para vencer sus nervios: un vaso de vino, ir de tiendas, píldoras, el sexo… Pero ninguno de ellos le parecía ahora una opción viable ni encajaba con la nueva dirección que su vida estaba tomando.

Decidió, pues, conceder una opción a la gimnasia.

Las instalaciones del club de campo debían de ser el no va más en este terreno. A través de los años, había practicado allí con pesas y brincado con unas cuantas clases de aerobic. Pero tenía la bendición de un metabolismo que podía con todo, largas piernas, torso esbelto y pechos generosos que no querían rivalizar con sus caderas, por lo que siempre había despreciado con cierta suficiencia la moda del *fitness*. Ahora estaba ocupada en programar una *stepper* estática, mientras se preguntaba cómo habría alguien a quien pudiera resultarle excitante subir escalones que no llevaban a ninguna parte. Solo le cabía confiar en que el ejercicio mantuviera ocupada su mente en eliminar y mantener adecuadamente distribuido el peso que hubiera podido ganar.

La enorme sala del gimnasio estaba rodeada de ventanales que ofrecían vistas del campo de golf o de la piscina. Para quienes no estaban interesados en el paisaje, había aparatos de televisión individuales montados sobre ruedas, de forma que uno pudiera caminar o trotar saludablemente mientras seguía en la tele los informativos de la CNN o las clases de gimnasia de Katie y Bryant. Otros aparatos de un equipo que le resultaba más bien aterrador aparecían distribuidos por diferentes puntos de la sala.

Junto a ella, una mujer vestida con un maillot rojo se obstinaba en subir una y otra vez peldaño tras peldaño mientras leía la última novela de Danielle Steele. Margo se esforzó en seguir su ritmo y fijó la vista en la inestable letra impresa de la sección de economía de *Los Angeles Times*.

Pero no conseguía concentrarse. Se daba cuenta de que aquel era un nuevo mundo para ella. Un mundo que había estado dando tumbos, saltando y gruñendo mientras ella estaba bien protegida y arropada en el suyo. Un hombre con elegante body y bíceps como ladrillos la observaba atento en un espejo mientras levantaba pesas de aspecto pavoroso. Un grupo de mujeres, estilizadas o rechonchas, pedaleaban en bicicletas estáticas. Algunas charlaban entre sí, mientras que otras seguían el ritmo de la música de sus auriculares.

Las personas crujían, se retorcían, flexionaban y castigaban sus cuerpos, enjugaban el sudor de sus caras, se metían entre pecho y espalda grandes tragos de agua mineral y, después, volvían a la carga.

Aquello le resultaba sorprendente.

Para Margo, era una broma, un ratito de diversión. Pero para todos aquellos cuerpos sudorosos, esforzados, suponía la seria elección de un estilo de vida.

Tal vez estuvieran todos levemente locos.

Aun así… ¿No eran estas, precisamente, las personas que esperaba que acudirían a su tienda? Gente del mundo de los negocios, rica e inteligente. Las mujeres que pedaleaban en aquellas bicicletas estáticas luciendo pantalones cortos de cien dólares y zapatillas de doscientos. Tras tanto esfuerzo y estiramiento de sus cuerpos, ¿no estarían deseando disfrutar de unos pocos mimos? Pasados los masajes suecos, los baños turcos, las piscinas de hidromasaje…, seguramente les apetecería entrar en una tienda elegante para curiosear, donde les ofrecieran una taza de capuchino, una copa de champán bien frío, mientras una mujer atractiva las ayudaba a elegir la chuchería perfecta o un regalo de buen gusto.

Por supuesto que el reto consistiría en convencerlas de que el hecho de que la chuchería o el regalo en cuestión fueran de segunda mano los hacía más interesantes y únicos.

Estaba dándole vueltas al asunto cuando su mirada se fijó de soslayo en la mujer que tenía al lado.

—¿Hace usted esto todos los días? —le preguntó.

—¿Cómo dice?

—Me preguntaba si venía usted aquí todos los días. —Con una sonrisa cordial, Margo estudió a su compañera. Treinta y tantos, bien arreglada… Los brillantitos engastados en la alianza de su dedo anular eran de excelente calidad y tendrían en total unos tres quilates—. Yo acabo de empezar.

—Vengo tres días por semana. De hecho, es todo cuanto necesita una para mantenerse en forma. —Deseando obviamente entretenerse, examinó por encima a Margo—. No me dirá que usted trata de perder peso…

—He engordado tres kilos en los últimos tres meses.

La mujer soltó una carcajada, tomó la toalla que tenía extendida sobre la barra y se secó el sudor del cuello. Margo observó que el reloj que llevaba era un Rolex plano.

—Todas deberíamos poder decir que tenemos su aspecto. Yo he tenido que perder quince este último año.

—Bromea usted…

—Si los recuperara, me mataría. Por eso hago ahora ejercicios de mantenimiento. He recuperado una talla treinta y ocho, y por Dios que no pienso moverme de ella.

—Está usted espléndida. —«Talla treinta y ocho», pensó. «Perfecto»—. ¿Le gusta a usted hacer ejercicio?

La mujer sonrió forzadamente mientras su *stepper* la obligaba a acelerar el paso.

—Odio hasta el último minuto que paso aquí.

—¡Gracias a Dios! —exclamó Margo sinceramente, al notar que sus pantorrillas comenzaban a arder—. Eso sí es sentido común. Soy Margo Sullivan. Le ofrecería mi mano, pero temo que pudiera caerme…

—Judy Prentice. Margo Sullivan —repitió—. Ya decía yo que tu cara me resultaba familiar. Antes te odiaba.

—¿Y eso?

—Cuando iba a toda velocidad hacia una talla cuarenta y seis y hojeaba cualquier revista… Y allí estabas tú, escultural, perfecta. Y a mí, entonces, me entraban ganas de lanzarme derecha a las chocolatinas. —Le ofreció una rápida sonrisa—. Reconforta saber que sudas como cualquier ser humano…

Tras decidir que Judy era una mujer simpática, a la vez que una cliente potencial, Margo le devolvió la sonrisa.

—¿No se supone que el chocolate tiene algo que ver con las endorfinas?

—Oh, eso es un cuento. Creo que fue Jane Fonda quien lo puso en circulación. Tú creciste aquí, ¿no?

—En el Big Sur, sí —confirmó Margo, resoplando ahora—. He vuelto. Y tengo una tienda en Monterey, Vanidades, en Cannery Row. Mañana celebraremos a lo grande nuestra inauguración. Deberías dejarte caer por allí y echar un vistazo. —Hizo rechinar los dientes—. Me aseguraré de que haya chocolatinas…

—¡Bruja! —saltó Judy con una amplia sonrisa—. Tal vez lo haga. Bueno…, ya han pasado mis veinte minutos de infierno. Quince ahora con las pesas, por mi cuenta, y una corta sesión en la cámara de torturas que es esa máquina Nautilus, y podré marcharme de aquí. —Tomó la toalla y miró hacia la entrada—. Oh…, aquí llega la diva.

—Candy Lichtfield —murmuró Margo al distinguir también ella la cabeza pelirroja sobre un leotardo estampado con flores.

—¿La conoces?

—Demasiado.

—Humm. Si tienes el buen gusto de aborrecerla, tal vez sí me deje caer por esa tienda tuya. Oh…, viene hacia aquí. Es toda tuya.

—Escucha…, no… —Pero ya era demasiado tarde. Candy soltó un chillido que hizo que se volvieran todas las cabezas.

—¡Margo! ¡Margo Sullivan! ¡No me lo puedo creer!

—Hola, Candy… —Para desesperación de Margo, Candy se subió también al *stepper*.

Candy lo alborotaba todo. Y esta era solo una de las muchas razones que tenía Margo para despreciarla. Iba siempre de punta en blanco, derrochando alegría y unos alborotados cabellos pelirrojos. En sus tiempos de segunda enseñanza, había sido la principal animadora y, también, el incordio más puñetero de Margo. Se había casado bien —dos veces—, tenía dos hijos perfectos, uno de cada matrimonio, y dedicaba todo su tiempo, por lo menos que Margo supiera, a organizar meriendas perfectas y a permitirse curiosear discretamente los asuntos de los demás.

Bajo la superficie, más allá de la cara animada y el cuerpo bien plantado, su corazón era el de una víbora. Para Candy, las otras mujeres no eran simplemente miembros de su mismo sexo y especie: eran el enemigo.

—Oí que habías vuelto, claro… —Con la uña de un rojo perfecto pulsó, en la máquina que Judy había dejado, el tiempo y el programa de su elección—. Pensaba llamarte, pero… ¡he estado tan ocupada…! —Los pendientes de diamantes de sus orejas se agitaron al sonreír a Margo—. ¿Cómo estás, Margo? Tienes muy buen aspecto. Nadie diría que…

—¿Qué es lo que no diría nadie?

—Todas esas historias terribles. —Una encantada malicia revoloteaba fugaz por los labios de muñeca antigua de Candy—. Tiene que haber sido espantoso para ti. No puedo ni imaginar el terror de ser detenida..., y en el extranjero, además. —Su voz seguía saliendo con suficiente fuerza para atraer la atención de varias de las atletas que se ejercitaban esa mañana.

—Yo tampoco puedo. —Margo se esforzaba en no jadear y sintió el vehemente deseo de un cigarrillo—. No estuve detenida. Me interrogaron, simplemente.

—Bueno..., yo ya estaba segura de que esas historias exageraban. —Su tono era una brillante mezcla de simpatía adornada con encaje de duda—. ¡Esas cosas tan horribles que decían acerca de ti! Bueno..., cuando las oí, les dije a las chicas durante un almuerzo que eran solo bobadas. Pero la prensa seguía insistiendo. ¡Es tan inhumana...! Hiciste bien en escapar de Europa hasta que el escándalo amainara. ¡Es tan propio de Laura que rechace esos comentarios y te haya acogido...!

No había nada que objetar a eso, salvo asentir:

—Sí.

—¿Y la vergüenza para Bella Donna...? Porque estoy segura de que tu sustituta no será ni la mitad de eficaz que tú. Eres muchísimo más fotogénica que Tessa Cesare. —Sin dejar de dar saltitos jovialmente, Candy aguzó su lanza—: Por supuesto que ella es más joven, pero no tiene tu... experiencia.

Iba derecha al corazón, bien apuntada y afilada. Los dedos de Margo apretaron con fuerza la barra, pero la voz le salió con naturalidad:

—Tessa es una mujer muy guapa —dijo.

—Sí, sí, claro. Y muy exótica. La piel dorada, esos maravillosos ojos negros... Estoy segura de que tu empresa era consciente de que debía acentuar el contraste. —Su sonrisa estaba calculadamente teñida ahora de un divertido desdén—. Volverás por la puerta grande, Margo. No te preocupes.

—No, si me encierran unos años por asesinato... —dijo Margo entre dientes.

—Pues, entonces, explícame algo... He oído una historia divertidísima acerca de que ahora ibas a dedicarte a la venta.

—Yo todavía me río con ella. Inauguramos mañana.

—¿Sí? ¡No me digas! —Sus ojos se abrieron en una risita burlona. Entonces..., ¿es verdad que la pobre Laura Ridgeway te ha comprado una tienda? ¡Qué conmovedor!

—Laura, Kate Powell y yo hemos comprado el edificio juntas.

—Siempre pegaditas las tres... —La sonrisa de Candy se tornó afilada. Las había detestado siempre por su inquebrantable amistad—. Estoy segura de que os divertiréis mucho; la pobre Laura ciertamente necesita ahora una distracción. No creo que haya nada tan penoso y desesperante como ver que tu matrimonio se va a pique.

—A menos que el que se vaya a pique sea ya tu segundo matrimonio... —replicó Margo con una alegre sonrisa—. ¿Es ya el último divorcio, Candy?

—El mes que viene. Tú nunca te has casado con uno de esos... hombres, ¿verdad, Margo?

—No. Solo me he acostado con ellos. En cualquier caso, la mayoría ya estaban casados.

—¡Siempre has tenido una actitud tan europea...! Supongo que yo soy solo norteamericana. No creo que pudiera sentirme cómoda siendo una querida...

La ira empezaba a tachonar de luces rojas lo que veían los ojos de Margo:

—Mira, guapa... —dijo arrastrando las palabras—: te aseguro que es comodísimo. Pero probablemente tengas razón. Tú no estás hecha para eso. Si os separarais, a ninguno de ellos podrías reclamarle ni un céntimo como pensión por alimentos.

Saltó de la máquina, agradecida de que aquella sesión con Candy hubiera alejado de su mente los nervios y aliviado el dolor de sus músculos. Quizá notaba sus piernas como si sus fibras fueran *linguini* blandos, pero no quería darle a a Candy la satisfacción de ver que le flaqueaban las rodillas. En lugar de eso, borró con cuidado las especificaciones de la máquina, como le había visto hacer a Judy.

—Pásate por la tienda, Candy. Mañana daremos una fiesta de inauguración. Siempre has deseado tener lo que yo tenía. Esta es tu oportunidad para conseguirlo. Pagándolo, claro.

Cuando Margo salía, Candy soltó un resoplido por su naricilla respingona y se volvió hacia la interesada mujer que pedaleaba tras ella:

—Esta Margo Sullivan siempre pretendió ser lo que no era. De no ser por los Templeton, ni siquiera le permitirían cruzar las puertas de este club —dijo.

La mujer parpadeó para quitarse el sudor que le caía sobre los ojos. Había admirado el estilo de Margo... Y la pulsera de zafiros que lucía.

—¿Cómo dijo que se llamaba su tienda? —preguntó.

12

Veintiocho de julio. Diez menos cuarto de la mañana. Faltaban quince minutos para la hora cero, y Margo estaba sentada en la cama de su dormitorio del piso de arriba de la tienda, reconvertido para la ocasión en tocador de señoras. En aquella cama había dormido, amado, soñado. Ahora estaba sentada en el borde, con la mano apoyada en el estómago, rezando por que se le pasara su sensación de náuseas.

¿Y si no venía nadie? ¿Qué ocurriría si ninguno se animaba siquiera a cruzar aquellas puertas de cristal recién restauradas? Pasaría temblando las siguientes ocho horas, mirando a través del escaparate que tanto le había costado arreglar con su vestido de tafetán de seda negra de Yves Saint-Laurent, que solo se había puesto una vez el año anterior en Cannes, durante el festival de cine, con los pliegues de su falda extendidos sobre un gran sillón Luis XIV. Alrededor de aquella falda estaban las que en otro tiempo fueron preciadas posesiones suyas: un frasco de perfume de Baccarat, unas chinelas de noche con pedrería de cristal de estrás, unos pendientes de zafiros colgantes, un bolso de satén negro con una joya de cierre en forma de pantera. El candelabro de Meissen, la copa de champán de cristal de Waterford, una muestra de sus cajas de adorno favoritas junto con el juego de tocador de plata que había sido regalo de un antiguo amante.

Margo había colocado cada uno de los objetos personalmente, como en una especie de rito, y ahora temía que todas aquellas cosas que había poseído y amado tan solo recibieran una mirada desdeñosa de los paseantes.

¿Qué había hecho, entonces?

Desnudarse. Desnudarse del todo a sí misma, y en público. Se decía que ella podía manejar eso, vivir con eso. Pero había arrastrado consigo a las personas que quería y las había metido en su atolladero.

¿Acaso no estaba ahora mismo Laura en el piso de abajo, aguardando la llegada del primer cliente? Y Kate esperaría impaciente la hora de su almuerzo, deseosa de ver aunque solo fuera una venta anotada en la anticuada caja registradora que había sacado de una tienda de antigüedades de Carmel.

Y Josh pasaría probablemente a la caída de la tarde, y entraría con una sonrisa bailándole en la cara para felicitarlas por su primer día de éxitos…

¿Cómo iba a poder abocarlas al posible fracaso…, cuando solo ella era la responsable del fracaso?

Lo que más deseaba en aquellos momentos era precipitarse escaleras abajo, salir por la puerta…, y escapar corriendo.

—¿Miedo escénico, Margo?

Con el brazo rodeando aún su intranquilo estómago, levantó la vista. Josh estaba en el umbral.

—Tú me animaste a esto. Ahora, si pudiera levantarme, te mataría.

—Por suerte para mí esas preciosas piernas tuyas no están muy firmes. —Le dirigió una rápida mirada valorativa.

Ella había elegido para la ocasión un traje sastre sencillo y perfectamente cortado de color rojo vivo, con una ajustada falda corta que daba a sus asombrosas y ahora inseguras piernas un amplio espacio para exhibirse. Se había recogido los cabellos en una trenza, dejando solo unos pocos mechones sueltos que, calculaba, le caerían sobre la cara y servirían para enmarcarla. Pálida ahora como el mármol, en sus ojos brillaba una luz de temor.

—Me decepcionas, duquesa… Pensaba encontrarte abajo, revolucionada y revolucionando a todo el mundo. Y, en lugar de eso, te encuentro aquí arriba temblorosa como una virgen en su noche de bodas.

—Quiero volver a Milán.

—Vale. Pero no puedes, ¿no? —Su tono era duro cuando cruzó la habitación y la agarró por el brazo—. Levanta, contrólate a ti misma. —Tenía empañados aquellos grandes ojos azules suyos, y él temió por un instante que, si se les escapaba la primera lágrima, romperían a llorar y el llanto la llevaría a cualquier sitio que quisiera ir—. ¡Es tan solo una maldita tienda, por amor de Dios! No un juicio en el que vayan a condenarte a muerte. Es muy propio de ti sacar las cosas de quicio.

—No es solo una tienda. —La voz le salió entrecortada, muy a su pesar—. Es todo lo que tengo.

—Pues, entonces, baja y haz algo al respecto.

—No quiero bajar. ¿Qué ocurrirá si no viene nadie? ¿O si solo vienen a mirar y burlarse?

—¿Y qué si no vienen? ¿Y qué más da si se lo toman a risa? Hay mucha gente que estará interesada en soplar solo por ver cómo te caes de narices. Pero mantén en pie todo esto y será lo único que verán.

—No debería haber empezado algo tan grande…

—Puesto que lo que dices se aplica a todos los aspectos de tu vida, no entiendo de qué te quejas ahora. —Estudió su rostro, furioso con ella por permitirle ver su temor, furioso consigo mismo también por sentir el deseo de protegerla—. Mira…, tienes cinco minutos y has de aclarar tus ideas. Yo también tengo problemas propios que he de resolver. —Descubrió la rosa roja que sostenía en la mano a su espalda y la pasó por entre los dedos de ella, curvándolos alrededor del tallo—. Demuéstrame cómo manejas los tuyos.

Después, la besó con impaciencia en los labios y no esperó a ver su reacción.

Podía haberle demostrado un poco de simpatía, se quejó

en silencio Margo cuando marchó, furiosa, al cuarto de baño a retocarse el maquillaje. Podía haberle ofrecido unas palabras de comprensión y apoyo. Pero no…, Josh no… Volvió a meter el colorete dentro del armarito, y lo cerró de golpe. Todo lo que obtenía de él eran insultos y observaciones mortificantes. Bueno…, así estaban las cosas. Valía la pena saberlo. Convenía que le recordaran que no podía apoyarse en ninguno más que en sí misma.

Cinco minutos después, Margo bajaba por la escalera. Laura estaba radiante junto a la adornada caja registradora mientras hacía sonar su campanilla.

—Deja ya de jugar con esa cosa —le dijo.

—No estoy jugando —replicó ella y se volvió a mirar a Margo con la cara teñida por el rubor de la excitación—. Solo estoy registrando nuestra primera venta.

—Pero ¡si todavía no hemos abierto!

—Josh compró esta lamparilla *art déco* antes de irse. Dijo que la metiéramos en una caja y se la enviáramos. —Pasó los brazos por encima del mostrador para tomar las manos de Margo y las estrechó—. Empaquétala y envíala tú, Margo. Es nuestra primera caja y nuestro primer envío. Siempre puedes confiar en Josh…

A Margo se le escapó una temblorosa carcajada. ¡Maldito Josh…! Era incorregible…

—Sí, tú puedes confiar en él, ¿verdad? —El reloj de la repisa de detrás del mostrador comenzó a dar la hora. La hora cero—. Bueno…, supongo que será mejor que… Laura, yo…

—¡Yo también tengo miedo! —dijo Laura, a la vez que despejaba sus nervios respirando profundamente—. Abramos el negocio, socia.

—Sí —asintió Margo poniendo derechos los hombros y levantando la cara al acercarse a la puerta—. ¡Y que se jodan quienes no sean capaces de verle la gracia al asunto!

Dos horas más tarde, no sabría decir si se sentía emocionada o ligeramente bebida. No era que la tienda estuviese atestada de clientes, en particular de la variedad de los que pagan. Pero casi desde el primer minuto había empezado a afluir una corriente continua de ellos. La propia Margo había envuelto con manos temblorosas y atado la segunda venta del día, apenas quince minutos después de haber abierto las puertas. Las dos, ella y una turista de Tulsa, se habían mostrado de acuerdo en reconocer que la esclava de plata era una compra excelente.

Con algún asombro y no pequeña admiración, había visto cómo Laura conducía hacia el probador a un trío de curiosas, con la maestría de una dependienta veterana, y las halagaba hasta conseguir que echaran mano de sus tarjetas de crédito.

Cuando a las doce y media llegó Kate, Margo estaba metiendo los pendientes de zafiros del escaparate en una de las brillantes cajas doradas con letras de plata que había elegido como marca de la tienda.

—Estoy segura de que a su esposa la encantarán —decía, mientras deslizaba la caja en una bolsita dorada. Las manos ya no le temblaban, pero estaban deseando hacerlo—. A mí me encantaron. Y feliz aniversario a los dos.

Al minuto de haberse alejado el cliente del mostrador, tomó a Kate de la mano y la arrastró hacia el tocador de señoras.

—¡Esto han sido mil quinientos setenta y cinco dólares, más los impuestos! —Rodeándola por la cintura, la guió en una breve y ruidosa danza—. ¡Estamos vendiendo cosas, Kate!

—Esa era la idea. —Hubiera querido estar allí, con Laura y Margo, para abrir la tienda por primera vez. Pero su responsabilidad en Bittle pasó por delante—. Pones una tienda, y vendes cosas.

—No, no… ¡Es que estamos vendiendo de veras! Estuvo Liz Carstairs y compró el juego de copas de vino de Tiffany como regalo para la fiesta que dará su hija, y esa pareja de

Connecticut ha comprado la mesita de alas abatibles. Hemos de enviársela. Y todavía hay más: no tendremos que seguir pagando mucho tiempo la factura del guardamuebles por el resto del género.

—¿Ya registráis las ventas?

—Sí..., bueno... Puede que haya cometido un par de errores, pero lo arreglaremos. Ven conmigo; así podrás registrar también tú algo. —Hizo una pausa con la mano apoyada en la puerta—. Esto es como el sexo... Primero viene la atracción, y tú te basas en ella; luego vienen los preliminares, las emociones de la anticipación; y, finalmente, la explosión, el big bang.

—¿Quieres un cigarrillo?

—Me muero de ganas de fumar uno.

—De verdad estáis saliendo adelante con esto, ¿no?

—No tenía ni idea de que las ventas pudieran ser tan... estimulantes. Echa un vistazo.

Kate consultó su reloj. «Me quedan solo cuarenta y cinco minutos, pero, bueno..., estoy dispuesta a vivir algunas emociones baratas.»

Margo se apoderó de su muñeca y estudió las líneas finas y prácticas de su Timex de pulsera.

—¿Sabes? —dijo—. Podríamos sacar un buen precio de esto.

—Contrólate, Margo.

Sí..., ya lo intentaba. Pero, de vez en cuando, a lo largo del día, tenía que buscar algún rincón tranquilo para disfrutar un instante de su éxito. Tal vez sus emociones estuvieran moviéndose a demasiada altura y en un círculo demasiado amplio, como los movimientos de un bateador deseoso de anotarse un tanto, pero en aquel momento eso no la importaba. Si notaba de vez en cuando una punzada de dolor cuando alguna de sus preciosas cajitas de porcelana iba a parar al interior de una caja de cartón dorado con letras de plata, la acompañaba asimismo una sensación de triunfo.

La gente había acudido. Y por cada uno que dejaba escapar

una risita, había otro que expresaba su admiración, y un tercero que compraba algo.

Hacia las tres, cuando tuvieron un rato de calma, sirvió dos tazas del té que habían estado ofreciendo a los clientes a lo largo de toda la mañana.

—No estoy sufriendo una alucinación, ¿verdad?

—No…, a menos que la estemos sufriendo las dos. —Laura torció el gesto y se frotó los dedos de los pies—. Y me duelen demasiado los pies para que todo esto sea un sueño. Creo que lo hemos conseguido, Margo.

—No digamos aún eso. Podríamos gafarlo. —Con la taza en la mano, fue hacia un jarrón con rosas para ponerlas bien—. Pienso que esto puede ser solo una jugarreta del destino para burlarse de nosotras. Darnos unas horas de éxito. Hemos de tenerla abierta otras tres horas más, y… ¡al infierno con estas bobadas! —Giró sobre sí misma—. ¡Hemos triunfado! ¡Somos la repera!

—Deseaba verte más entusiasmada, Margo…, y ojalá pudiera quedarme y cabalgar contigo en la siguiente ola. —Con una mueca en la cara, Laura consultó su reloj—. Pero las niñas tienen clase de danza. Lavaré las tazas antes de irme.

—No, deja… Ya me ocuparé yo de ellas.

Se abrió entonces la puerta, dando paso a un grupo de quinceañeras que fueron derechitas al mostrador de las joyas.

—Tenemos clientas —murmuró Laura y se puso a recoger ella misma las tazas—. Tenemos clientas —repitió sonriendo—. Trataré de estar aquí mañana a eso de la una. —Eran tantas sus obligaciones y estaba tan preocupada por lo que tardaría en comenzar a caérsele todo…—. ¿Estás segura de que podrás arreglártelas llevando la tienda tú sola?

—Acordamos desde el principio que tú trabajarías solo a tiempo parcial. Voy a aprender a llevarla. Vete tranquila.

—En cuando haya lavado estas tazas. —Se paró, se volvió—. ¿Sabes, Margo? Ya no recuerdo cuándo fue la última vez que me divertí tanto.

«Ni yo», pensó Margo. Pero, al observar a sus jóvenes clientes, empezó a dibujarse en sus labios una sonrisa. A las quinceañeras que llevan zapatos de diseño les dan generosas semanadas…, y sus padres tienen Visas Oro. Así que cruzó el local hasta el mostrador y se colocó detrás de él.

—Hola, señoritas… ¿Puedo enseñarles algo?

A Josh no le importaba trabajar muchas horas. Podía hacerlo encadenado a una mesa o sepultado bajo un montón de papeleo. Aunque eso no resultara tan interesante como pasar volando los continentes para ajustar las tareas de una activa cadena hotelera y sus empresas subsidiarias, podía hacerlo con buen ánimo.

Pero lo que verdaderamente lo cabreaba era que lo tomaran por necio.

Y cuanto más tiempo pasaba en el apartamento del ático estudiando los archivos generados por las empresas Templeton de California, más convencido estaba de que eso precisamente era lo que había hecho con él Peter Ridgeway.

Y lo había hecho bien. No había manera de demandarlo legalmente por malversación de fondos, trato incorrecto del personal o saltarse a la torera las normas. Pero todas estas cosas caracterizaban sus actuaciones. Bien es verdad que Peter las había justificado aludiendo a factores tales como su racionalidad, a su posición y al aumento de beneficios que generaban sus cambios.

Pero Templeton no había sido nunca una organización cuyas motivaciones se fundaran exclusivamente en los beneficios. Era una empresa familiar, gestionada a lo largo de doscientos años con el respeto a una tradición que se enorgullecía de su humanidad y de su compromiso con las personas que trabajaban en y para ella.

Ridgeway había aumentado los beneficios, sí, pero lo había hecho cambiando el personal, reduciendo el número de empleados a tiempo completo en favor de los trabajadores a tiempo parcial. Y, consiguientemente, privándolos de las gratificaciones que les correspondían y recortando sus nóminas.

Había negociado nuevos acuerdos con los mayoristas y con los distribuidores de productos, y como resultado de ello había bajado la calidad de las cocinas del personal. Los descuentos para los empleados en las reservas y en las tiendas del hotel habían sido reducidos, con lo que habían disminuido los incentivos que la empresa ofrecía tradicionalmente a la gente de Templeton en el uso de los servicios de Templeton.

Paralelamente, su propia cuenta de gastos se había ido incrementando. Sus gastos de comidas, lavandería, diversiones, flores, viajes… habían crecido sin pausa. Incluso había tenido la caradura de cargar a Templeton su viaje a Aruba como un gasto de representación.

Fue, pues, una satisfacción para Josh cancelar las tarjetas de crédito de Peter a nombre de la empresa, aun cuando pensara que era ya un poco tarde, demasiado tarde.

Después de todo, más hubiera valido haberle apuntado a las pelotas, pensó, mientras se reclinaba en el respaldo y se frotaba los cansados ojos.

Costaría meses reconstruir el clima de confianza entre el personal. Se requerirían una elevada cifra en concepto de gratificación y un montón de halagos para reintegrar de nuevo a su puesto al anterior jefe de personal, que se había ido bufando por las interferencias de Ridgeway. Añádase a eso que, enterrada en los archivos de Peter, Josh había encontrado también una carta de dimisión del veterano conserje del Templeton San Francisco, junto con otras más. Algunos podrían ser recuperados, pero a otros los habían perdido y estaban ya trabajando para la competencia.

Ninguno de ellos había recurrido a él, ni tampoco a sus padres. Tal vez porque creían, justificadamente, que Peter Ridgeway era un miembro de la familia situado en un importante cargo y contaba con la plena confianza del grupo Templeton.

Josh se aflojó la corbata y trató de no pensar en la enorme tarea que tenía delante, Alguien iba a tener que hacerse cargo de sus responsabilidades en Europa, al menos temporalmente. Él no podía marcharse de allí ahora.

El apartamento del ático era ya más suyo que de Ridgeway. Siguiendo las preferencias de Josh, los recargados muebles habían sido reemplazados por antigüedades norteamericanas y españolas, con asientos generosamente mullidos, más acordes con la decoración del Templeton Monterey. Después de todo, el hotel y su decoración se adaptaban a la historia de la región. El centro de vacaciones seguía más decididamente el modelo de la California española, pero el hotel se hacía eco de ella también en la ornamentación de su fachada, el murmullo de sus fuentes y la exuberancia de sus jardines. En el vestíbulo predominaban los rojos profundos y los dorados, con un mobiliario de pesadas sillas, alargadas mesas, bronces que le hacían a uno parpadear y suelos de brillante cerámica.

Había palmeras en macetas, como el que Josh había elegido para adornar un rincón de su despacho: un enorme macetón de arcilla cocida que requería el esfuerzo de los fornidos brazos de dos hombres para levantarlo del suelo.

Siempre había pensado que el Templeton de París era más femenino con su ornamentación elegante y airosa, y que el Templeton de Londres tenía mayor distinción y era más «británico» con su característico vestíbulo a dos niveles y su confortable saloncito de té.

Pero por el de Monterey, en definitiva, sentía tal vez un cariño especial. No porque se viera a sí mismo ocupando un despacho allí, aunque el escritorio fuera un Duncan Phyfe y desde él, con solo girar levemente la cabeza, se le ofreciera una visión desdibujada de aquella costa que quería tanto.

No le importaba que los de fuera lo consideraran el vástago trotamundos del fideicomiso familiar. Porque él sabía muy bien lo que era. El apellido Templeton no era meramente una herencia: era una responsabilidad. Y él había trabajado duro y eficazmente para estar a la altura de esa responsabilidad, para aprender a no ser meramente un propietario, sino a dirigir y expandir una compleja organización. Se esperaba de él que aprendiera a dirigir hoteles desde lo más básico, y eso era exactamente lo que había hecho. Pero, haciéndolo, había desarrollado su respeto y su admiración por las personas que trabajaban en las cocinas, recogían las toallas húmedas tiradas en los suelos de los baños o tranquilizaban a los fatigados y agobiados huéspedes que acudían a los mostradores de recepción.

Valoraba las horas que se dedicaban a las relaciones públicas y a ventas, así como frustraciones de tener que tratar con convenciones demasiado numerosas y con delegados excesivamente agobiados.

Pero había un principio esencial, y ese principio era el sello propio de Templeton. Si algo iba mal, lo que fuera, y necesitaba ser arreglado, facilitado, mejorado, él estaba dispuesto a hacerlo. Y había muchas cosas que arreglar, que facilitar, que mejorar en California.

Pensó en levantarse de su mesa y prepararse un café, o llamar simplemente al servicio de habitaciones para que se lo trajeran. Pero no tenía energía para hacer ni lo uno ni lo otro. Y había enviado ya a casa a la secretaria contratada temporalmente para ayudarle, porque lo ponía nervioso verla dar vueltas de un lado para otro revolviéndolo todo como un cachorrillo deseoso de mostrarse útil. Si iba a tener que quedarse detrás de un escritorio en un futuro previsible, necesitaría una ayudante ejecutiva capaz de acomodarse a su paso y que no pusiera ojos de terror cada vez que él le diese una orden. Iba a tener que devolver a aquella secretaria interina al *pool* de secretarias de la empresa y contratar personalmente a otra.

Pero, de momento, estaba bien solo.

Conectó su ordenador portátil y empezó a redactar un informe dirigido a todos los jefes de departamento, del que enviaría copia a sus padres y a los miembros del consejo de administración. Le costó media hora dejarlo listo. Mandó por fax el texto a sus padres, añadiendo una nota personal. Imprimió las copias y lo dispuso todo para que fueran entregadas a los interesados enseguida o a la mañana siguiente.

Como no existía ninguna razón para demorar el asunto, convocó a los jefes de departamento a una reunión en el hotel a las once de la mañana, y a otra, a los del centro de vacaciones, a las dos. Aunque ya eran más de las seis, intentó ponerse en contacto con el abogado de la empresa y le dejó un mensaje en su buzón de voz subrayándole que era urgente que se vieran y citándolo para una entrevista en su despacho del ático a las nueve en punto de la mañana.

Era muy probable que Ridgeway planteara una querella por despido improcedente, por lo que Josh quería tener bien estudiados sus fundamentos.

Volviendo al teclado, empezó a redactar una nueva nota reinstaurando los anteriores descuentos a los empleados. Comprendía que eso era algo que podrían ver todos de inmediato y tenía la esperanza de que semejante medida contribuiría a levantarles la moral.

De pie en el umbral de la puerta, Margo lo observaba. Era una agradable sorpresa descubrir que verlo trabajar de esa forma le resultaba excitante. La corbata floja, el pelo desgreñado por haberse pasado los dedos por él repetidas veces, la oscura y concentrada intensidad de sus ojos tenían la virtud de hacerla vibrar.

Era extraño que jamás se le hubiera ocurrido pensar que Josh podía tomarse algún trabajo en serio. Y que nunca se hubiera dado cuenta de que un hombre serio en su trabajo podía provocarle tanta excitación.

Tal vez fueran los meses de castidad que se había impuesto a sí misma, o los embriagadores éxitos del día. O tal vez fuera el mismo Josh..., y lo hubiera sido siempre. Pero en aquel momento no tenía ninguna importancia para ella el motivo que fuera. Había ido allí buscando solo una cosa: un buen, apasionado y sudoroso rato de intimidad sexual. Y no pensaba marcharse sin él.

Sin hacer ningún ruido, cerró la puerta a su espalda y corrió los cerrojos.

—Bueno, bueno… —murmuró cuando su pulso pegó un brinco al ver que la cabeza de él se erguía de pronto como la de un lobo al olfatear a su compañera—. El heredero en pleno trabajo… Todo un cuadro.

Y, puesto que sabía exactamente cuál era la imagen que componía ella —Dios era testigo de lo mucho que le había costado conseguirla— avanzó hasta su mesa contoneándose. Colocó encima del secante una botella de champán Cristal helado y apoyó una cadera en el borde de la mesa—. ¿Interrumpo algo? —preguntó.

La mente de él se había quedado completamente en blanco en el momento en que la vio avanzar hacia él. Hizo lo que pudo para responderle:

—Sí, pero no permitas que eso te detenga. —Miró la botella y después volvió a mirar su rostro brillante—. Vale…, ¿cómo os fue el día?

—Oh…, nada que valga la pena mencionar. —Se inclinó sobre la mesa y después se deslizó sobre ella ofreciéndole una tentadora visión de su escote, con su sujetador de encaje color perla y el surco entre sus pechos—. Solo quince mil dólares en ventas. —Lo repitió a gritos, alargando la mano para tirar de sus cabellos—. ¡Quince mil seiscientos setenta y cuatro dólares con dieciocho centavos en ventas!

Saltó de la mesa y se puso a dar vueltas sobre sí vertiginosamente.

—¿Sabes cómo me sentí la primera vez que vi mi cara fotografiada en la cubierta de *Vogue*? Pues así estoy yo hoy exactamente. Como loca. Cerré las puertas a las seis, y descubrí entonces que nos había quedado media botella de champán abierta…, así que me la bebí yo sola, directamente de la condenada botella. Pero entonces me di cuenta de que no quería beber sola. Abre la botella, Josh. Emborrachémonos los dos y hagamos locuras.

Se levantó y se puso a desgarrar el papel de estaño. Tenía que haberse dado cuenta ya de que aquel brillo en su mirada se debía, en parte, a la acción de las burbujas.

—De lo que acabas de decir deduzco que tú ya has bebido lo tuyo…

—Solo estoy medio trompa.

El tapón saltó festivamente.

—Esto lo arreglará.

Fue a la cocina, colocó la botella en la encimera de granito coloreado y buscó luego vasos en el armarito acristalado de roble.

—Eso es lo que tú haces, ¿verdad? Arreglar cosas. A mí me has arreglado, Josh. Te lo debo.

—No. —Él no quería eso—. Lo has hecho tú misma.

—Digamos que empecé. Pero aún no he acabado. —Hizo tintinear su vaso con el de él—. Eso sí…, ¡menudo comienzo!

—¡Por Vanidades, pues!

—Ya puedes apostar tu precioso culo… Sé que no será así todos los días. No puede ser. —Animada con nueva energía, regresó al despacho—. Kate dice que podemos prever que las ventas caigan primero y, después, se estabilicen. Pero a mí no me importa. Vi cómo esa mujer extraordinariamente fea daba pasos de baile con uno de mis armanis, y no me importó.

—Eso es bueno para ti.

—Y yo… —Su voz se entrecortó, ahogada, y dejó el vaso en la mesa, como acometida por un ataque de pánico.

—No hagas eso. No llores. Te lo suplico.

—No es lo que tú piensas.

—No me salgas ahora con esa bobada de las lágrimas de felicidad. Para mí son todas iguales: mojan y hacen que me sienta un canalla.

—Es que no puedo contenerme. —Como defensa bebió

un nuevo trago de champán; se sorbió la nariz—. Ha sido así todo el día. A ratos, era como si estuviese bailando sobre el tejado… un minuto…, y al minuto siguiente berreaba a lágrima viva en el cuarto de baño. Estoy vendiendo trozos de mi vida… ¡y eso me da tanta tristeza…! Y la gente los está comprando…, ¡lo que hace que me sienta inmensamente dichosa!

—¡Señor…! —Frustrado, Josh se restregó la cara con las manos—. Vamos a cambiar el champán por café…, ¿te parece?

—Oh, no…—Chisporroteando de nuevo, se alejó de él bailoteando—. Estoy de celebración.

—De acuerdo. —Cuando desfalleciera, metería su borracho y seductor cuerpo en su coche, y la llevaría a Templeton House. Pero, por ahora, tenía todo el derecho a celebrarlo, a envanecerse y a hacer el ridículo. Se sentó en el escritorio y levantó su vaso una vez más—. Por las mujeres feas vestidas con armanis de segunda mano.

Margo bebió su vaso y dejó que el champán le bajara por la garganta burbujeando.

—Por las quinceañeras con padres ricos e indulgentes —dijo.

—Que Dios las bendiga.

—Y por los turistas de Tulsa.

—¡La sal de la tierra!

—Y por los viejos con ojos de halcón que saben apreciar las piernas largas de las chicas que lucen minifalda… —Cuando lo vio mirar el fondo de su vaso con el ceño fruncido, sirvió más champán a los dos—…, y que pagan en efectivo por un juego de té de porcelana de Meissen y algún coqueteo inocente.

Antes de que ella pudiera beber otro sorbo, la sujetó por la muñeca.

—¿Hasta qué punto inocente? —preguntó.

—Permití que me hiciera una carantoña en la barbilla. Si hubiera comprado el jarrón Raku japonés, podría haberme dado un pellizco…, en las dos mejillas. ¡Es tan precipitado todo…!

—La carantoña…

—No —rió feliz—. La venta. No tenía idea de que la encontraría tan excitante. Tan… emocionante. —Giró hacia atrás, salpicando de champán a los dos antes de que él pudiera quitarle el vaso de la mano y ponerlo a salvo a un lado—. Por eso vine a buscarte.

—Viniste a buscarme —repitió él, demasiado cauto para seguir adelante y demasiado necesitado para retroceder.

Con una risa grave Margo deslizó las manos por la pechera de su camisa hasta alcanzar sus hombros y hundirlas luego en sus cabellos.

—Pensaba que podrías acabar tú el trabajo.

«Está algo más que medio trompa», calculó Josh, y se recordó a sí mismo que tenía que tener en cuenta las reglas. Pero no podía pensar en ellas.

—¿Qué quieres que venda? —preguntó.

Ella rió de nuevo y atrajo la boca de él a sus labios en busca de un beso apasionado.

—Cualquier cosa que sea —dijo—. Estoy decidida a comprarla.

Él despegó los labios en busca de aire, quiso hacerla entrar en razón.

—Se te ha metido demasiado champán en el cerebro, duquesa. Puede que este no sea el mejor momento para que hagamos negocios tú y yo…

Margo se desembarazó al instante de la corbata de él y se la echó por encima del hombro mientras su boca seguía peleando con la de Josh.

—Es el momento perfecto —dijo—. En este instante te comería vivo… a grandes…, a enormes… mordiscos.

—¡Señor…! —¡Qué difícil era conservar la razón, cuando toda la sangre abandonaba tu cabeza!—. Dame diez segundos… —Su boca chocó contra la de ella mientras Margo tiraba de su camisa y conseguía liberarla de la cintura—… y dejará de importarme en absoluto si estás bebida o sobria.

—Ya te he dicho que estoy solo medio borracha. —Echó la cabeza hacia atrás para que él pudiera verle los ojos. Los tenía llenos de risa y de deseo—. Sé exactamente lo que estoy haciendo y con quién voy a hacerlo. ¿Qué dirías si te sugiriera que consideremos esa pequeña apuesta nuestra un empate?

Él ya estaba ocupado en tratar de desabrocharle los botones de la chaqueta aun antes de darse cuenta de que sus dedos hurgaban en los ojales.

—¿No habías dicho también que me odiabas?

—Probablemente fue un error. —Le atacó la garganta con los dientes—. Un terrible, un terrible error. ¡Por Dios, Josh…! ¡Pon tus manos sobre mí de una vez!

—Ya lo intento. —Consiguió finalmente quitarle la chaqueta mientras los dos entraban tropezando en el dormitorio.

—Esfuérzate más. —Se sacó los zapatos con los pies, pisó sobre ellos y los lanzó de un puntapié contra la pared. Cuando las manos de él se movían bajo su falda y subían todo lo alto que las impulsaba a llegar su codicia, se echó hacia atrás—. No pares —jadeó—; hagas lo que hagas, no te detengas.

—¿Quién se detiene? —Desesperado, la levantó sobre sus propios pies, de forma que la boca de él quedó muy próxima de los pechos cubiertos de encaje. Gimió ella una vez y se agarró a sus cabellos tratando de mantener el equilibrio—. ¿Sabes…? Esto podría acabar con nuestra amistad.

—Yo ya no quiero que sigamos siendo amigos… —farfulló él con la boca llena de aquella carne suave y ardiente.

—Ni yo —pudo decir ella cuando los dos caían sobre la cama.

Margo siempre había considerado el sexo como uno de los extravagantes premios que la vida podía ofrecer, en los que el acto en sí rara vez se adecuaba a las expectativas. No parecía, ciertamente, demasiado digno que dos personas se pusieran a jadear como perros, buscándose frenéticamente a tientas la una a la otra. Era, despojada de todas sus fruslerías, una experiencia ridícula por más que temporalmente satisfactoria.

Pero nunca había hecho el amor con Josh Templeton.

Había habido jadeos, tocamientos e incluso algunas risas. Pero Margo estaba a punto de descubrir que la realidad podía a veces ir mucho más allá de cualquier expectativa.

Al minuto siguiente de que su cuerpo quedara inmovilizado debajo del de él, todo se desbocó en su interior. Sentía un salvaje deseo de él, ansia de sentir sobre ella las caricias de unas fuertes manos de hombre, de probar el ardor y la inconsciencia de una boca hambrienta, de escuchar el sonido animal de la carne golpeando la carne.

La luz que provenía del despacho entraba de refilón en el dormitorio y cruzaba la cama en diagonal, de manera que los dos rodaban de la luz a la sombra y volvían de nuevo a la luz. Pero no había nada inocente en su lucha: estaba llena de determinación, de desesperación, de tensa codicia. Margo podía verla en la negra intensidad de sus ojos, en el incesante fuego con que los tenía fijos en ella. Pudo sentir bajo sus manos los tensos músculos de los hombros de él, momentos antes de arrancarle la camisa y apartarla, para erguirse sin que nada le impidiera saborearlos.

Cuando él tiró, impaciente, de su falda para bajarla por sus caderas, Margo pensó: «Ahora». Ahora ya sin odio, y arqueó el cuerpo para recibir el suyo. Pero él tiró de sus piernas para ponerla de rodillas y abrió a fuerza de besos todos sus sentidos.

Besos voraces, apasionados, aplicados con la lengua y los dientes, y el frenético roce de un torso con otro separados solo por una fina capa de seda entre las carnes sudorosas. Ella se mecía frotando su cuerpo anhelante contra el de él, mientras aquellas manos varoniles y sabias calmaban, arañaban o atormentaban su piel. Pensó que pudiera estar ardiendo por dentro, y buscó a tientas su sexo.

Él, entonces, abarcó con ambas manos sus senos, introduciendo los dedos bajo la seda y llenándola en su interior de un fuego suave que la llevó dura e implacablemente más allá del límite. Hasta hacerla sentir de pronto el placer como un géiser que brotaba de ella y extendía oleadas por todo su cuerpo, que la impulsaron a clavarle con saña las uñas en los hombros.

Antes de darle tiempo a tragar aire, él la tendió de espaldas en la cama para devorarla.

Había querido tenerla así, exactamente así: ciega, presa del frenesí, ardiendo por él… Había soñado con ello, con la forma como se movería bajo su cuerpo, con los sonidos que emitiría, e incluso con el olor de su piel cuando el deseo se manifestara en temblores.

Ahora la tenía, y ni siquiera eso le parecía suficiente.

Quería deshacerla centímetro a centímetro, sentir cómo se abría; oír cómo gemía por él. Sus propios anhelos eran brutales, irracionales: surgían a través de su sangre como pequeños y feroces demonios camino del infierno.

Ella se aferraba a él, envolviéndolo con aquellos maravillosos miembros suyos, sacudiéndolo a través del muro de su propia locura.

Le arrancó la blusa y desnudó sus pechos para tenerlos a merced de su boca hambrienta y de sus dolorosas caricias; luego se sació ávidamente en ella.

Era una guerra ahora, librada con gemidos y jadeos y ansias que chocaban como espadas. Ella rodaba, su escurría, intentaba quitarle los pantalones…, hasta que, con un grito de triunfo consiguió rodearle el sexo con sus largos y suaves dedos.

A él se le nubló entonces la visión. Temió por un instante que pudiera simplemente eyacular como un primerizo a la primera arremetida del placer. Entonces se fijó en su cara, vio en ella su lenta y taimada sonrisa y se prometió a sí mismo que por nada del mundo la permitiría vencer.

—Quiero tenerte dentro de mí —susurró ella, aunque los pulsos le latían como si tuviera una herida—. Quiero sentirte en mi interior. Penétrame.

«¡Dios bendito…!» Josh era grande, fuerte como un roble…, pero ella quería, quería, quería… Por su rostro se extendió una sonrisa cuando Josh acercó su boca a la de ella.

—Todavía no. —Y cuando Margo tomó aire para protestar, él la detuvo y volvió a la carga.

Al clímax sucedió un nuevo clímax, como olas que montan unas sobre otras, dejándola a ella sin aliento y jadeando en busca de aire. Y en el momento en que ella anhelaba frenéticamente la siguiente cumbre, él la penetró.

Una nueva y atroz energía estalló en su interior, impulsada por un nuevo e inexplicable deseo. Vibró en su garganta un gruñido salvaje mientras le levantaba las caderas tensándose más. Como respuesta, ella cerró las piernas a su alrededor, arqueando la espalda. Cada movimiento de él era como un martillazo en el corazón, que maltrataba a ambos.

Ya no podía verla. Ansiaba desesperadamente ver su rostro, verlo en el momento en que los dos se encontraban y unían. Pero el animal se había impuesto en ellos y ahora estaba ciego, sordo, insaciable.

Sus ojos no veían más que una neblina roja que era tanto de furia como de pasión. E incluso esta se desvaneció cuando el vicioso clímax se rompió en su interior y lo dejó vacío.

13

Pensó que había visto estrellas. Probablemente fuera cosa de su imaginación: una latente vena romántica que no tenía conciencia de poseer.

Aunque lo más probable es que fuera una reacción física al alcanzar el borde del desvanecimiento. Porque lo que habían hecho —decidió Margo con perezoso placer— se aproximaba mucho a follar matando.

Se hallaban los dos tendidos encima de la cama: dos víctimas de guerra, agotadas, sudorosas, marcadas con las heridas de la batalla. Con intrigada sorpresa, pensó, mientras se pasaba la mano por el sudado torso, que Josh debía de haber sido el más valioso de sus oponentes.

Cuando consiguió reunir suficientes fuerzas para moverse, volvió la cabeza hacia él y le sonrió con afecto. Estaba tumbado sobre su estómago, bocabajo. No se había movido desde que, rodando, salió de encima de ella y aterrizó allí como trucha recién sacada del río.

Debía de estar dormido, y se pondría a roncar en cualquier instante, pensó. ¡Son tan previsibles los hombres…! Pero la verdad era que se sentía demasiado perezosa y satisfecha para irritarse por eso. Después de todo, ella no era la clase de mujer a la que se amartelan los hombres, en particular después de haber practicado el sexo con ella. Vaciarlos de todas las señales de vida era solo una de sus pequeñas habilidades.

Sonrió desperezándose. Aun así…, la había sorprendido.

Jamás dejaba que un hombre llegara tan lejos como para obligarla a suplicar. El sexo rudo, inconsciente, le dejaba la sensación de ser una gata con los bigotes mojados de leche; pero había habido unos pocos momentos —tal vez más que pocos— en los que se había sentido casi espantada de lo que él era capaz de sacar de ella misma.

«¡El bueno de Josh…, pobre!», pensó. Pero luego su mirada recorrió aquel cuerpo espigado, desnudo, y su pulso comenzó a latir acelerado. El apuesto, el atractivo, el fascinante Josh… Era hora de moverse, se dijo, antes de que todo terminara con una herida de la que jamás sería capaz de librarse.

Se sentó en la cama, le dio un amistoso azote en las posaderas y después dejó escapar un risueño chillido cuando él alargó su brazo desnudo y la tumbó nuevamentre de espaldas.

—He acabado contigo, compañero. —Le estampó un beso en el hombro—. Tengo que irme.

—Uh, uh… —Para su sorpresa, él la atrajo hacia sí, moviéndose hasta conseguir tenerla acurrucada a su lado.— Tengo la sensación de que los dedos de mis pies comienzan a revivir. ¡Quién sabe qué será lo próximo!

—Tenemos suerte de haber salido vivos. —Josh hundió la cara en sus cabellos, acariciándolos de nuevas y embriagadoras maneras. Tras unos instantes de duda, ella tendió un brazo sobre su pecho—. Tu corazón sigue latiendo con fuerza —observó.

—¡Gracias a Dios! Por un momento temí que se me hubiera parado. —Perezosamente, comenzó a deslizar una mano por su pierna: primero subiendo, bajando de nuevo la caricia después—. ¿Margo?

Ella tenía ya los ojos casi cerrados. ¡Era tan dulce sentirse retenida así, escuchar el murmullo de su voz…!

—¿Sí?

—Definitivamente, te rendiste.

Margo abrió penosamente los párpados y lo encontró observándola con una sonrisa en la boca.

—No quise herir tus sentimientos. ¡Parecía tan importante para ti...!

—Uh, uh... No es que yo las contara, claro...: —Josh enrolló con el dedo un rizo de sus cabellos—... Pero te corriste cinco veces.

—¿Solo cinco? —Le dio un cachete en la mejilla—. No te lo reproches. Había sido un día muy largo para mí.

Él se subió rodando encima de ella, y vio centellear la sorpresa en sus ojos.

—Bueno..., puedo hacerlo mejor.

—¿Eso crees? —Hizo un mohín con los labios y le echó los brazos al cuello—. Te desafío a que lo intentes.

—Tú ya conoces a los Templeton... —le acarició la curva del labio inferior—. Somos incapaces de desdeñar un reto.

Cuando despertó, la habitación estaba a oscuras y ella en la cama, sola. La sorprendió que él hubiera saltado de la cama. No se habían soltado el uno de la otra durante más de cinco minutos en toda la noche. Cuando buscó con la mirada y vio el resplandor rojo del despertador, se dio cuenta de que no había dormido mucho más que eso. Apenas pasaban la seis, y la última vez que se derrumbaron, rendidos, era tan solo un cuarto de hora antes.

Por mucho que los periodistas escribieran con regodeo acerca de sus conquistas, ella, hasta entonces, jamás había pasado una noche entera haciendo el amor. No creía que fuese físicamente posible. Así que ahora, al cambiar de postura para incorporarse y notar que se quejaban todos y cada uno de los músculos de su cuerpo, comprobó que, si bien era físicamente posible, no era en absoluto prudente.

Y puesto que había tenido que salir de cama arrastrándose, al pie de la letra, agradeció no haber tenido espectador. Probablemente Josh se hubiera metido con ella con alguna broma maliciosa al respecto.

En las condiciones en que se sentía, estababa lista para arrojar la toalla; un orgasmo más podría matarla.

Y ahora, además, era una mujer de negocios. Era hora de dejar a un lado la diversión y los juegos y disponerse a encarar el día. Escuchó su propio gemido cuando empezó a caminar por la habitación. El simple presionar un botón había hecho que las cortinas se abrieran para dar paso a una deslumbrante vista de la costa, la curva de la playa, los taludes rocosos cayendo hacia el mar. La luz lechosa del amanecer lo inundaba todo…, y le evitó un doloroso tropezón con un ficus plantado en un macetón de cobre con el que hubiera podido romperse un dedo del pie.

Había dos, en realidad, como observó luego con los ojos un poco adormilados aún. Dos plantas de hojas delicadas que flanqueaban a los lados el amplio ventanal y que daban un toque hogareño al flamante lujo de las butacas tapizadas con brocado de color marfil. En la brillante superficie de las mesas de roble se reflejaban algunos pequeños objetos de él; unos gemelos, algunas monedas, llaves…

Vio que había dejado un peine sobre la cómoda. Junto a él había un frasco de colonia y una gruesa agenda negra. Imaginó que tendría anotados en ella los nombres y números de mujeres de cada zona horaria del globo.

Se vio a sí misma reflejada en el espejo, desnuda, resplandeciente aún en la mañana posterior a una agradable noche de buen sexo. «Bueno… —se dijo—, yo estoy aquí ahora. Y las otras, no.»

Sus párpados, que aún rechinaban al intentar abrirlos del todo, dieron paso a unos ojos que casi se mostraron redondos como platos cuando se fijaron en la cama que tenía detrás y que se reflejaba también en el espejo. ¿Cómo podía haber estado tan absorta con Josh para no haberse fijado siquiera en aquella cama? Se habían estado amando toda la noche en un colchón que tenía las dimensiones de un lago, encajado entre un cabezal y unos pies de bronce, sutilmente curvos para contener unas sábanas de color verde jade.

Pero la elegante simplicidad de aquella habitación en colores jade y blanco, con los resplandecientes toques del bronce y el oro, iba perfectamente a Templeton. Al hotel y al hombre.

Encontró uno de los albornoces blancos de afelpado rizo que el hotel dejaba en el armario, y se envolvió en él. La perspectiva de una larga ducha caliente casi la llenó de añoranza, pero su curiosidad pudo más y la llevó a acercarse primero a la puerta y abrir una rendija después.

Josh estaba allí, con solo unos arrugados pantalones, que aún no se había molestado en abrochar. Había abierto las persianas para que una frágil luz penetrara en la habitación y tenía un teléfono móvil pegado a su oreja mientras caminaba por ella con los pies descalzos.

Hablaba en francés.

Y… ¡Dios, qué apuesto era!, pensó Margo. No precisamente por sus maravillosos cabellos cortos y rubios, por su espigado y esbelto cuerpo…, sus elegantes manos, tan sorprendentemente hábiles… Era por su manera de moverse, por el timbre de su voz, por el aura de poder que lo rodeaba y que ella había podido ver siempre tan de cerca.

Su francés era chapurreado, como mucho, y ella entendía poco de lo que decía. Pero no importaba: lo importante era la forma de decirlo, sus sonidos cálidos y amables, los gestos de la mano que añadía inconscientemente para subrayar las palabras.

Observó cómo se le contraían los párpados sobre sus ojos grises —irritación, impaciencia— antes de soltar lo que pudo haber sido una serie de órdenes o de imprecaciones. Luego se rió, y su voz se extendió como una suave capa sobre palabras agradables y exóticas.

De pronto Margo se dio cuenta de que estaba conteniendo la respiración, que tenía una mano apretada contra su pecho… como una adolescente soñadora escuchando la voz del capitán del equipo de fútbol.

Se recordó a sí misma que se trataba solo de Josh, y aspiró

deliberadamente una gran bocanada de aire, al tiempo que soltaba la mano y la dejaba caer con decisión por el costado. Fue solo cuestión de amor propio que se apoyara provocativamente en el marco de la puerta a esperar que hubiera terminado de hablar.

—*Ça va, Simone. Oui, oui, oui, c'est bien. Ah, nous parlerons dans trois heures.* —Hizo una pausa, escuchó…, fue hacia la ventana—. *Parce que ils sont les idiots.* —Soltó una risita—. *Non, non, pas de quoi. Au revoir, Simone.*

Desconectó el teléfono y se volvió hacia su mesa antes de descubrirla. Con los cabellos rubios cayendo en cascada, los ojos de un azul hechicero y un albornoz blanco apenas ceñido… Todos los sentidos de él se pusieron alerta.

—Un asuntillo que dejé pendiente en París… —explicó.

—Simone… —Sin dejar de mirarlo, Margo pasó una mano por la suave solapa del albornoz—. Dime una cosa… ¿Es tan… enigmática como su nombre?

—¡Oh, mucho más! —Se acercó a ella y deslizó sus manos dentro del albornoz—. Y, además, esta loca por mí.

—Cerdo —le murmuró Margo al tiempo que acercaba su boca a la de él.

—Y hace todo lo que le digo —añadió, empujándola de nuevo hacia la cama.

—¿No estás satisfecho? —Margo dio un regate y le pegó un codazo en la barriga. Cuando gruñó, se escurrió de entre sus brazos alisándose el pelo—. Necesito una ducha.

—Pues solo por eso no pienso decirte que tiene cincuenta y ocho años, cuatro nietos, y es la directora adjunta de marketing del Templeton París.

Margo lo miró por encima del hombro.

—No te he preguntado. ¿Por qué no pides algo de desayuno? Quiero estar en la tienda a las ocho y media.

Él la complació, y llamó al servicio de habitaciones para pedir que se lo trajeran al cabo de una hora. Decidió que eso le daría tiempo suficiente para meterse en la ducha con ella.

Margo le puso mala cara cuando lo vio reducir la presión del chorro de agua.

—Está solo tibia —se quejó él.

—Es lo mejor para la piel. Y me gusta ducharme en privado.

—Templeton es una empresa ecologista y hay que ahorrar agua. —Abrió más el mando del agua caliente, aun cuando ella le dio un golpe en la mano. Enseguida comenzó a salir vapor a su gusto, que empañó las brillantes paredes negras de la cabina—. Como vicepresidente, tengo el deber social de conservar nuestros recursos naturales. —Y, alargando el brazo, extendió espuma por los cabellos que ella había comenzado a lavarse.

La ducha era lo suficientemente amplia como para dar cabida a una fiesta de cuatro personas, se recordó a sí misma Margo. No existía ninguna razón, pues, para que se sintiera agobiada.

—Te has metido aquí solo porque crees que tendrás la misma suerte de nuevo.

—¡Cielos! ¡Esta mujer ve a través de mí! ¡Es mortificante! —Cuando Margo se volvió para acabar la tarea por sí misma, él se contentó con enjabonarle la espalda—. ¿Cuánto tiempo tarda en secarse todo este pelo? Son kilómetros y kilómetros...

—No es la longitud lo que importa, sino el grosor —dijo con aire ausente. Era una locura..., lo sabía. Aquellas manos suyas se habían deslizado, restregado, acariciado hasta el último centímetro cuadrado de su cuerpo. Pero semejante baño ritual le resultaba incómodamente íntimo.

Lo que le había dicho era la pura verdad: jamás se había bañado con sus amantes. Y solo había dormido con ellos, en el sentido literal de la palabra, cuando había elegido hacerlo. No era una mera cuestión de mantener el control, aunque también tenía parte de eso. Se trataba de mantener la imagen y la ilusión.

Ahora bien, con Josh no solo había pasado la noche sin haberlo decidido previamente, sino que ahora estaba compartiendo la ducha con él. Ya iba siendo hora, decidió, de poner unas cuantas cosas en su sitio.

Levantó la cabeza bajo el chorro de la ducha, para aclarar la espuma jabonosa. Cuando él le tendió el jabón y se volvió de espaldas, lo miró inexpresiva.

—Ahora te toca a ti —insistió Josh.

Los ojos de ella se contrajeron y destellaron enseguida cuando se le ocurrió una idea aviesa al advertir que Josh rechinaba los dientes al enjabonarle la espalda.

—Oh, lo siento… Esos arañazos deben de dolerte un poco aún.

Con las manos apoyadas en las baldosas, volvió la cabeza y la miró.

—Está bien… Me he llevado alguna caricia…

Sin darse cuenta casi, Margo le pasó suavemente las yemas de los dedos por ellos. Pensó que era una hermosa espalda. Musculosa, ancha a la altura de los hombros, estrecha en la cintura, con toda aquella extensión de suave y apetitosa piel entre aquellos y esta. Obedeciendo a un impulso, Margo estampó un beso entre sus omóplatos antes de salir de la ducha.

—¿Sabes, Josh…? Antes bromeaba cuando me referí a Simone. —Dobló el cuerpo, se envolvió el pelo en una toalla formando como un turbante con ella y, después, alargó la mano en busca de otra—. Los dos hemos tenido otras relaciones, y somos libres para seguir teniéndolas. No vamos a atarnos el uno al otro con lazos en este punto de nuestras vidas. —Tras ceñirse bien la toalla, sujetándola entre los pechos, empleó la leche corporal que Templeton ofrecía a sus huéspedes en un envase en forma de espiral en la repisa del baño. Apoyó un pie en el taburete tapizado y extendió la perfumada crema por sus piernas—. Ninguno de los dos estamos buscando complicaciones, y me sabría muy mal que arruináramos una sencilla relación haciendo promesas que jamás ampliaríamos.

Extendió crema por su otra pierna, canturreando por lo bajo al hacerlo.

—Tenemos una ventaja de la que la mayoría carece: nos conocemos tan bien el uno al otro, que no necesitamos jugar a ningún juego ni disfrazarnos con falsas apariencias. —Dirigió una mirada a la ducha, algo turbada por su silencio.

Él logró controlar la ira que comenzaba a hervir y a subirle por la garganta. Fue simplemente un ejercicio de autodominio. Pero la herida, las pequeñas y afiladas cuchillas que sus palabras indiferentes desencadenaban dentro de sus entrañas, eran otro asunto. Por estas, con gusto hubiera querido matarla.

Cerró el mando del agua con un giro de su muñeca y salió a través de la puerta de cristal doble que separaba la ducha del resto del cuarto de baño.

—Sí, duquesa…, nos conocemos bien —dijo, al tiempo que sacaba una toalla del colgador-calentador. Margo estaba de pie, delante y en el centro de la amplia repisa de dos metros y medio que se extendía por la pared del cuarto de baño; perfecta en la sencillez y elegancia de aquella decoración en blanco y negro, con la piel brillante por la loción que aún sostenía en la mano—. Por dentro y por fuera. ¿Qué objeto tendría para dos personas tan sofisticadas como nosotros confundir el amor con el sexo?

Ella se frotó los brazos. A pesar del vapor que lo llenaba todo, dio la impresión de que la estancia se había quedado helada de pronto.

—Eso no es exactamente lo que yo he querido decir. Estás enfadado…

—Mira, Margo…, ya me conoces. Está bien…, nada de lazos, ni juegos, ni pretensiones… —Se acercó a la repisa, apoyó las manos encima, y la dejó a ella enjaulada entre sus brazos—. Pero yo también tengo una norma que aplico a rajatabla: no comparto; mientras yo te esté follando, nadie más podrá hacerlo.

Ella dejó caer los brazos a los costados.

—Bien… Está muy claro. Y dicho con crudeza también.

—Así lo quieres tú. ¿Por qué disimular la cuestión con eufemismos?

—Solo porque te haya enfadado lo que he dicho, no hay razón para…

—¡Ya vuelves otra vez…! Ya estás intentando de nuevo ver a través de mí…

Margo se llenó los pulmones de aire para serenarse.

—… no hay razón para que ninguno de los dos nos enfademos. En primer lugar, porque no me gusta pelear antes de haber tomado por lo menos una taza de café. Y en segundo lugar, porque no he querido decir que saldría de aquí para ir a meterme enseguida en la cama de otro. En contra de lo que se piensa, no hago malabarismos con los hombres como si fueran teas flameantes. Simplemente he dicho que los dos somos capaces de seguir adelante, y que no habrá entre nosotros escenas desagradables.

—Tal vez a mí me gusten esa clase de escenas.

—Estoy empezando a darme cuenta. ¿Hemos acabado ya con esta?

—No del todo. —La sujetó por la barbilla—. ¿Sabes, duquesa…? Es la primera vez, desde que te pusiste una máscara mágica, que te he visto sin ella. —Con su mano libre, tiró de la toalla y dejó al descubierto sus cabellos, que cayeron mojados y revueltos sobre su pecho y hombros—. Sin tanto adorno y maquillaje.

—¡Para ya! —Trató de liberar su barbilla, furiosa de que le recordara que la había visto sin su habitual escudo.

—¡Eres tan condenadamente hermosa! —exclamó; pero sus ojos, más que admiración, mostraban una determinación sombría—. Tan solo hace unos pocos siglos te habrían quemado en la hoguera: nadie hubiera podido creer que tuvieras ese rostro, ese cuerpo, sin haber hecho un pacto con el demonio.

—No sigas. —Se preguntó si realmente aquella era su voz: tan débil, tan dispuesta a fundirse en palabras que no pretendía decir. Sus temblorosas manos tardaron un instante de más en evitar que la segunda toalla se deslizara y cayera al suelo—. Si crees que voy a dejarte…

—Déjame, ¡maldita sea! —Deslizó la mano entre las piernas de ella y la notó ardiente, húmeda, dispuesta—. Pediste que no hubiera entre nosotros falsas apariencias, Margo. Dime, pues, que no me deseas…, que no me estás deseando ahora mismo… —La sujetó por las caderas, moviéndola mientras se relajaba lentamente dentro de ella—. Si me lo dices ahora, te creeré.

Ella sintió cómo la arrebataba la avalancha del deseo. Y notó, por el negro resplandor de sus ojos, que él se daba cuenta.

—¡Maldito seas, Josh! —exclamó.

—Bueno…, seámoslo los dos, entonces.

Margo no tocó el desayuno. Simplemente porque se sentía demasiado alterada e insegura para compartir una comida civilizada con él después de las extremosidades a que se habían entregado los dos en la atmósfera llena de vapor del cuarto de baño. Pero ahora había vuelto a la tienda, se había puesto ropa limpia y preparaba té y café.

Comenzó por recurrir al café y, para cuando dio la hora de abrir las puertas, ya había bebido media cafetera. La cafeína estimuló sus nervios y gracias a ello pudo afrontar su primer día sola como vendedora.

Hacia mediodía, y a pesar de varias ventas que reforzaron su moral, tanto los ánimos como la energía comenzaban a flaquearle. Una noche sin dormir explicaba, sin duda, su fatiga, y ella sabía muy bien a quién debía imputar la responsabilidad de su enfurruñamiento: directamente al corazón calculador de Josh Templeton.

Le parecía insufrible la forma como se había encogido de

hombros y la había despedido con un aire ausente esa mañana: sentado tan tranquilo ante el desayuno, como si no hubiera habido entre ellos sexo salvaje y palabras airadas. No podía
servirle de excusa que su actitud fuera exactamente la que habían convenido los dos: eso no le impedía preocuparse por la
persistente certeza de que él estaba jugando a algún juego del
que no se había dignado informarla y cuyas reglas cambiaba a
medida que le convenía.

Estaba convencida de haber advertido en sus ojos un resplandor frío cuando levantó la vista de su café para mirarla.
Y estaba segura de que tenía una sonrisa calculadora en los labios momentos antes de que ella cerrara la puerta. Bueno…,
se marchara dando un portazo…, aunque esto no venía ahora
a cuento.

Entonces… ¿qué diablos tramaba? Porque lo conocía lo
suficiente para estar segura de que tramaba algo… Aunque…,
¡maldita sea!, estaba empezando a preguntarse si tenía alguna
idea de cómo era él en realidad.

—Perdón, señorita… Me gustaría ver esa gargantilla de
perlas.

—Oh, sí, naturalmente… —La voz la hizo actuar con rapidez y eficiencia para buscar las llaves, abrir el escaparate y
extender las brillantes perlas sobre un terciopelo negro…—.
Son preciosas, ¿verdad? Y están muy bien emparejadas.

Recordaba que habían sido regalo de un magnate de las na-
vieras, que tenía la edad suficiente como para poder haber
sido su abuelo. Jamás se había acostado con él aunque los periodistas lo habían pregonado a bombo y platillo mientras
duró su relación. Él solo buscaba una mujer joven y atractiva
con quien hablar…, alguien que le escuchara mientras le hablaba de la esposa que había perdido víctima del cáncer.

Había sido, en los dos años en que duró, algo poco frecuente en su vida: un amigo sincero. Y aquellas perlas fueron
solo el regalo de un amigo que tenía el corazón roto y que no
tardó en morir de esa dolencia.

—¿Es de oro de dieciocho quilates el cierre?

De repente, Margo sintió deseos de arrebatársela, de decirle a gritos que jamás podría tenerla. Que era suya: recuerdo de las pocas cosas desinteresadas y amables que había hecho en la vida.

—Sí —se obligó a responder con una sonrisa tan forzada que incluso le produjo dolor—. Italiana. Lleva estampado el contraste. ¿Querría usted probársela?

La mujer lo hizo, carraspeó, movió la cabeza a un lado y al otro, se pavoneó, pasó los dedos por encima… Y, finalmente, se la devolvió sacudiendo la cabeza. Margo volvió a guardar la gargantilla en el escaparate, como si se tratara de un secreto culpable.

Entraron unos turistas, que se pusieron a husmear entre sus tesoros, haciendo tintinear sin el menor cuidado la porcelana con el cristal, y la loza contra la madera. Margo perdió tres clientes en potencia cuando les informó, irritada, de que no tocaran las mercancías a menos de que estuvieran pensando adquirirlas.

Aquello despejó un rato la tienda…, lo suficiente para darle tiempo a subir al piso de arriba y meterse un par de aspirinas entre pecho y espalda. Cuando se disponía a bajar de nuevo se vio a sí misma reflejada fugazmente en el espejo.

Tenía el rostro hosco y ceñudo; la mirada, asesina. Sentía en el estómago las sacudidas de una ira reprimida.

«Con esa cara espantarás a todos tus clientes, Margo», se dijo.

Cerró los ojos, inspiró profundamente, visualizó una pantalla blanca y fría. Era una técnica que solía emplear en los pases de modelos, cuando una sesión se había prolongado excesivamente y tenían que intervenir de nuevo el peluquero y la maquilladora mientras esperaba el fotógrafo y los ayudantes no hacían más que quejarse.

Todo lo que ella tenía que hacer entonces era aislarse un minuto, recordarse a sí misma que podía y quería hacerlo: llenar la vacía pantalla con cualquier imagen de una actitud suya que ellos estuvieran deseando verla adoptar.

Más calmada ya, abrió los ojos y vio cómo se habían suavizado los rasgos de su rostro. Si la cabeza seguía doliéndole, nadie más que ella misma debería saberlo. Bajó la escalera dispuesta para recibir al próximo cliente.

Se sintió encantada cuando vio entrar a Judy Prentice, acompañada de una amiga. Les sirvió té y después, excusándose, fue a acompañar a otra clienta hasta un probador. A las dos descorchó la primera botella del champán que tenía para obsequiar a sus visitantes, y empezó a preguntarse qué podía ser lo que hacía que Laura se retrasara. Hacia las dos y media comenzaba a notar el cansancio, mientras luchaba por envolver un regalo: algo a lo se temía que jamás lograría pillarle el tranquillo. Fue entonces cuando irrumpió en la tienda Candy.

—¡Oh, qué tiendecita más adorable! —palmoteó con lindas manos y se acercó dando saltitos al mostrador en el que Margo luchaba con un rollo de cinta adhesiva—. Sentí muchísimo no haber podido venir el día de tu inauguración, Margo. Pero es que realmente no logré encontrar un huequecito en todo el día. Eso sí…, me propuse venir hoy sin falta.

Sobre todo, aunque eso no lo dijo, porque la tienda y sus propietarias habían sido el tema del día durante el almuerzo en el club.

—Voy solo a echar una miradita…, así que no te molestes. Ya procuraré comprar algo. ¿Verdad que es divertido? —le dijo a la mujer que aguardaba a que Margo acabara de hacerle el paquete—. Como una de esas típicas «ventas de garaje»… Oh, ¡qué cosita tan linda este tazón! —Se puso a toquetearlo, pasando los dedos sobre el vidrio fritado en busca de desportilladuras—. El precio es un poco alto…, para ser de segunda mano. —Con el tazón todavía en la mano, se volvió a Margo para decir con afilada sonrisa—: Supongo que los infláis para dejar a vuestros clientes un margen para regatear…

«No pierdas la calma», se previno Margo a sí misma. Candy estaba solo intentando exasperarla, lo mismo que hacía cuando iban las dos al instituto.

—Ajustamos mucho el precio de las mercancías que vendemos.

—Bueno… —dijo Candy con un encogimiento de hombros de indiferencia, y volvió a dejar el tazón donde estaba—. Supongo que yo no sé gran cosa acerca de precios. Solo sé cuándo me gusta algo y cuándo no. —Se fijó en un par de candelabros esmaltados—. Estos son…, algo fuera de lo corriente, ¿no?

—Tienen ustedes cosas preciosas —comentó la mujer que esperaba mientras Margo metía en una bolsa el paquete envuelto.

—Muchas gracias… —Margo rebuscó en su fatigada mente el nombre que figuraba en la tarjeta de crédito que había pasado hacía un rato—. Muchas gracias, señora Pendleton. Vuelva usted de nuevo.

—Lo haré, por supuesto. —La mujer aceptó la bolsa y vaciló un instante—. ¿Le importa si le digo que hoy he entrado aquí solo por las muchísimas veces que he visto su fotografía? He pasado mucho tiempo en Europa y la cara de la Margo está en todas partes.

—Estaba en todas partes. No, claro que no me importa; al contrario.

—Cambié a la línea Bella Donna de productos para el cuidado de la piel sobre todo por sus anuncios.

Margo no pudo evitar una leve crispación de su rostro.

—Espero que esos productos fueran de su entera satisfacción.

—Es una excelente línea de belleza. Como le decía, vine porque deseaba conocerla personalmente. Y volveré porque tiene usted cosas muy bellas y presentadas con mucha imaginación. —Deslizó la bolsa por el brazo mientras se disponía a alejarse del mostrador—. ¿Sabe? Pienso que es usted una mujer muy valiente y afortunada. —La señora Pendleton dirigió una mirada a Candy, que observaba con el ceño fruncido un pisapapeles—. Y digna de admiración, además. —Dicho lo cual, inclinó el cuerpo por encima del mostrador, con los ojos risueños—: Vigile que esa de ahí no le escamotee algo en el bolso Chanel que lleva al brazo. Tiene un aspecto sospechoso.

Margo, divertida, se despidió de la que desde entonces era ya su clienta favorita y se acercó a vérselas con Candy.

—¿Champán? —preguntó,

—¡Oh, qué buena idea! Me imagino que ofrecer bebidas gratis atrae a cierta clase de clientes… Ponme solo un dedo… ¿Cómo te van las cosas, querida?

—Bastante bien.

—Estaba admirando tus joyas… —Codiciándolas sería más exacto—. Debe de ser descorazonador para ti tener que venderlas.

—Ya sabes que mi corazón es frío como el acero, Candy… Recuerda.

—En lo que se refiere a los hombres —replicó Candy jovialmente, y volvió enseguida a la vitrina de las joyas—. Pero… ¿y para los diamantes? Yo diría que no. ¿Cómo te las has arreglado para conseguir todos estos pendientes?

—Hay cosas que es mejor no explicar ante una persona educada. ¿Quieres verlos de cerca? Considerando tu última sentencia de divorcio, yo diría que están a tu alcance. A menos, claro está, que dejar plantado a un marido no salga ahora tan rentable para la mujer como lo era antes.

—No seas maliciosa, Margo. Tú eres la que andas ahora vendiendo tus cosas. Y no, no me interesan alhajas de segunda mano. En realidad, me está costando mucho encontrar aquí algo que yo pueda llevar… Tu gusto es más…, digamos que es más… más liberal que el mío.

—¿No tienen suficientes dorados? Trataré de acordarme de tus gustos cuando tengamos que reponer nuestro surtido…

—¿De veras piensas seguir con esto en marcha? —Bebió un sorbo de champán y soltó una risita—. ¡Qué ingenua eres, Margo…! Todo el mundo sabe que tú jamás acabas nada. Estuvimos charlando en el club un grupito de nosotras a la hora del almuerzo, especulando acerca de cuánto durarías…

«El cliente no tiene razón siempre», pensó Margo, y dijo en voz alta:

—¿Recuerdas, Candy, aquella vez que te robaron todas tus ropas durante la clase de gimnasia, te encerraron en una taquilla y tuviste que permanecer atrapada allí dentro hasta que el señor Hansen, de Mantenimiento, serró la cerradura y te sacó en cueros y en pleno ataque de histeria? Tú, no el señor Hansen, claro…

Los ojos de Candy se transformaron en dos rendijas letales.

—Bueno…, yo sabía que habías sido tú, pero no pude probarlo.

—En realidad fue Kate, porque me ganó por la mano. Pero la idea salió de mí. Excepto lo de llamar al señor Hansen, que se le ocurrió a Laura. Y ahora… ¿querrías largarte tranquilamente de aquí, o tendré que tumbarte de un puñetazo, arrancarte esa blusa de Laura Ashley —que, dicho sea de paso, no te sienta bien— y sacarte yo misma a la calle en cueros e histérica?

—¡Y pensar que me dabas lástima!

—No. Eso no es cierto —la corrigió Margo, al tiempo que le quitaba a Candy la copa de las manos antes de que se la arrojara a la cara.

—No eres más que una puta barata, que se ha pasado toda la vida mendigando sobras y dándoselas de ser lo que no podrías llegar a ser nunca —le soltó Candy como un escupitajo.

—Es curioso…, la mayoría de la gente me considera más bien una puta cara. Y ahora lárgate enseguida de aquí antes de que deje de aparentar ser lo que no soy y te parta esa nariz que te compraron tus padres cuando tenías doce años.

Candy soltó un chillido y transformó sus dedos en garras.

Podría haberse abalanzado contra Margo, pero el ruido de la puerta al abrirse le impidió dar un espectáculo en público.

Laura observaba la escena con cara de extrañeza.

—Hola, Candy —dijo—. Tienes buen aspecto. Siento llegar tarde, Margo, pero te he traído un regalo.

Candy se revolvió, con la intención de darle a Laura una prueba del mal genio del que sus dos ex maridos hubieran podido dar fe. Pero Laura no venía sola. Candy, pues, tuvo que reprimir su veneno y fingir una sonrisa radiante.

—¡El señor y la señora Templeton…! ¡Qué maravilla verlos a los dos!

—¡Ah! Candace Lichfield, supongo… —dijo Susan Templeton, que la conocía muy bien—. ¡Margo…! —Y haciendo caso omiso de la mano tendida de Candy, se lanzó a los brazos abiertos de Margo. La besó calurosamente en ambas mejillas, y le guiñó el ojo—. No quisimos perder tiempo en deshacer las maletas… Deseábamos tanto verte que no hemos podido esperar.

—Os he echado de menos… —Se abrazó a Susan, envuelta en la fragancia familiar de Chanel—. Oh…, ¡cómo os he echado de menos! Estás espléndida…

—¿Es que a mí nadie va a darme ni la hora? —se quejó Thomas Templeton, al tiempo que daba al hombro de su hija un rápido apretón. Dedicó un gesto ausente a Candy en el momento en que ella salía de la tienda, y sonrió a Margo cuando esta fue hacia él corriendo por la estancia y se metió en sus brazos—. Esto ya es otra cosa…

—Estoy tan contenta de veros…, tan feliz de que estéis aquí… Oh, lo siento tanto… —Luego enterró la cara en su hombro y se echó a llorar como una niña.

14

—¿Mejor?

—Mmm —Inclinada sobre el lavabo del baño en el piso de arriba, Margo se echó agua por la cara—. Supongo que tenía los nervios a flor de piel.

—No hay nada como una buena llantina para descargarlos —dijo Susan, y le ofreció una toallita y rápida palmada de apoyo en el hombro—. Además..., tú siempre has llorado muy bien.

—¡Pobre señor T...! —Tanto por secarse la cara como buscando ese pequeño consuelo, Margo ocultó el rostro en la toalla—. ¡Menudo recibimiento...! Dos segundos más y lo dejo empapado llorando a moco tendido en su hombro.

—A él le encanta que sus chicas le lloren encima. Hacen que se sienta fuerte. Y ahora, veamos... —Susan apoyó en los hombros de Margo sus manos adornadas con sortijas, y la hizo dar una vuelta sobre sí misma—. Déjame que te eche un vistazo... —Su linda boca hizo un mohín y contrajo los párpados de sus claros ojos azules—. Un poco de colorete, dos toques de rímel, y estarás como nueva. ¿Tienes aquí tu arsenal?

Por toda respuesta, Margo abrió el armarito con espejo que colgaba sobre el lavabo. Dentro había botellitas, tarros y tubos perfectamente ordenados:

—Mi equipo de emergencia —dijo.

—Esta es mi chica... Veo que sigues usando Bella Donna

—comentó cuando Margo sacó un tubito del armario—. Yo tiré a la basura todos los que tenía.

—Oh, señora T…

—Me pusieron furiosa.

Susan sacudió con desdén uno de sus atléticos hombros. Era una mujer menuda, de delicada constitución ósea y delgada como su hija. Se mantenía en forma y en su estilo. Esquiaba endiabladamente bien, jugaba un tenis lleno de picardías y nadaba a diario varios largos de piscina. En consonancia con su estilo de vida, llevaba muy cortos sus lacios cabellos color azabache, enmarcando un rostro luminoso e interesante que cuidaba religiosamente.

—Fui yo quien lo eché a rodar todo —le recordó Margo.

—Lo cual difícilmente puede justificar que te despidieran como la Mujer Bella Donna. En fin…, para empezar, me irritaba ese título por redundante. Mirándolo todo en conjunto, estás mucho mejor sin ellos.

Margo sonrió en el espejo, mientras se aplicaba un poco de crema de base.

—Realmente os he echado mucho de menos…

—Lo que me gustaría saber es por qué no te pusiste en contacto con Tommy y conmigo en el instante en que te viste en apuros. —Con las manos en jarras, Susan se acercó a la bañera y después volvió al lavabo—. Pasaron semanas antes de que supiéramos nada. Es verdad que el safari fotográfico nos mantenía lejos de todo contacto, pero Josh y Laura sabían cómo localizarnos.

—Me sentía avergonzada —Margo no se explicaba por qué le resultaba tan fácil reconocerlo delante de Susan. Podía hacerlo, simplemente—. Había cometido tantos errores… Mantenía una sórdida aventura con un hombre casado. Permití que me utilizara. No, peor aún: fui tan estúpida que ni siquiera me di cuenta de que me utilizaba. Arruinó mi carrera, destruyó la pequeña reputación que había conseguido forjarme. Y casi me arruino en el proceso.

—Bueno... —dijo Susan ladeando la cabeza—. Es toda una hazaña. Tiene que haberte costado mucho hacer todo esto tú sola...

—Lo hice yo sola. —Eligió sombra de color marrón para realzar sus ojos, y se la aplicó con habilidad y práctica.

—Supongo que ese hombre con el que tenías relaciones no tuvo nada que ver en ello. ¿Lo querías?

—Deseaba quererlo. —Hasta esto le resultaba más fácil admitirlo ahora—. Necesitaba tener alguien a mi lado, encontrar alguien con el que construir algo juntos. La clase de vida que pensé que quería. Diversión, entretenimiento y ninguna responsabilidad.

—¿Y lo dices así, en pasado?

—Sí. Tiene que serlo. —Margó se perfiló con cuidado las cejas—. Naturalmente, elegí al hombre totalmente inadecuado, alguien que jamás podría ofrecerme algo duradero. Es mi forma de ser, señora T.

Susan guardó silencio unos momentos, observando cómo Margo manejaba con maestría el perfilador y el rímel.

—¿Sabes lo que siempre me ha preocupado de ti, Margo? Tu autoestima.

—Mamá siempre decía que yo tenía un concepto demasiado elevado de mí.

—No. En eso Annie y yo teníamos opiniones contrarias, a pesar de que rara vez disentíamos. Tu autoestima está demasiado ligada a tu belleza. Eras una chiquilla encantadora, deslumbrantemente bonita. La vida es diferente para los niños que tienen esa fascinante hermosura. Más difícil en algunos aspectos, porque la gente tiende a juzgarlos por su belleza y ellos, entonces, comienzan a juzgarse a sí mismos con el mismo criterio.

—Era mi único don. Kate tenía el talento. Laura, un corazón de oro.

—Me entristece que creyeras eso y que demasiada gente te haya encaminado en esa dirección.

—Usted nunca hizo eso. —Volvió a colocar los productos de maquillaje en su sitio, como el maestro carpintero guarda sus herramientas—. Ahora voy a intentar tomar una dirección nueva, señora T.

—Bien, entonces. —Susan pasó su brazo por la cintura de Margo, como dándole ánimos, y la condujo hacia el tocador—. Eres joven aún para poder tomar una docena de direcciones diferentes. Y bastante lista, además. Perdiste la cabeza durante un tiempo, has cometido equivocaciones y locuras, y no consideraste bien los pros y los contras.

—Oh... —La cara de Margo adoptó una expresión compungida, avergonzada; se llevó la mano al corazón—. Usted siempre me ha sacado de apuros disimulando mis culpas...

—No he terminado aún. Has preocupado y decepcionado a tu madre. Una mujer, añadiré, que no solo merece tu cariño y respeto, sino también tu admiración. No hay muchas personas que, con solo veintitrés años y ya viuda, hayan sido capaces de abandonar todo cuanto les resultaba familiar y cruzar un océano con una hijita para iniciar una nueva vida. Pero esa no es la cuestión. —Susan rechazó esta idea con un gesto e hizo que Margo se sentara en el borde de la cama—. Despilfarraste tu dinero y corriste, danzando, hasta el borde de un profundo y peligroso acantilado. Pero... —levantó con el dedo la barbilla de Margo—..., pero lo saltaste. Al contrario que nuestra pequeña Serafina, diste la vuelta, te armaste de valor y demostraste que estabas dispuesta a afrontar lo que la vida te había deparado. Para eso se necesita mucho valor, Margo..., mucho más que para lanzarse al vacío.

—Tenía personas a las que volverme.

—Todos las tenemos. Solo los locos y los egoístas piensan que no habrá ninguno que les tienda una mano. Y cuanto más locos y más egoístas son, menos alargan la suya para que los ayuden. —Ella le ofreció la suya ahora. Sin dudarlo, Margo la estrechó y se la llevó a la mejilla.

—¿Mejor ya? —preguntó Laura, como un eco de su madre, acercándose a la puerta. Le bastó ver la escena un instante para sentirse aliviada,

—Mucho mejor. —Tras un largo suspiro, Margo se puso en pie y se alisó la falda—. Siento haberte dejado ahí abajo sola en la estacada.

—Tranquila. En realidad, papá se lo está pasando de maravilla. Ya ha hecho tres ventas. Y por la forma como está engatusando ahora a la encantadora Minne Whiley, yo diría que van a ser cuatro.

—¿Está abajo Minn? —Susan, divertida, se pasó los dedos por sus cabellos cortados a lo chico—. Iré a apoyarlo con mi propio encanto. Se irá de aquí cargada con tres bolsas y ni siquiera sabrá cómo le ha dado esa ventolera. —Se detuvo en la puerta para apoyar la mano en la espalda de Laura—. Tenéis un local precioso aquí, chicas. Habéis hecho una excelente elección.

—Está preocupada por nosotras —murmuró Laura cuando llegó de abajo el saludo de su madre a Minn—. Por ti y por mí.

—Lo sé. Tenemos que demostrarle que somos fuertes. Porque somos fuertes, ¿verdad, Laura?

—¡Por supuesto que sí! Puedes apostar. La celebridad caída en desgracia y la esposa-trofeo traicionada.

Un ramalazo de ira se asomó a los ojos de Margo.

—Tú no eres el trofeo de nadie.

—Ya no. Y ahora, antes de que se me olvide... ¿por qué me ha mirado antes Candy como si quisiera triturarme el hígado para hacer paté?

—¡Ah...! —Al recordar la escena asomó a su rostro una sonrisa pícara—. Tuve que decirle de quién fue la idea de llamar al señor Hansen cuando se quedó atrapada desnuda dentro de su taquilla.

Laura cerró los ojos y trató de no pensar en el próximo encuentro en el club de jardinería, del que ella y Candy eran copresidentas.

—¿Tenías que decírselo? —preguntó.

—Pues sí, la verdad. —Margo sonrió inocentemente—. Se refirió a ti como «la pobre Laura». Dos veces.

Laura abrió los ojos de nuevo y apretó los dientes.

—Comprendo. Me pregunto si costaría mucho encajar su huesudo culo en alguna taquilla del club...

—¿A dos chicas fuertes como tú y yo? En un pispás.

—Lo pensaré —dijo. Y, después, de manera automática, consultó su reloj. Su vida ahora discurría en paquetes de tiempo—. Entretanto, esta noche cenaremos en familia. Una buena cena familiar esta vez. Kate vendrá a casa, y le he dejado un mensaje a Josh.

—Ah, Josh... —Cuando se dirigían a la escalera, Margo entrelazó sus dedos y tiró de ellos. Deseaba desesperadamente un cigarrillo—. Hay algo que probablemente debería decirte, Laura...

—Mmm... Fíjate, Margo. —Se apoyó, riendo, en la barandilla—. Papá está haciendo funcionar la caja registradora, y mamá está empaquetando cajas. ¿Verdad que son maravillosos?

—Los mejores. —¿Cómo podía decirle a Laura que había pasado la noche destrozando las sábanas del Templeton Monterey con su hermano? Mejor cerrar la boca, decidió. En cualquier caso, la forma como se habían separado hacía sumamente improbable que volviera a ocurrir algo igual.

—¿Qué querías decirme?

—Esto..., nada, que he vendido tu vestido blanco de perlitas.

—Bueno. Nunca me gustó, en realidad.

Margo tenía la sensación de haber tomado la decisión correcta cuando llegó Josh a Templeton House, se reunió con la familia en el solárium, intercambió calurosos abrazos con sus padres; se sirvió él mismo de la fuente de entremeses. Jugó con sus sobrinas, discutió con Kate sobre algún detalle esotérico de la legislación fiscal y fue a buscar agua mineral para Laura.

En cuanto a la mujer con la que había pasado la noche cometiendo actos que todavía eran ilegales en algunos estados, la trató con ese afecto ausente vagamente irritante que reservan los hermanos mayores para sus latosos hermanos más jóvenes.

Margo pensó incluso en clavarle en la garganta un tenedor de gambas.

Se abstuvo de hacerlo, incluso cuando se vio metida entre él y Kate en la brillante mesa de caoba durante la cena.

Después de todo, se recordó a sí misma, era un día de celebración. Una reunión familiar. Hasta Ann, que consideraba un quebrantamiento de la etiqueta que los criados se sentaran a la mesa de la familia, fue convencida para sumarse a ella. «Gracias a la insistencia del señor T.», pensó Margo. Porque nadie, y en particular si se trataba de una mujer, podía decirle que no.

Seguramente una parte del problema de Josh era que se parecía mucho a su padre. Thomas Templeton era tan alto y tan delgado como lo había sido de joven. El hombre al que Margo adoró sin reservas por espacio de veinticinco años había envejecido magníficamente. Las arrugas que injustamente hacen parecer ajada a una mujer le añadían a él clase y atractivo al marcarse alrededor de sus ojos de color gris humo. Sus cabellos seguían siendo abundantes y espesos, con la adición de hebras de plata bruñida sobre el rubio de color del bronce.

Tenía, y ella lo sabía muy bien, una sonrisa capaz de embelesar a los pétalos de una rosa y, cuando se enfadaba, una mirada pétrea e inflexible que helaba a cualquiera hasta el hueso. Empleaba las dos para gobernar su familia y su negocio, y con ellas inspiraba devoción, amor inquebrantable y un poquito de sano temor.

Se rumoreaba que en su juventud había causado amplia y memorable sensación entre las mujeres, cortejándolas, seduciéndolas y conquistándolas a voluntad. Hasta que a los treinta años lo presentaron a una joven Susan Conway. Esta, según sus propias palabras, le había dado caza como un sabueso, y lo había cobrado.

Margo sonreía ahora oyéndole contar a sus asombradas nietas historias acerca de manadas de elefantes y fieros leones.

—Tenemos el vídeo de *El rey león*, abuelito —dijo Kayla, que jugaba con las coles de Bruselas de su plato, esperando que un milagro las hiciera desaparecer.

—Ya lo has visto un millón de veces —advirtió Ali, echándose el pelo hacia atrás como se había fijado en que lo hacía Margo.

—Bueno, pues, entonces, serán un millón y una, ¿verdad? —dijo Thomas guiñándole un ojo a Kayla—. Y nos daremos un atracón de vídeo. ¿Cuál es tu vídeo favorito, Ali?

—A ella le gusta ver películas de besos. —Devolviéndole el golpe, Kayla frunció sus labios y soltó sonoros chasquidos—. Está deseando que Brandon Rena la bese en la boca.

—¡No es verdad! —El rostro de Ali, mortificada, se puso de color escarlata. Aquello demostraba que ningún secreto estaba a salvo de la curiosidad de su hermana pequeña—. Eres solo una cría. —Rebuscó en la memoria su peor insulto—: Un mico cochino.

—Allison…, no llames así a tu hermana —la reprendió, cansada, Laura. Sus dos angelitos llevaban semanas chinchándose la una a la otra.

—Oh, es que ella puede decir todo lo que quiere. Solo porque es una cría.

—Yo no soy una cría.

—Pensaba que eras mi pequeña —suspiró tristemente Thomas—. Pensaba que erais las dos mis nietecitas, pero veo habéis crecido y que ya no me necesitáis.

—Yo seré siempre tu pequeña, abuelito —dijo Kayla mirándolo con sus ojos grandes y sinceros. Y fue entonces cuando, para su gran sorpresa, se dio cuenta de que había ocurrido un milagro: las antipáticas coles de Bruselas habían desaparecido de su plato… y habían ido a parar al de él. El amor la enardeció y la hizo exclamar—: ¡Siempre seré tu pequeña!

—Bueno…, yo no soy pequeña. —Lejos de rendirse, Ali irguió la barbilla. Pero el labio inferior le temblaba.

—No, supongo que ya no lo eres —dijo Laura, enarcando una ceja hacia el rostro rebelde de su hija—. Y, puesto que no lo eres, no te pelearás con tu hermana en la mesa.

—Oh, no sé… —intervino Margo, levantando su copa de vino. La luz festiva de las arañas de cristal y de las velas parpadeantes lo bañaba todo con reflejos rojos y dorados—. Yo siempre me peleaba con Kate en la mesa.

—Y solías ser tú la que empezabas —añadió Kate, al tiempo que pinchaba con el tenedor un trocito de carne.

—Empezabas tú siempre.

—No. Yo me quedaba siempre con la última palabra —corrigió Kate, y miró sonriendo en busca de Josh—. Y a ti te enviaban castigado a tu habitación.

—Solo porque a mamá le dabais pena vosotras… ¡Erais tan poquita cosa…!

—¿Poquita cosa…? ¡Y un cuerno! Cuando llegaban los intercambios de pullas, tú siempre te quedabas in albis. ¡Si hasta yo misma, cuando tenía la edad de Ali, podía…!

—Es agradable estar en casa, ¿verdad, Tommy? —Susan alzó su copa como si fuera a proponer un brindis—. ¡Tan consolador ver que, por mucho que cambien nuestras vidas, en lo esencial los cambios son mínimos! Dime, Annie, querida…, ¿cómo te las arreglas para gobernar a todas nuestras chicas sin mí?

—Es una cruz, señora T. Por eso mi madre tenía siempre una vara en la cocina… Una buena vara de nogal…

Olvidada la guerra, Ali miró, asombrada, a Ann:

—¿Tu mamá te pegaba con una vara?

—Lo hizo una o dos veces, sí, y te aseguro que sentarse luego era peor que el castigo en sí. Y el mero hecho de ver la vara en el perchero de la puerta bastaba para recordarte que debías hablar educadamente.

—Tu arma disuasoria favorita era un cucharón de madera... —Y, al recordarlo, Margo se movió, inquieta, en su asiento.

—Buena también, para una boca demasiado suelta.

—A mí también me sacudiste con ella en una ocasión, ¿te acuerdas, Annie? —Era Josh quien acababa de intervenir.

—¿De veras? —Susan, intrigada, estudió a su hijo—. Nunca supe nada de eso.

Josh probó el vino de su copa y observó cómo Ann lo miraba por el rabillo del ojo.

—Bueno..., Annie y yo decidimos que sería nuestro pequeño secreto.

—Y así ha sido —murmuró Ann—. Hasta ahora. —Se aclaró la garganta y dejó caer las manos en su regazo—. Le ruego me perdone, señora T. No era yo quién para darle unos azotes al chico.

—¡Qué ocurrencias tienes, Annie! —Intrigada, Susan inclinó el cuerpo hacia delante—. Lo que me gustaría saber fue qué hizo para merecérselo.

—Tal vez era inocente... —objetó Josh, lo que su madre descartó con un resoplido.

—Tú nunca tuviste un día de inocencia en toda tu vida. ¿Qué fue lo que hizo, Annie?

—Había estado dándome la lata todo el día... —Incluso ahora, al cabo de los años, Ann podía recordar la insistencia en su voz, la picardía en su mirada—. Le seré sincera, señora T. Jamás he conocido un chiquillo tan tenaz como el señorito Josh. Era capaz de desesperar a cualquiera. Esa es la verdad.

—Persistencia. —Sonrió a Annie y miró después a su padre—. Un rasgo característico de los varones Templeton, ¿verdad, papá?

—Y por el que muchas veces yo también he salido escaldado —admitió Thomas.

—Me gustaría saber más sobre lo de Josh… —Margo vació su copa y le dirigió una mirada incendiaria—. De hecho, me muero de ganas de saber. ¿Cuántos azotes le diste, mamá?

—No los conté. Debieron de ser…

—Yo sí. Cinco. En rápida y pasmosa sucesión. —Su mirada se cruzó con la de Margo, intercambiando desdén por desdén—. Aún sigo diciendo que fue culpa de Margo.

—¿Por mi culpa…? ¡Oh, qué típico de ti…!

—Te estaba chinchando todo el rato y metiéndose con la señorita Laura. Y, puesto que la señorita Kate acababa de venir a vivir con nosotros, había encontrado una persona más a la que incordiar. Tenía doce años, creo, y actuaba como un bravucón.

—Solo estaba animado —alegó Josh—. Y sigo diciendo que Margo…

—Era cuatro años menor que tú —dijo Ann, en un tono que lo devolvió de nuevo a sus doce años—, y deberías haber tenido más juicio, en lugar de desafiarlas a bajar por esos peñascos en busca de un imaginario cofre del tesoro. Y también llamándolas toda clase de cosas. Y después te fuiste, a pesar de que yo te había pedido que te quedaras en el patio con ellas una hora. Una hora tan solo —repitió, avergonzándolo con una mirada—, para que yo pudiera acabar de planchar con algo de paz. Pero os fuisteis, y si yo no os hubiera visto marcharos, los cuatro tal vez os hubierais tirado por las rocas.

—Oh…, aquella vez —sonrió Margo—. Me gustaría saber qué culpa tuve yo.

Josh carraspeó, porque de pronto sintió que la corbata le apretaba demasiado la garganta. Se daba cuenta de que Annie no había perdido su tacto.

—Dijiste que sabías dónde estaba. Que lo habías visto y que incluso tenías un doblón de oro de él.

—Sí, vale…, mentí —dijo Margo encogiéndose de hombros.

—Lo cual te hubiera valido a ti también una azotaina, de haber sabido yo esa parte —dijo Annie.

Satisfecho, Josh escanció más vino.

—¿Ves? —dijo dirigiéndose a Margo.

—Así que te portaste como un hombre, ¿verdad? —Thomas alargó el brazo para darle una palmada en la espalda a su hijo—. Y no quisiste comprometer a una dama en el desaguisado…

—Chilló todo el rato como un perro escaldado. —El comentario de Ann provocó un estallido de risas alrededor de la mesa—. Pero lo que más me duele es saber ahora que me estaba diciendo la verdad. Estaba convencida de que me despedirían de inmediato, y con toda razón, por haberle dado unos azotes al hijo del dueño de la casa.

—Pues yo te hubiera subido el sueldo —dijo Susan con toda naturalidad.

—No hay nada como el amor de una madre… —murmuró Josh.

—Bueno…, lo cierto es que vino a verme una hora después. Parecía haber reflexionado mucho y bien sobre todo ello. —Ahora la mirada de Ann hacia Josh estaba llena de cariño—. Se disculpó todo lo bien que yo podía desear, y me preguntó si no podríamos guardar entre nosotros dos lo ocurrido.

—¡Buen chico! —exclamó Thomas y le dio a su hijo una nueva palmada en la espalda.

Más tarde, mientras que Laura estaba acostando a las niñas, los demás siguieron en la sala. Margo se daba cuenta de que eran momentos como aquellos, habitaciones como aquella, los que habían estimulado su deseo de tener más.

Las suaves y ricas luces de las arañas convertidas en joyas de cristal bañaban las flamantes paredes y contrastaban con la negra oscuridad de las ventanas, cuyas cortinas habían quedado abiertas de par en par. Los apagados colores de las alfombras orientales parecían realzar el resplandor de los amplios suelos de madera de castaño.

«Una habitación perfecta en un hogar perfecto», pensó, en la que el antiguo y espléndido mobiliario familiar era más una afirmación de permanencia que de riqueza. Flores frescas cortadas y amorosamente dispuestas por las manos de su madre asomaban por entre la porcelana y el cristal. Las puertas de la terraza, abiertas, recibían la tranquila presencia de una noche fragante junto con el toque perfecto de la luz de la luna.

Era una habitación que inspiraba elegancia, cálida y acogedora. Y ahora se daba cuenta de que, cuando escapó de allí para seguir su propio camino, solo se había fijado en la elegancia. Durante mucho tiempo había olvidado que era igualmente importante el calor acogedor de aquel hogar.

Josh se había sentado ante el piano de media cola, e improvisaba blues con Kate. Una música perezosa, que hacía vibrar la sangre, se dijo. Le iba bien. No tocaba a menudo; Margo casi había olvidado lo hábil que era con las teclas. Deseó poder evitar recordar lo hábiles que habían sido esas mismas manos la noche anterior.

Deseó asimismo que el oír cómo reían juntos los dos como un par de buenos amigos, y el ver cómo juntaban los dos sus cabezas en un gesto de intimidad, no hubiera hecho brotar en su sangre un ardiente ramalazo de celos.

Una reacción ridícula, se dijo a sí misma. Espontánea. Que ciertamente era adecuada para la ocasión, como lo había sido toda la noche la espontaneidad de aquella reunión. Pero Margo no iba a permitir que ese detalle le estropeara la velada. Decidió disfrutar a fondo aquellas horas con los Templeton, la velada en aquella casa que siempre había amado. ¡Y al infierno con él!

¿No podía, al menos, mirarla, sabiendo que ella sentía por él tanto desprecio?

Estaba demasiado ensimismada en sus locas ideas para notar siquiera la mirada de complicidad que intercambiaron los Templeton. Con un simple gesto de la cabeza, Susan se levantó. Subiría al piso de arriba, a ayudar a Laura… y a tratar de averiguar cómo se sentía exactamente su hija.

Thomas se sirvió brandy, encendió el único cigarro que su esposa le permitía ahora fumar en todo el día, y se sentó en el confidente. Al cruzar su mirada con la de Margo, dio una palmadita en el almohadón del asiento contiguo al de él.

—¿No temes que me eche a llorar otra vez?

—He traído un pañuelo limpio.

Ella se sentó; pasó las yemas de los dedos por el borde blanco del bolsillo de la solapa de su chaqueta.

—Hilo irlandés —dijo—. Mamá me enseñó un truco para planchar tus pañuelos. Por eso tenían un tacto tan suave y olían tan bien cuando salían de la colada. Nunca puedo ver hilo irlandés sin verme a mí misma de pie junto a la tabla de planchar en el cuarto de la lavadora, planchando tus pañuelos para conseguir cuadrados perfectos.

—La plancha se está convirtiendo hoy en un arte perdido.

—Se habría perdido muchísimo antes si los hombres hubieran tenido que planchar ellos mismos.

Él rió y le dio una palmada en la rodilla.

—Y ahora háblame de ese negocio que llevas.

Margo esperaba ya esa pregunta, sabía que tendría que darle una explicación.

—Kate te lo explicaría mejor que yo; te pondría en antecedentes de una forma mejor organizada.

—Ya le preguntaré a Kate los detalles y datos esenciales. Pero lo que quiero ahora es que me digas qué es lo que buscas sacar de todo esto.

—Ganarme la vida. Perdí la que había conseguido.

—La arrojaste por la borda, niña. De nada sirve ya andarte con circunloquios y lloriqueos. ¿Qué estás haciendo ahora?

Era una de las razones que la hacían quererlo. Nada de sentimentalismos a propósito de los errores.

—Intentar que la gente compre lo que necesito vender. Conseguí reunir un montón de cosas a lo largo de años. Quizá sea lo que he hecho mejor. ¿Sabe, señor T.? Cuando estaba empaquetándolo todo, me di cuenta de que tal vez no me hubiera rodeado deliberadamente a mí misma de cosas interesantes o de un gran valor potencial..., pero eso fue lo que hice. Pienso que tengo buen ojo para las compras.

—No te lo discuto. Siempre tuviste un excelente sentido de la calidad.

—Aun cuando no tuviera ningún otro. Malgasté mi dinero comprando cosas, y ahora he encontrado una manera de evitar tener que lamentarme de ello. Comprar el edificio en lugar de alquilarlo fue un riesgo. Lo sé.

—Si no hubiera sido una inversión, Kate no os hubiera dejado hacerlo, y ni loca habría aportado su propio dinero.

—Incluyendo los arreglos, remodelación y puesta a punto, ha salido a seis mil ochocientos setenta y ocho dólares el metro cuadrado —dijo Kate por encima del hombro—, y algunos centavos.

—Es un buen precio. —Thomas dio una calada a su cigarro—. ¿Quién se encargó de los arreglos?

—Barkley e Hijos se ocuparon de la carpintería, y subcontrataron la fontanería y electricidad. —Margo aprovechó que él tomaba un sorbo de brandy para añadir—: Yo me encargué personalmente de la pintura.

—¿De verdad? —Sonrió envuelto en el humo del cigarro—. ¿Y la publicidad?

—Estoy aprovechando mi dudoso pasado para conseguir titulares en la prensa mediante entrevistas y algún espacio en la televisión. Kate intentará arañar algún tiempo para revisar los números y ver si podemos permitirnos dedicar algún dinero a anunciarnos.

—¿Y cómo pensáis renovar vuestras existencias?

A Margo la ponía nerviosa pensar en el futuro, pero respondió con firmeza:

—Acudiré a subastas y liquidaciones judiciales. Pensaba que podría ponerme en contacto con algunas modelos y diseñadores que conozco, y negociar con ellos para adquirir ropa usada. Pero tendré que ampliar este proyecto, porque tenemos ya un montón de peticiones para tallas mayores.

Cambió de postura en el asiento y enlazó las piernas para sentarse sobre ellas. Si alguien podía comprender la emoción de los tratos de negocios, ese era el señor T.

—Ya sé que solo llevamos funcionando un par de días, pero la verdad es que pienso que podemos conseguir que salga bien. No hay nadie que tenga algo parecido. —Olvidó que estaba preocupada y su voz comenzó a brotar con excitación—: Por lo menos, yo no conozco ninguna tienda que ofrezca ropas de segunda mano procedentes de modistos, junto con complementos de moda, joyas, muebles, objetos de cristal…, antigüedades.

—Te olvidas de los utensilios de cocina y de las pinturas —intervino Josh.

—Mi cafetera no está en venta, ni tampoco lo están mis acuarelas —replicó Margo y, después, volviéndose de nuevo a Thomas, añadió—: Pero el resto…, ¡diablos!, vendería mi ropa interior si me ofrecieran un buen precio.

—Ya la estás vendiendo —le recordó Kate.

—Son peinadores —la corrigió Margo—, *négligés*. Laura ha colaborado ya a aumentar nuestro stock con algunas suyas. Y Kate, por supuesto, podría contribuir con alguna chinela suya, si quisiera desprenderse de ellas.

—Pero ¡si todavía las uso!

—En resumen, que estamos atrayendo público y que muchos de los que nos visitan… compran.

—Y tú… ¿eres feliz?

—No sé mucho aún acerca de la felicidad, pero estoy decidida.

—Mira, Margo… —dijo Thomas, dándole un golpecito en la rodilla—, en el mundo de los negocios es una misma cosa.

¿Por qué no montáis un escaparate en el vestíbulo del hotel?

—Yo…

—Tenemos media docena para boutiques y joyerías, objetos de regalo. ¿Por qué no podemos tener otro para nuestras propias chicas? —Sacudió el aire con su cigarro, esparciendo cenizas que Margo, maquinalmente, sacudió de su rodilla—. Habría esperado que tú te ocuparas de eso, Josh. Templeton siempre se ha preocupado de su gente y tiene por política prestar apoyo a los pequeños negocios.

—Ya lo he hecho —respondió Josh, que seguía improvisando al piano un *boogie-woogie*—. Laura va a seleccionar las piezas para el hotel y para otro escaparate que pondremos en el centro de vacaciones.

Margo abrió la boca y después apretó los dientes.

—Podías habérmelo mencionado.

—Sí, hubiera podido hacerlo. —La miró por encima del hombro, sin que sus dedos fallaran ni una nota—. Pero no lo hice. Laura sabe qué es lo que funciona mejor con la clientela de Templeton.

—Oh, y yo no sabría nada de eso…

—Ya estamos otra vez… —murmuró Kate.

—Yo sé tanto como tú acerca de la clientela de Templeton —protestó Margo, furiosa, y liberó sus piernas para ponerse en pie—. ¡Maldita sea, Josh…! Yo he sido clientela de Templeton. Si estás interesado en exponer mercancía de Vanidades, háblalo conmigo.

—De acuerdo. —Dejó de tocar el piano y consultó su reloj—. Tengo un partido de tenis con mamá a las siete. Y he convocado la reunión del consejo para las nueve y media. ¿Os va bien eso?

—Bastante bien —respondió Thomas, que volvió a retreparse en el sillón con su copa de brandy—. Nos encontraremos, pues, a las nueve menos cuarto para discutir previamente esos otros asuntos.

—Vale, entonces. —Josh volvió de nuevo sus ojos a Margo—. Annie te habrá preparado ya la maleta. ¿Por qué no subes a buscarla y la traes?

—¿Mi maleta? —Dudaba entre dar rienda suelta a su ira o a su desconcierto—. ¿Para qué necesito yo una maleta?

—Para no tener que ir corriendo a la tienda para cambiarte de ropa por la mañana. Es más lógico que tengas tu ropa donde duermes.

Sus mejillas se sonrojaron, pero no de vergüenza, sino de furia.

—Yo duermo aquí o en la tienda.

—Ya no —Fue hacia ella y la agarró fuertemente por el brazo—. Margo se quedará conmigo en el hotel, de momento.

—¡Mira, gilipollas…! Si se te ha ocurrido pensar que porque una vez cometí el deplorable error de dormir contigo…

—Ninguno de los dos durmió nada —le recordó Josh—. Pero tendremos que hacerlo esta noche. Me espera un día de mucho trabajo. Así que vamos yendo.

—¡Oh, sí, de acuerdo…, iré! —Sus pies tropezaron con los de él—. Me encantará ir contigo para poder decirte en privado exactamente todo lo que pienso de ti.

Con excelente sentido de la oportunidad, Kate esperó a que la puerta se hubiera cerrado detrás de ellos antes de dar media vuelta en la banqueta del piano.

—Está bien, tío Tommy, pero… ¿a quién de los dos encontrarán mañana en un charco de su propia sangre y a quién con el arma del crimen? Yo he apostado mi dinero por Margo —decidió—. Es terrible cuando está en un aprieto.

Él suspiró, mientras trataba de reconsiderar el nuevo giro de la situación:

—Tienes que apostar por mi chico, Katie… Jamás lo he visto perder una pelea, a menos que quisiera perderla.

15

Margo no dijo ni una sola palabra durante el viaje hasta el hotel. Tenía muchísimas cosas que decir, pero las reservaba. Cuando él subió la maleta al dormitorio y la dejó dentro del armario, ella saltó:

—Si estás haciendo todo esto en la egoísta y equivocada creencia de que voy a practicar el sexo contigo...

—Esta noche no, cariño. —Se aflojó el nudo de la corbata—. Estoy rendido.

El único sonido que ella pudo emitir fue un extraño gruñido que surgió en su garganta cuando tuvo que emplear las dos manos para mantenerlo a raya.

—De acuerdo, de acuerdo..., si insistes... Pero no estaré en mi mejor forma.

—¡Ni me pongas las manos encima! ¡Ni se te ocurra! —Como tenía muy cansados los pies, se sacó los zapatos. Pero guardó uno de ellos en la mano como arma, y le daba incesantes golpecitos con la otra mientras caminaba—. No te bastaba con contarle a tu familia que había estado contigo la pasada noche..., ¡sino que, encima, tuviste la desfachatez de decirle a mi madre que hiciera mi maleta!

—Se lo rogué —corrigió Josh, mientras colgaba su chaqueta del galán de noche—. Le pregunté si le importaría meter en una maleta lo que creyera que podrías necesitar para un día o dos. Hasta que encontraras un momento para ir tú misma a recoger el resto de tus cosas.

—¿Y eso lo arregla todo? ¿El que se lo pidieras por favor y le dieras las gracias? Bien es cierto que es más de lo que me has dicho a mí misma…

Él se desabrochó los botones de los puños de la camisa y se arremangó.

—No tengo la menor intención de pasarme el día haciendo las cosas a escondidas, como hacías tú con tu anterior colección de compañeros de cama, duquesa… Si vamos a dormir juntos, lo haremos, metafóricamente hablando, al aire libre.

Le dio tiempo a quitarse los zapatos, y después los calcetines, mientras ella rebuscaba en su mente una buena respuesta:

—Aún no he decidido si volveré a dormir contigo otra vez.

La mirada de él se posó en su rostro, divertida y desafiante.

—Bueno…, deberías habérmelo dicho.

Por suerte para ella, Josh estaba sentado en el borde de la cama: así tenía mucho más fácil mirarlo despectivamente.

—No me importa la forma como te comportaste conmigo cuando te dejé esta mañana…

—Estamos empatados, entonces. —Se incorporó, descolgó sus pantalones y entró en el cuarto de baño para abrir el grifo de la enorme bañera de hidromasaje—. Y ahora que ya hemos aclarado eso, deja de jugar a esos juegos a los que decías que no jugaríamos nunca. Aún no hemos acabado el uno con el otro. —Se quitó los calzoncillos, que quedaron a merced de los chorros de agua—. Y ahora me gustaría arreglar contigo unas cuantas cosillas antes de irme a la cama. Ven a reunirte conmigo en la bañera, si quieres.

—¿Piensas que voy a meterme contigo ahí dentro? ¿Después de que te has pasado toda la noche dejándome de lado? —Los hombres jamás le daban de lado, se dijo, furiosa—. Nunca. Aunque solo fuera por eso, se lo haría pagar—. ¿Y la forma como estuviste tirándole los tejos a Kate…?

—¿A Kate? —Sorprendido de veras, Josh pestañeó repetidas veces—. ¡Santo Dios, Margo…! ¡Kate es mi hermana!

—No más hermana que yo misma.

Dudando entre si tomarlo a broma o ceder por agotamiento, Josh se metió en la bañera, se agachó dentro de ella y dejó que el agua burbujeante hiciera su tarea.

—Tienes razón, no lo es. Pero déjame que lo exprese de otra manera—: siempre he visto a Kate como una hermana. —Sus ojos descansaron un instante en los de ella antes de echar la cabeza hacia atrás y hundirse en el agua—. Nunca pensé en ti de esa forma. Pero, si estás celosa... —Dejó la frase colgada y se encogió de hombros.

—No estoy celosa. —Hasta la simple idea de ello le parecía atroz para su amor propio—. ¡Maldita sea si me hubiera importado sentir celos! Me limitaba a decir lo que he visto. ¿Quieres abrir los ojos y prestarme atención de una maldita vez?

—Ya te estoy prestando atención. Pero ni con dos maldiciones puedo abrirlos: estoy totalmente muerto de cansancio. Y, por cierto que, para una que alardeaba de avisar que no nos tomáramos las cosas demasiado en serio y no nos atáramos el uno al otro, te estás comportando más como una esposa gruñona que como una amante eventual...

—Yo no gruño. —Cerró luego la boca, temerosa de haber estado precisamente a punto de actuar de esa foma—. Y ciertamente no me comporto como una esposa. De lo que he observado acerca de las esposas, cualquiera de ellas que valga un poco la pena, te habría dado ya una patada en tu puntiaguda cabeza.

Él se limitó a sonreír y hundió su cabeza en el agua un poco más.

—Estás en mi apartamento, nena. Si alguien va a chocar aquí contra una parte puntiaguda de mi cuerpo, esa serás tú.

La mano de Margo apretó con fuerza la cabeza de él y la hundió. Por el efecto de la sorpresa y la ventaja que le daba el poder apoyarse mejor, se las arregló para mantenerlo bajo el agua agitada por espacio de diez gloriosos segundos. Valió la pena para ella ver salpicado su traje blanco cuando él salió a la superficie escupiendo agua.

—Creo que sacaré la maleta y bajaré a recepción a pedir que me den otro cuarto.

Él la asió fuertemente por la muñeca, tiró de ella y la hizo perder el equilibrio lo bastante como para obligarla a apoyarlo en el borde de la bañera. Sus ojos se encontraron, muy fijos.

—No irás a… —Interrumpió la frase antes de pronunciar la palabra, pero no hacía ninguna falta, porque ya la había dado a entender y era demasiado tarde para evitar que la hiciese caer dentro de la bañera, a su lado. Cuando Margo salía resoplando y bufando como un gato, le pasó los brazos por el cuello y la retuvo.

Luego se puso a contemplar el techo unos segundos mientras ella daba patadas en la bañera, y otros pocos segundos más mientras lo llamaba de todo. Hasta que finalmente la sacó del agua tirando de ella por los cabellos.

—¡Maldito bastardo…! ¡Condenado imbécil!

—¡Calla, que aún no hemos acabado! —Volvió a hundirla, la mar de divertido. La bañera era suficientemente grande para que pudieran bañarse cuatro a la vez, lo cual era muy práctico porque ella estaba resbaladiza y él necesitaba espacio para maniobrar a sus anchas. Cuando Margo emergió jadeando y tratando de retirarse de los ojos sus cabellos completamente empapados, Josh ya había conseguido quitarle la chaqueta. Ahora estaba ocupado en desabrocharle los botones de la blusa.

—¿Qué demonios piensas que estás haciendo?

—Te estoy desnudando. —Soltó con un gesto el cierre de su sujetador—. Ahora ya no me siento cansado.

Cerrando los párpados hasta dejarlos convertidos en rendijas, ella cambió de posición rápidamente. De forma que su rodilla quedó peligrosamente cerca de la ingle de él.

—¿Acaso se te ha metido en la mollera la estúpida, increíble y esencialmente masculina idea de que me excita verme maltratada?

«No vas desencaminada», pensó Josh, pero manifestó en voz alta:

—Bueno…, podría decirse que sí, en cierta manera.

Ella aumentó su presión con la rodilla.

—¡Qué ocurrencia!

—Ah… —Aprovechó la oportunidad y alargó el brazo para pasarle suavemente el pulgar por su pezón. Lo tenía duro como una piedra—. Podría haberme resistido si no me hubieras desafiado. —La presión disminuyó un poco, y él pensó que ya no había riesgo y podía respirar tranquilamente de nuevo—. Quiero que te quedes conmigo, Margo. —Su voz era suave ahora, apenas un murmullo mientras le acariciaba la pierna subiendo despacio su mano—. Si prefieres ir a otra habitación hasta que te lo hayas pensado, por mí está bien. Si no estás de humor para que nos amemos, me parece bien igualmente.

Durante un instante, ella se limitó simplemente a estudiarlo. «Todo inocencia —pensó—, salvo ese pícaro brillo en su mirada. Todo paciencia, razonabilidad…, excepto la singular mueca de desafío que descubre la comisura de su boca.»

—¿Quién dijo que yo no estaba de humor para eso? —Margo se echó atrás los mojados cabellos y le dirigió una de sus miradas asesinas por debajo de las pestañas—. ¿Piensas ayudar a quitarme de encima el resto de estas ropas mojadas, o tengo que hacerlo yo misma?

—Oh, déjame que te ayude.

Era una experiencia interesante vivir con un hombre. Margo nunca lo había hecho antes porque no había estado dispuesta a compartir su espacio o intimidad con nadie más allá de una excursión de fin de semana a las montañas, una escapada a la orilla del mar o tal vez un crucero algo más dilatado.

Pero la cosa fue bastante bien con Josh. Probablemente, suponía, porque los dos habían vivido durante años bajo el mismo techo y porque el que ahora cubría sus cabezas era el de un hotel.

299

Todo ello la hacía parecer menos estructurada, más semejante a un apaño que a un compromiso. Después de todo, pensaba, solo compartían unas habitaciones, unas habitaciones de negocios, además. Unas personas que rara vez se dejaban ver, cambiaban las flores, sacaban brillo al mobiliario, reemplazaban las toallas… Todo ello contribuía a que la situación fuera impersonal, casi como unas vacaciones prolongadas.

Diversión y juegos, decidió, eran exactamente lo que ella y Josh querían y lo que esperaban el uno del otro.

Nadie de la familia puso objeciones a aquel nuevo arreglo. Cuando los días se convirtieron en una semana, y luego en dos, ella empezó a preguntarse por qué no lo hacían.

Su madre, por lo menos, debería haberse mostrado violenta o censuradora. Pero daba la impresión de que no la afectara en absoluto. Ninguno de los Templeton había enarcado siquiera una ceja. Y aunque en alguna ocasión sorprendía a Laura observándola con el ceño fruncido, tampoco ella objetaba nada.

Fue Kate quien hizo un único comentario expresivo:

—Rómpele el corazón, y te partiré el cuello —había dicho. Y fue una observación tan ridícula que Margo prefirió ignorarla antes que morder el anzuelo.

Tenía, por otra parte, demasiadas cosas que hacer para inquietarse por el atrevido temperamento de Kate. De vez en cuando le llegaban ecos de las maldades que Candy iba difundiendo: que las mercancías de Vanidades eran poco elegantes y demasiado caras, el servicio desatento, poco esmerado e inexperto; que Laura se había extralimitado para sacar de apuros a su inconsciente y poco recomendable amiga, y que se declararían en bancarrota antes de un mes; que las ropas provenían de un mercado negro de imitaciones realizadas con materiales de baja calidad.

Los pensamientos acerca de las vengativas acusaciones de Candy y sus presagios de un inevitable fracaso consumían el tiempo de Margo. La tienda la ocupaba por lo menos diez horas diarias, seis días por semana. El único día que cerraba, se enfrentaba a los libros hasta quemarse casi las pestañas intentando entender las cuestiones más sutiles de la contabilidad. Si en otros tiempos había lamentado todos y cada uno de los minutos que se veía obligada a permanecer sentada en una clase, ahora estaba pensando incluso en matricularse en un curso de administración de empresas.

Y allí estaba ahora, una agradable mañana de domingo, con un cigarrillo consumiéndose en el cenicero que tenía al lado, pulsando las teclas del ordenador —el portátil aquel, sin el que, según Kate, no podrían vivir— y esforzándose por encontrarle algún sentido a una hoja de cálculo.

«¿Por qué había tantas facturas? —se preguntaba. Vaciaban más dinero de sus bolsillos que cuando estaba en paro—. ¿Cómo podía suponer nadie que tenías que recordar cuánto, cuándo y a quién debías pagar, sin acabar volviéndote loco?» Su vida había sido mucho más sencilla cuando tenía un director gerente que se ocupaba de todos los irritantes detalles financieros de la vida.

«Mira a ver dónde pones esto, Margo —se dijo a sí misma—. Concéntrate. Fíjate bien.»

—Te advertí que era una cosa seria…

Al oír aquella voz, Margo soltó un grito y se dejó caer en el respaldo de la silla. El manual del ordenador que tenía en su regazo fue a parar al suelo volando.

—Entiendo lo que quieres decir —admitió Kate—. Solo espero que no hayamos llegado demasiado tarde.

—¿Y por qué no me pegáis un tiro la próxima vez? —Margo cruzó los brazos sobre el pecho y apretó con fuerza para mantener el corazón en su sitio—. ¿Qué demonios estáis haciendo aquí?

—Salvarte. —Laura se adelantó con el tiempo justo para apoderarse del cigarrillo antes de que acabara rodando al suelo e incendiando todos los papeles extendidos alrededor de la silla de Margo. Lo apagó limpiamente en el cenicero—. Hablando contigo misma…, bebiendo sola…

—Es café.

—Cerrada en tu cuartucho contando tu dinero como el Silas Marner de George Eliot… —concluyó Laura.

—No estoy contando mi dinero…, aunque he sido capaz de pagar otros cinco mil dólares de nuestras deudas, a pesar de ese plan tramado por Candy Litchfield para verme cargada de cadenas… Yo voy a…

—Comenzará a desvariar en cualquier momento —intervino Kate—. Te dije que deberíamos haber traído las cuerdas…

—¡Muy ocurrente! —Margo echó mano de su paquete de tabaco, y encendió otro pitillo más—. Y puesto que sois las dos tan brillantes y espabiladas, explicadme de nuevo todo ese asunto del seguro. ¿Cómo vamos a poder pagar estas…?, ¿cómo se llaman?

—Primas —dijo Kate secamente—. Las llaman primas, Margo.

—Pues para mí que deberían llamarlas extorsiones. Quiero decir… Fijaos en esto. Hay seguro de incendio y de robo, hay seguro de hipoteca, seguro de título de propiedad, seguro de terremoto, comprendiendo, sea lo que fuere el sentido que esta palabra signifique, porque yo no comprendo nada de nada…, este paraguas. ¿Es acaso una forma divertida de referirse, en el mundo de los seguros, a la protección contra inundaciones?

—Oh, sí, claro… —dijo Kate entornando los ojos—. Las compañías de seguros están llenas de bromistas. Chicos que te sueltan una carcajada por minuto. Lo verás tú misma en la primera ocasión que vayas a presentarles una reclamación.

—Mira, listilla…, solo tienes que explicarme otra vez cómo funciona la cosa.

—¡No, no, te lo suplico! —Laura agarró a Kate por los hombros—. Por favor…, no le expliques otra vez cómo va. Y, sobre todo, no vuelvas a aquello.

—¿Aquello? —repitió Kate.

—Tú ya sabes… aquello.

—Ah, sí…, aquello. —Margo apoyó la espalda en la silla y sacudió el aire con su cigarrillo—. En realidad, me gustaría conversar un rato contigo acerca de aquello.

—Oh, eso… —Kate olisqueó el café de Margo, decidió que probablemente sería bebible y se sirvió una taza—. Está bien…, vamos al asunto. Los pagos fiscales estimados por el impuesto de valor añadido se dividen en cuatro trimestres… —Se interrumpió y miró, inexpresiva, a Laura—: Ese grito suyo ha sido muy bueno… Ahora veo de dónde lo ha sacado Kayla. —Dejó escapar luego un suspiro, pulsó unas cuantas teclas e hizo que la pantalla del ordenador se apagara—. Bueno…, ya está. ¿Te sientes mejor ahora?

—Mucho mejor —respondió Laura estremeciéndose—. Pero ha ido de poco.

—¿Se puede saber qué demonios os pasa a vosotras dos? —preguntó Margo, al tiempo que le quitaba a Kate su taza de café—. Iros a hacer el payaso a otra parte. Alguna de nosotras tiene trabajo que hacer.

—Está peor de lo que pensaba… —dijo Laura soltando un suspiro—. Está bien, Sullivan…, tranquilízate o nos obligarás a hacerte daño. Es por tu propio bien.

Margo no estaba segura de si reír o pedir socorro cuando las dos se colocaron a ambos lados de ella y la agarraron por los brazos.

—Eh…, ¿qué os proponéis?

—Una terapia de choque —dijo Kate gravemente.

Una hora más tarde, Margo estaba desnuda y sudando. Desde el lugar donde se hallaba tumbada sobre la espalda, emitió un largo y sincero gemido:

—Oh, Dios. Dios. *Dios.*

—Despáchate a gusto. —Laura, comprensiva, le dio un afectuoso golpecito en la mano—. Pronto te sentirás mejor.

—¿Eres tú, mami?

Con una risita, Laura se dejó caer también hacia atrás.

El vapor formaba nubes que se llevaban a rastras parte de su propia tensión. Tal vez se había presentado allí con la idea de pasar el día en las instalaciones termales del centro de vacaciones pensando sobre todo en Margo, pero a ella tampoco le haría ningún daño aprovechar la oportunidad.

—¿Cómo se os ocurre estar aquí así, sin hacer nada? —Desde su puesto más arriba, en un banco del segundo nivel, Kate rodó sobre sí misma y miró a Margo—. ¿Lo estáis pasando bien, realmente?

—Se me saltan casi las lágrimas de satisfacción —murmuró Margo—. Había olvidado, había olvidado por completo lo que era esto. —Alargó el brazo para darle a Laura una palmadita en su desnuda rodilla—. Te debo la vida. Ahora voy a que me den un masaje facial, a tomar un baño de fango y a la pedicura.

—Ya sabes, querida… Ya sabes que las instalaciones del hotel no son tan completas como las de aquí, pero podrías utilizar la sauna, recibir un masaje… Y en el salón de belleza dan excelentes masajes faciales.

—Está demasiado ocupada chingando con Josh.

Laura hizo una mueca.

—¿Te molesta? Es una imagen que preferiría quitarme pronto de la cabeza.

—Pues a mí más bien me gusta. —Kate se asomó por el borde—. Es como un documental de la tele: dos lustrosos animales de pelo dorado apareándose… —Cuando Laura gimió al oír eso, la sonrisa de Kate se hizo más amplia—. Di, Margo… ¿es bueno o no? Puntúalo del uno al diez.

—Ya no estamos en el instituto, Kate. No puntúo a los hombres —respondió Margo, remilgada, y se tendió sobre el estómago—. Doce —murmuró—. Tal vez catorce.

—¿De verdad? —La idea animó a Kate—. ¡El bueno de Josh…! ¡Nuestro Josh!

Mi Josh, estuvo a punto de decir Margo, pero se contuvo.

—No hagas caso de esa boba de ahí arriba —le dijo a Laura en voz alta—. ¿De verdad te molesta? ¿Que Josh y yo…?

—No es que me moleste. —Laura, incómoda, cambió de postura—. Es que se me hace extraño. Mi hermano y una de mis amigas más íntimas…, y el sexo. Me resulta… una combinación un poco rara. Pero no es asunto mío.

—Le preocupa que vayas a tirarlo como un zapato viejo cuando hayas acabado con él.

—Calla, Kate. Y que conste que yo ya no tiro mis zapatos: los vendo. Mira, Laura… Josh y yo nos comprendemos el uno al otro. Te lo prometo.

—Me pregunto si de verdad os entendéis… —murmuró Laura, y cualquier otra cosa que hubiera podido añadir se vio interrumpida porque en aquel momento abrieron la puerta de la sauna.

—¡Mirad quién está aquí! —dijo Kate animadamente—. ¡Es Candy Cane! —Y, puesto que sus dientes amenazaban con rechinar, los apretó en lo que pareció una sonrisa de fiera—. A que nos vamos a divertir…

Con la cabeza envuelta en una toalla y bien erguida, como si se tratara de un turbante, Candy fue a sentarse en el banco que estaba enfrente del de Laura.

—Ya veo que las tres seguís yendo juntas a todas partes…

—Como los perros rabiosos —asintió Kate—. Y puesto que eres la única que estás tratando de robarnos nuestro hueso, ten cuidado de que no te mordamos.

—No sé de qué me hablas.

—Mercancía de baja calidad, precios desmesuradamente altos, ¡y una mierda! —le espetó Kate—. Más te valdría cerrar el pico, Candy, antes de que te caiga encima una demanda por difamación.

—Expresar una opinión no es difamar. —Debía de haber consultado con su segundo marido, el abogado—. Es una simple cuestión de gustos. —Orgullosa del cuerpo que su primer marido, el cirujano plástico, había contribuido a conseguirle, Candy abrió su toalla—. Habría pensado que tenías más juicio, Laura. Pero, por lo visto, el linaje y la buena educación no siempre bastan para garantizar que una sepa elegir a sus compañeras.

—¿Sabes…? Eso es precisamente lo que yo estaba pensando —dijo Margo poniéndose en pie. Tus dos ex maridos tenían tan excelentes pedigrís… Imagínate.

Con cierta dignidad, Candy cruzó sus desnudas piernas.

—Quería hablar contigo, Laura…, a propósito del club de jardinería. Dadas las circunstancias, pienso que lo mejor sería que dimitieras como copresidenta. —Cuando vio que Laura fruncía el ceño, Candy se pasó el borde de la toalla por la garganta—. Comienza a haber ciertos rumores, sobre ti y Peter, sobre tu asociación con… —Su mirada pasó superficialmente sobre Margo—…, ciertas personas inadecuadas.

—Yo soy una persona inadecuada —le comentó Margo a Kate.

—Eso no es nada. Yo soy una persona indeseable. ¿Verdad, Candy?

—Tú eres sencillamente detestable.

—¿Ves? —Kate inclinó el cuerpo y se quedó mirando fijamente el rostro vuelto para arriba de Margo—. Soy detestable. Eso pasa porque soy el pariente pobre y lejano. Los Powell eran una rama de dudosa reputación de la familia Templeton, ya sabes.

—Algo había oído decir…

—Y, para colmo, soy contable —siguió Kate—. Lo que es mucho peor que tener una tienda. Nosotros, los contables, nos dedicamos a hablar de dinero.

—Ya basta —dijo Laura tranquilamente—. Quieres el puesto para ti, Candy…, vale, es todo tuyo. —Tan solo lamentaba no poder estampárselo a Candy en su vacía mollera—. Así tendrás más tiempo para asociarte con personas inadecuadas e indeseables.

Su fácil capitulación fue decepcionante. Candy había esperado tanto una pelea…

—¿Y qué tal lo está pasando Peter en Hawai? —preguntó, despectiva—. He oído que esta vez se ha llevado consigo a aquella guapa y espabilada secretaria suya. Aunque, ahora que lo pienso, debió de tener varias…, antes, para sus viajes de negocios. Debe de ser terrible sentirte desplazada por una empleaducha de tu propia empresa. Ella es joven también, ¿verdad?

—A Candy le gustan los jóvenes —dijo Kate, cuando la ira burbujeaba ya en su interior—. ¿Cuántos años tiene ese muchacho de la piscina que te estás tirando, Candy? ¿Dieciséis?

—¡Tiene veinte! —replicó, furiosa consigo misma por la forma como había caído en la trampa—. Por lo menos, yo tengo un hombre. Pero tú…, tú no quieres un hombre, ¿verdad, Kate? Todo el mundo sabe que tú eres lesbiana.

Margo soltó una carcajada; tuvo que llevarse la mano a la boca para contener otra.

—Oh, oh… El secreto de Kate ha salido a la luz.

—Es un alivio. —Kate se apresuró a moverse en el banco para poder lanzar miradas lascivas al cuerpo de Candy—. Llevo años fijándome en ti, Boquita de Fresa, pero era demasido tímida para decírtelo.

—Es verdad —confirmó Margo y, en actitud conspiradora, se inclinó hacia Candy—. Siempre ha tenido miedo de que se descubriera su amor por ti.

Inquieta, dubitativa, Candy se movió.

—No tiene ninguna gracia.

—No, ha sido penoso, desgarrador. —Kate movió sus piernas por encima del banco y saltó de él—. Pero ahora que sabes ya la verdad, puedo hacerte mía por fin.

—¡No me toques! —chilló Candy, y echó a correr hacia arriba mientras trataba de envolverse mejor en la toalla—. ¡No te acerques a mí!

—Me parece que quieren estar solas —comentó Laura y se ciñó también la toalla por encima del pecho.

—Te odio. Os odio a todas vosotras.

—¡Cielos! —exclamó Kate estremeciéndose—. ¿Verdad que tiene las peras más sexys del mundo?

—¡Sois repugnantes! —Temiendo por su integridad física, Candy se apresuró a salir de la sauna abandonando tras de sí la toalla.

—¡Pervertida! —dijo Margo en voz baja cuando Kate se tumbó de nuevo en el banco.

—Ten cuidado, que a lo mejor me pones cachonda. Si fuera lesbiana, pienso que tú serías más mi tipo. —Hizo un esfuerzo para contener la risa y miró a Laura—. No le hagas ningún caso, querida.

—¿Humm? —Laura le devolvió la mirada—. Perdona…, estaba pensando… ¿Cuánto creéis que habrá pagado por ese par de tetas?

—No lo suficiente —dijo Margo, que se puso en pie ajustándose bien la toalla—. Vamos, probemos a encerrarla en una taquilla. ¡Por los viejos tiempos!

—Me gustan los hombres —insistió Kate mientras le pintaban las uñas de los pies. El color rosa-algodón-dulce del salón de belleza y su decoración de caramelo hilado blanco estaban pensados para inducir en una mujer una sensación relajada y festiva. Aquello irritaba a Kate—. Solo que no tengo tiempo para ellos.

—No te hará falta tiempo después de lo que le has hecho a Candy —dijo Laura. Bebió un sorbo de su burbujeante agua mineral y se relajó en los mullidos cojines de su silla giratoria de alto respaldo—. Cuando se haya corrido la voz, cualquier hombre en cien kilómetros a la redonda te evitará como a una vasectomía.

—Bueno…, tal vez sea una bendición. —Kate hojeó el

montón de revistas de moda que había en la mesita de al lado, sin encontrar nada interesante—. Quizá consiga desanimar a ese pelma de Bill Pardoe que no deja de llamarme continuamente.

—Bill es un hombre muy amable y muy decente.

—Pues, entonces, sal tú con él y deja que te haga cosquillas en la rodilla por debajo de la mesa y te llame cielito.

—Siempre has sido demasiado picajosa —comentó Margo, que mantenía los ojos cerrados, casi adormilada, mientras le daban masaje en los pies—. Lo habrías pasado mejor en la vida si hubieras ido en busca del señor Goodbar en lugar del señor Perfecto.

—Yo busco en una cita algo más que una cartera repleta y un pene.

—Chicas, chicas... —Laura tomó de nuevo su agua mineral—. Tenemos que estar muy unidas ahora. Si Candy sigue adelante y presenta una denuncia por agresión, la cosa podría ponerse fea.

—Pero, agente —susurró Margo, pestañeando repetidas veces—. Fue solo una divertida travesura de chicas... ¡Mierda! Jamás se humillaría admitiendo en público que, por segunda vez en su vida, la habían encerrado desnuda en la taquilla de un gimnasio. Será más sutil que todo eso. Lo que quiero decir es que en menos de una semana todas tendremos nuevas identidades: la furcia, la bruja y la tortillera.

—A mí me gustaría ser la bruja —decidió Laura—. Ser la bobita envejece mucho.

—Tú nunca fuiste una bobita —replicó Margo lealmente.

—Oh, sí. He estado practicando ese papel durante años. Va a costarme bastante dar el salto al papel de bruja. Pero podría intentarlo, ¿no te parece, Josh? —Le hizo un guiño a su hermano, que entraba en aquel momento en el salón, acalorado y algo cohibido.

—Señoritas... —saludó, y a renglón seguido se dejó caer en un sillón vacío, tomó el vaso de agua de Margo y bebió su

contenido de un solo trago—. Bueno... tenéis un aspecto...
—Hizo una pausa. Echó un vistazo a los tres rostros ocultos bajo una pringosa mascarilla de color verde— ...abominable. ¿Os estáis divirtiendo?

—Lárgate. —«Vivir con un hombre no implicaba concederle el derecho de verte con la cara cubierta de algas marinas», pensó Margo—. Este es un sitio para chicas.

Josh dejó el vaso ya vacío, asió el de Kate y bebió también su contenido de un sorbo.

—Estaba en la pista, jugando mi segundo set con Carl Brewer. Ya sabéis quién es...: el periodista de la tele, reportero de investigación y presentador de *Informaciones,* que dirige desde hace ya años ese noticiario tan valorado y respetado.

El tono de su voz hizo que Laura se mordiera el labio.

—He oído hablar de él, sí. ¿Cómo está Carl? —preguntó.

—Oh, en forma y animado. Lo que no ha impedido que estuviera obligándolo a mover el culo..., pero me estoy apartando del asunto... Resulta que *Informaciones* está pensando hacer una serie de reportajes sobre los mejores hoteles del mundo, destacando, naturalmente, el Templeton. Me he pasado semanas organizando que diversos equipos filmaran nuestros hoteles, entrevistaran al personal, hablaran con algunos huéspedes... Todo con objeto de mostrar al público espectador la espléndida, sofisticada, e incomparable hospitalidad y categoría que ofrece Templeton en todo el mundo.

Dejó a un lado el vaso de Kate. Laura, sin decir palabra, le ofreció el suyo.

—Estoy segura de que habrán conseguido tomas maravillosas.

—Oh, sí. Naturalmente, cuando Carl sugirió tomar algunas imágenes de nosotros dos jugando al tenis en nuestro centro de vacaciones de Monterey, yo accedí. Sería un toque humano, simpático: el vicepresidente ejecutivo de Templeton disfrutando del agradable marco en que sus huéspedes están siempre mimados y satisfechos.

Hizo una pausa y dedicó una sonrisa irresistible a la esteticista que estaba trabajando con ellas.

—¿Nos dispensa un momento? —le dijo.

Y, cuando ella se alejó a una distancia discreta, su sonrisa se transformó en gruñido.

—Imaginaos mi sorpresa, mi consternación, cuando veo que una de nuestras habituales clientes entra a toda prisa en el campo de la cámara, con su albornoz de Templeton medio suelto, y los ojos extraviados, chillando profiriendo quejas de haber sido atacada —atacada físicamente— por Laura Templeton Ridgeway y su pandilla.

—Oh, Josh... ¡Lo siento tanto! —Laura volvió la cabeza, con la esperanza de que él lo tomara como una manifestación de vergüenza. No era, no sería jamás algo para tomarlo a risa.

Él le enseñó los dientes.

—No te rías, Laura. Ni se te ocurra reírte.

—No me estoy riendo. —Recuperado su control, se volvió a mirarle—. Lo lamento muchísimo. Tiene que haber sido muy embarazoso para ti.

—¿Y no crees que arrancará un estallido de carcajadas cuando pasen por la tele esa pequeña escena? Ni que decir tiene que tendrán que sustituir por pitidos la mayor parte del diálogo, para no contravenir las normas de decencia, pero pienso que los espectadores, los millones de espectadores que sintonizan *Informaciones* cada semana, le verán la gracia.

—Ella empezó —dijo Kate, que parpadeó cuando Josh le dedicó una mirada pétrea—. Sí, fue ella.

—Estoy segura de que mamá y papá lo comprenderán perfectamente.

Pero hasta la inquebrantable Kate podía acobardarse.

—Fue idea de Margo.

—Traidora —susurró esta entre dientes—. Llamó a Kate lesbiana —explicó en voz alta.

Josh sacudió la cabeza; se cubrió el rostro con las manos y se lo restregó con fuerza.

—¿Y qué? ¿Traéis una cuerda y la ahorcamos?

—Supongo que tú la hubieras dejado irse tan tranquila. Ha estado tratando de perjudicar a la tienda. Le ha dicho a Laura cosas desagradables… —siguió Margo, calentándose—. Y el otro día se presentó en la tienda y me llamó puta. Puta de segunda categoría.

—¿Y vuestra respuesta ha sido confabularos contra ella…, tres contra una, darle una paliza, desnudarla y encerrarla en una taquilla?

—Nosotras no la hemos golpeado. Ni una sola vez. —«Y no por falta de ganas», pensó Margo—. En cuanto a lo de la taquilla es ya una tradición. No hemos hecho sino dejarla en evidencia, que no es más de lo que se merecía por la forma como nos ha insultado. Y, en cualquier caso, un hombre de verdad hubiera aplaudido nuestra acción.

—A diferencia de ti y de tus estúpidas hermanas, a mí me dejan indiferente los insultos provenientes de mujeres locas. Y no habéis podido ser más inoportunas. —Inclinó el cuerpo adelante, complacido de poder pagarle con la misma moneda su comentario a propósito del «hombre de verdad»—. Había empezado a convencer a Carl con la idea de montar un pequeño reportaje colateral a propósito de la más reciente innovación de una Templeton: la sociedad creada por Laura Templeton Ridgeway con sus viejas amigas Margo Sullivan —sí, la Margo Sullivan— y Kate Powell: tres mujeres atractivas e inteligentes decididas a crear y dirigir un negocio atractivo e inteligente también.

—¿Vamos a salir en *Informaciones*? ¡Eso es fabuloso!

Josh dirigió a Margo una mirada furiosa.

—¡Si serás boba…! Lo que vais a tener, a menos que yo actúe rápidamente y ponga paz, es una más que probable denuncia penal. Ella pretende demandaros por agresión, verbal y física…, y ahora que me he enterado de que Kate es lesbiana, entiendo que hable también de una agresión sexual.

—¡Yo no soy lesbiana! —protestó Kate—. Aunque, por la manera como ella lo dijo, eso sí fue un insulto contra toda persona racional que esté a favor de la libertad de preferencia sexual. —Por la expresión de Josh, comprendió que aquel no era el momento de ponerse a pontificar sobre ideas liberales o feministas, y tomó otra táctica, enfurruñada—: Y jamás la he tocado, en la acepción sexual de la palabra. Eso está totalmente fuera de lugar, Josh, y lo sabes. Nos hizo una mala faena, y se la devolvimos. Y punto.

—No, la cosa no concluye ahí. El centro de vacaciones Templeton no es un gimnasio de instituto. Y este es un mundo adulto. ¿Acaso no recuerda ninguna de vosotras que su segundo marido era un picapleitos? Un abogado que se complacía en litigar y en ganar querellas de este género... Podría ir contra la tienda.

La cara de Margo perdió hasta la última gota de su sangre.

—¡Eso es ridículo! —dijo—. Jamás lo conseguirá. Ningún tribunal tomaría eso en serio.

—Tal vez no. —La voz de Josh sonó fría, como un implacable latigazo—. Pero el tiempo y los gastos que os costaría pleitear contra ella contribuirían mucho a esquilmar vuestro capital. —Se puso en pie y sacudió la cabeza mirando a las tres—: Por si no os habéis dado cuenta en los últimos diez años, se acabó el instituto. Así que quedaos sentaditas ahora y disfrutando de que os pinten las uñas de los pies, mientras yo vuelvo al trabajo y trato de salvar vuestros tristes culos.

—Está furioso de verdad —murmuró Kate, en cuanto Josh se hubo marchado echando chispas—. Una de nosotras tendría que ir a hablar con él. —Miró a Margo y a Laura—. Una de vosotras dos debería ir a hablar con él.

—Iré yo —dijo Laura levantándose..., y sintiéndose de repente ridícula con sus zapatillas de papel y las bolitas de algodón entre los dedos de los pies.

—No, es mejor que te encargues de avisar tú a tus padres. Diles que hemos metido la pata en este asunto. —Margo suspiró, y trató de no sentirse aterrada—. Yo haré lo que pueda con Josh.

Le dio una hora de tiempo. En todo caso, fue eso casi lo que la costó acicalarse. «Si has de enfrentarte a un hombre furioso —pensó—, más vale que te muestres con tu mejor aspecto.»

Estaba al teléfono cuando entró, en la mesa de su despacho, y ni siquiera le dedicó una mirada de reconocimiento. «¡No era gran cosa después de una sesión de quinientos dólares en el balneario!», se dijo Margo. Sin decir palabra, cruzó el despacho y tomó asiento para aguardar hasta que concluyera la llamada.

Josh se daba cuenta de que la había espantado. Y no era esa su intención. El genio vivo de Margo formaba parte de los rasgos que la hacían tan atractiva a sus ojos. Pero en las pasadas semanas la había visto encauzar aquel temperamento, toda su pasión y su energía a la tarea de construir algo para sí misma. Y lo sacaba de sus casillas que por un berrinche inesperado hubiera puesto todo en peligro.

—Sí, un año completo —estaba diciendo al teléfono—. Incluidos todos y cada uno de los servicios. Redactaré una nota al respecto. Mañana la recibirá usted. —Colgó y se puso a tamborilear con los dedos en el escritorio.

—Dime qué tengo que hacer —comenzó Margo suavemente—. Si ha de servir de algo una disculpa, iré ahora mismo a ofrecérsela.

—Dame un dólar.

—¿Qué?

—Que me des un maldito dólar.

Desconcertada, Margo abrió su bolso.

—No tengo un dólar suelto. Tengo un billete de cinco.

Él se lo quitó de entre los dedos.

—Ahora soy tu consejero legal y, en calidad de tal, te aconsejo que no admitas nada. No vas a ir a disculparte de nada porque no has hecho nada. Ni siquiera sabes de qué te está hablando. Claro que, si me dices que había en la sauna otras seis mujeres en cueros, y tres empleados que vieron cómo la metías en la taquilla, tendré que matarte.

—No había nadie más. No somos bobas. —Hizo una mueca—. Ya sé que tú piensas que lo somos, pero jamás hubiéramos sido tan estúpidas como para haberlo hecho delante de testigos. En realidad, escogimos el momento de forma que tuviera que permanecer encerrada más tiempo. —Sonrió apagadamente—. En aquellos momentos, nos pareció una buena idea. —Al ver que él no decía nada, Margo notó que su genio hervía de nuevo—. ¿No fuiste tú quien le partió la nariz a Peter?

—Porque me lo podía permitir.

—Oh, muy típico… El heredero de los Templeton puede comportarse como le apetezca, ¡y al diablo las consecuencias!

Los ojos de Josh brillaron con un destello peligroso, tenso:

—Digamos que estoy en disposición de escoger mis batallas…

Margo se vio forzada a no seguir por aquel camino. La actitud y la posición de Josh difícilmente eran el tema del asunto.

—¿En qué lío estoy? —le preguntó—. Sé que tú no eres un abogado criminalista, y que mis cinco dólares no me servirán de gran cosa si el caso va a parar realmente a un tribunal.

—Todo depende de lo testaruda que sea ella. —Le costó un esfuerzo pequeño calmarse a sí mismo: la alusión de Margo a su carácter no era nada nuevo para él—. La postura oficial de Templeton será de extrañeza y pesar porque haya ocurrido un incidente mientras era huésped de la casa. Vamos a compensarla de los inconvenientes y del estrés sufrido con un año de servicios gratuitos en cualquiera de nuestras instalaciones balnearias. Eso, junto con el hecho de que la publicidad del incidente será embarazosa para ella, tal vez lo solucione todo.

Pasó por entre sus dedos el billete de cinco dólares y lo dejó encima del secante del escritorio.

—Quizá se contente con hablar mal de ti y de la tienda, y

con emplear su influencia para conseguir que sus amistades os hagan el boicot. Y, puesto que tiene una amplia gama de amistades, es probable que ese boicot os resulte molesto —añadió.

—Lo superaremos. —Más tranquila ya, Margo se pasó las manos por los cabellos. Había ido a disculparse, y quería hacerlo bien—. Lo siento mucho, Josh. Sé que todo esto ha sido… es… muy embarazoso para ti y para tu familia.

Él se apoyó de codos en la mesa, con la frente contra los puños.

—Se presentó en la pista chillando. Yo acababa de colocar un golpe de derecha casi en la misma línea, que no le dio por muy poco. Ya sabes…, las cámaras funcionando sin parar, y yo allí, tratando de mostrarme como el perfecto retoño de una dinastía de hoteleros que se remonta a seis generaciones: el atlético, inteligente, cosmopolita pero dedicado a su trabajo, el apuesto pero preocupado heredero del apellido Templeton…

—Has hecho bien todo eso —murmuró Margo, con la esperanza de que sus palabras consiguieran aplacarlo.

Pero él ni la miró.

—Y de repente me encuentro entre los brazos una mujer medio desnuda, que me suelta a la cara, entre chillidos, juramentos y arañazos que mi hermana, su compañera lesbiana y mi furcia la han agredido. —Se pellizcó el puente de la nariz buscando aliviar tal vez alguna presión—. Enseguida entendí a quién se refería como mi hermana. Y aunque no estoy nada de acuerdo con el término, deduje que tú debías de ser mi furcia. Lo de la compañera lesbiana estuve a punto de no entenderlo, pero…, por un proceso de eliminación… —Levantó la cabeza—. Tentado estuve de darle un tortazo, pero estaba demasiado ocupado intentando evitar que me llenara de arañazos el rostro.

—Una cara tan atractiva, además… —Margo dio la vuelta a la mesa y fue a sentarse en sus rodillas—. Lamento muchísimo que la emprendiera contra ti.

—Me arañó de veras —repitió Josh, y volvió la cabeza para

mostrarle tres furiosos surcos en un lado del cuello, que ella se apresuró a besar cariñosamente—. ¿Qué voy a hacer contigo...? —exclamó con voz cansada, al tiempo que apoyaba una mejilla sobre la cabeza de ella. Luego se rió—: ¿Cómo demonios os las arreglasteis para encerrarla dentro de una de esas estrechas taquillas?

—No fue fácil, pero nos divertimos.

Él cerró los párpados:

—Prométeme que nunca volverás a hacerlo, cualquiera que sea su provocación, a menos que le administréis primero un sedante.

—Trato hecho.

Y, puesto que la crisis parecía haber pasado, Margo deslizó la mano bajo su camisa, le pasó la mano por el pecho y espió atentamente su reacción.

—Por si te interesa..., hoy me han dado un buen lavado y encerado.

—Bueno..., tendremos que aprovecharlo, para que el día no resulte una completa pérdida. —La tomó en brazos y la llevó a la cama.

16

Las secuelas no se hicieron esperar. Las ventas y los visitantes bajaron bruscamente durante la siguiente semana. Tan bruscamente como para hacer que los nervios le revolvieran a Margo el estómago cuando rellenaba los cheques para los pagos mensuales. Ciertamente seguían entrando muchos turistas y personas de paso, pero la mayoría de las damas de la buena sociedad, que eran precisamente la clientela que necesitaba Vanidades para colocar su mercancía de alta calidad, estaban mostrando un generalizado rechazo a la tienda.

Si las cosas no se remediaban en los treinta días siguientes, tendrían que echar mano de su menguante capital solo para poder mantenerla abierta.

Margo no tenía pánico, pero sí intranquilidad. Le había dicho a Josh que podrían esperar a que la cosa pasara, y estaba convencida de ello. La lealtad de las compañeras de Candy en el club de campo podía medirse por tacitas de café, ni siquiera llenas hasta el borde.

Pero eso no quería decir que el negocio no necesitara un subidón de adrenalina. Margo no quería que la tienda fuera meramente tirando; necesitaba emocionarse con sus éxitos. Se daba cuenta de que tal vez la quería para volver a alcanzar lo que ya había sido antes: estar en el candelero, ser admirada, disfrutar sus logros.

Y así, mientras arreglaba y volvía a arreglar escaparates, se devanaba los sesos pensando en alguna manera viable de transformar Vanidades y convertirla, de la tiendecita de segunda mano que era, en un establecimiento estrella.

Cuando se abrió la puerta, tenía en la cara una brillante —y, por desgracia, también temerosa— sonrisa expectante.

—¡Mamá! ¿Qué haces tú aquí?

—Es mi día libre, ¿no? —Ann frunció los labios mientras observaba el interior del local—. Y no había venido desde la primera semana que abristeis... ¡Cielos..., no hay ni un alma aquí!

—Supongo que estoy recibiendo el castigo de mis pecados. Tú ya me previniste de que ocurriría.

—Ya he oído hablar de eso... —Chasqueó la lengua—. ¡Unas mujeres adultas comportándose como marimachos! Aunque a mí nunca me gustó esa mujer, ni siquiera de niña. ¡Siempre metiendo la nariz en todo...!

—Esa vez la saqué de sus casillas. Se las ha arreglado para dejarnos sin una buena parte de las ventas. Aunque Kate diga que eso es también propio de la marcha normal de un nuevo negocio después de sus primeras semanas de funcionamiento. —Margo observó con el ceño fruncido un globo de ámbar—. Tú ya sabes cómo habla cuando se pone su sombrero de contable...

—Sí, lo sé. Con frecuencia me ha ocurrido estar oyéndola hablar de mis inversiones y limitarme a asentir en silencio ¡sin tener la más mínima idea de lo que me hablaba! —Por primera vez en el día, Margo se permitió una larga y sincera carcajada.

—Me alegro de que hayas venido. No hemos tenido aquí en todo el día demasiadas caras amables...

—Bueno..., tú conseguirás que eso cambie. —Por costumbre, Ann comprobó que no hubiera polvo en una mesa y asintió con aprobación al encontrar la superficie lisa y brillante—. Anuncia una liquidación, rebaja los precios, contrata una banda de música que recorra las calles...

—¡Una banda de música!... Esta sí que es buena, mamá.

—En fin… ¿qué sé yo de llevar una tienda…? Pero supongo que la cosa está en congregar gente, ¿no?

Con aire ausente, Ann levantó una bonita botella de cristal.

«No es para poner nada dentro», se dijo, algo perpleja como siempre ante las fruslerías: solo para adornar la casa.

—Tu tío Johny Ryan tenía un pub en Cork —prosiguió—. De vez en cuando contrataba músicos… Eso les gustaba mucho a los americanos, que acudían a oír la música y a trasegar jarras de cerveza mientras lo hacían.

—No creo que una banda de pueblerinos irlandeses sea la respuesta para atraer aquí a la gente.

El tono despectivo de Margo le sonó un tanto insultante a Ann:

—Te estoy hablando de nuestra hermosa música tradicional. Nunca has tenido respeto por su herencia.

—Nunca me diste la oportunidad de tenerlo —replicó Margo—. Todo cuanto me has explicado de Irlanda y de mi familia de allí cabría en un párrafo.

Aquello era bastante cierto, así que Ann apretó los labios. Luego protestó:

—Pero podrías haber leído algún libro, supongo, o haber dado un pequeño rodeo en alguno de tus viajes por Europa, ¿no?

—He estado en Cork dos veces —dijo Margo, y tuvo la satisfacción de ver que Ann se quedaba boquiabierta—. Y he estado también en Dublín, en Galway y en Clare. —Se encogió de hombros, como si le supiera mal reconocer que había estado allí buscando sus propias raíces—. Es un país bonito, pero me interesa más este en el que vivo ahora.

—Nadie me escribió ni me contó que habías ido a conocerlos.

—Es que no vi a nadie cuando estuve allí. ¿Qué motivo existía para hacerlo? Aunque me hubiera puesto a desenterrar Ryans y Sullivans, no nos habríamos conocido entre nosotros.

Ann iba a decir algo, pero luego sacudió la cabeza:

—No, supongo que tienes razón —se lamentó.

A Margo le pareció por un instante haber visto una expresión de pesar en los ojos de su madre y sintió pena por ella.

—Ahora tengo problemas aquí, mamá…, ambiciones —dijo con brusquedad—, cosas que debo resolver ahora mismo. El recuerdo de las gaitas y de las jarras de cerveza no pondrá en movimiento este negocio de la manera que quiero que se mueva.

—Música y bebida no atraen solo a los irlandeses —puntualizó Ann—. ¿Qué hay de malo en ofrecer algún pequeño entretenimiento?

—Necesito clientes —insistió Margo—. Necesito un gancho que atraiga las Visas platino que acudían antes, superar el boicot de Candy y poner bien alto el listón de Vanidades.

—Pues, entonces, montarás una liquidación. —De pronto Ann necesitaba imperiosamente ser útil—. Tienes cosas muy bellas aquí, Margo. La gente quiere cosas bellas. Solo hace falta conseguir que entre por esta puerta.

—Eso es exactamente lo que yo digo. ¿Qué necesidad hay de…? Espera…

Margo se llevó la mano a la cabeza, donde empezaba a cobrar forma una idea:

—Música. Un arpista, tal vez. Un arpista irlandés, quizá, con su traje tradicional. Música y bebidas. Una recepción, champán y bandejitas con canapés como en el *vernissage* de una galería. Premios…

Agarró por los hombros a su madre, y la sorprendió con un rápido abrazo.

—Un premio…, solo uno. Atrae más cuando hay solo un premio. Pero no, no, no…, un premio, no —prosiguió Margo, al tiempo que recorría la tienda caminando en círculos—. ¡Una subasta…, sobre una sola pieza! El broche de diamantes. No, no…, ¡la gargantilla de perlas! Y lo que se recaude…,

¡para alguna obra de caridad…! ¿Cuál podrá ser? Oh, eso lo sabrá Laura. Una fiesta benéfica, mamá… Esto los atraerá.

Lo consiguió, junto con una pequeña venganza. Aún no había pasado una semana cuando ya estaban impresas las invitaciones para la fiesta y subasta benéficas a favor de El Miércoles del Niño, un programa a favor de los pequeños discapacitados y sin recursos. Se delegó en Laura la tarea de ocuparse de las entrevistas, y Margo siguió yendo a la tienda y derrochando encanto para convencer a los distribuidores de bebidas de que donaran cajas de champán. Oyó a algunos arpistas, le pidió a Josh que eligiera a algunos camareros de la plantilla de Templeton para servir en la recepción, y halagó a la señora Williamson para que preparara los canapés.

Y eso fue tan solo el comienzo.

Cuando Josh volvió al ático después de un pesado viaje de un día a San Francisco, se encontró a su amante en la cama. Pero no estaba sola.

—¿Qué demonios es esto?

Margo se echó el pelo hacia atrás y se volvió con una sonrisa. Las mórbidas curvas de sus blancos pechos sobresalieron por encima de las brillantes sábanas de satén color rojo; las mismas sábanas de satén que habían sido hábilmente dobladas para enmarcar una larga y torneada pierna.

El flash lanzó un destello.

—Hola, querido, ya casi hemos acabado aquí.

—Sujeta la sábana entre los pechos —ordenó el fotógrafo, agachado al pie de la cama en la que Margo estaba tan seductoramente tendida—. Un poco más abajo. Y ahora ladea la cabeza. Así, así está bien. Sigues siendo la mejor, nena. Vendamos tus cosas.

Josh dejó su maletín, pisó un cable y se ganó un murmullo de protesta del ayudante del fotógrafo.

—¿Qué llevas puesto? —le preguntó a Margo.

—Perlas. —Bajó los dedos hacia ellas y se pasó tentadoramente la lengua por los labios mientras la cámara tomaba otra foto—. La gargantilla que vamos a subastar. Pensé que las fotos ayudarían a subir las ofertas.

Y, puesto que no parecía llevar nada más, Josh tuvo que mostrarse de acuerdo con ella.

—Solo un par más. Dame esa mirada. Oh, sí, esa misma. ¡Ya la tengo! —Se incoporó de un salto, mostrando la figura de un hombre ágil, de mirada de lince, con los cabellos recogidos en una cola de caballo rojiza—. Es estupendo volver a trabajar contigo, Margo.

—Te debo una, Zack.

—Nada en absoluto. —Tendió la cámara a su ayudante y se inclinó luego sobre la cama para besar a Margo cariñosamente—. Echaba de menos ver a través de mi visor esa cara de mil millones de dólares. Me alegro de haber podido ayudar. —Miró a Josh—: En un instante despejamos esto.

—Josh… Sé un buen chico y ofréceles un par de cervezas a Zack y a Bob. —Sin pestañear, Margo dejó caer la sábana y enseguida agarró un albornoz para cubrir sus hermosos pechos.

—Un par de cervezas —repitió él, con una sonrisa rápida y un tanto salvaje—. Claro, ¿por qué no?

—Nos hemos visto ya antes. —Zack dejó a su ayudante ocupado en recogerlo todo y siguió a Josh al despacho—. En París, creo… no, no…, en Roma. Se presentó usted en una de las sesiones de Margo.

Las luces verdes de los celos se atenuaron un poco. Era difícil olvidar a un hombre con una cola de caballo de palmo y medio de longitud.

—Sí, pero creo que iba vestida en aquella ocasión.

Zack tomó la cerveza.

—Mire… para que las cosas queden muy claras… He visto más mujeres desnudas que un gorila en un *striptease*. Es solo una parte de mi trabajo.

—De la que usted no disfruta, claro…

—Me sacrifico con gusto por mi arte. —Exhibió una sonrisa capaz de desarmar a cualquiera—. La verdad, muchacho…, me encanta. Pero, aun así, es parte de mi trabajo. Si lo que quiere usted es la opinión de un profesional, tiene que ir al primero de la fila. Con algunas mujeres tiene usted que saber bien cómo fotografiarlas, desde qué ángulo, con qué iluminación… para que la cámara las trate bien. No importa si son o no son guapas: la cámara es veleidosa y está cargada de manías. —Bebió un largo trago de cerveza, paladeándola—. Pero no importa un carajo cómo fotografíes a Margo Sullivan; no importa lo más mínimo. La jodida cámara, simplemente, la adora.

Miró hacia el dormitorio, del que llegaba la risa de ella, franca, cálida.

—Y le diré —prosiguió— que, si no fuera porque está empeñada en dirigir esa tienda suya, hablaría con ella para convencerla de que se viniera conmigo a Los Ángeles para probar con la fotografía de moda.

—Y yo tendría que partirle a usted todos los huesos de sus dedos.

Zack asintió.

—Lo creo muy capaz de hacerlo. Y, puesto que es usted más alto que yo, creo que iré a llevarle a Bob su cerveza y nos largaremos.

—Buena decisión. —Josh decidió que a él también le convendría una cerveza, y estaba vaciando una botella cuando entró Margo en el despacho.

—¡Señor…! ¡Qué agradable ha sido volver a ver a Zack! ¿Tienes ahí un poquito de champán? Estoy muerta de sed. Había olvidado el calor que se pasa bajo los focos.

Su cara estaba resplandeciente cuando echó hacia atrás la cabeza y se pasó los dedos por entre los cabellos. Josh notó que se había puesto algo para rizarlos de una forma atractiva y aparentemente espontánea.

—Pero ¡cómo me gusta todo esto! —siguió Margo—. No sé qué tiene todo el proceso, pero es maravilloso. Mirar a la cámara, la forma como ella te mira…. Los focos, el sonido del disparador…

Cuando se soltó el pelo y abrió los ojos, lo vio a él mirándola de una forma que provocó un sobresalto en su corazón.

—¿Qué ocurre? —preguntó.

—Nada. —Los ojos de Josh no se apartaron ni un momento de los de ella mientras le tendía la copa de champán que había servido—. No me daba cuenta de que estabas pensando en volver a eso.

—No lo estoy pensando —negó. Pero bebió sabiendo que por un instante había sentido la atracción de aquella idea irrealizable—. No quiero decir que nunca volveré a posar ni a considerar alguna oferta que me atraiga, pero la tienda es ahora mi prioridad y convertirla en un éxito está en el primer lugar de mi lista.

—En el primer lugar… —¿Se habría traído de San Francisco aquel malhumor o lo había envuelto como una nube cuando entró en el apartamento y la vio? Josh aún no lo sabía cuando preguntó—: Dime, duquesa, ¿qué lugar ocupamos tú y yo en esa lista?

—No sé lo que quieres decir.

—Es una pregunta muy simple. ¿El quinto, el séptimo? ¿O acaso todavía no nos has incluido en tu lista de prioridades?

Margo contemplaba su copa, observando cómo las burbujas del champán surgían y se deshacían como sueños.

—¿Lo preguntas por algo?

—Porque me parece que ya iba siendo hora de que lo hiciera. Y porque imagino que es también la oportunidad que estás aguardando para salir inmediatamente de escena. —Al ver que ella no decía nada, dejó su cerveza en la mesa—. ¿Por qué no probamos algo diferente esta vez? Te quedas tú, y me iré yo.

—No lo hagas. —Seguía sin mirarle, siguiendo con la vista las burbujas que subían y danzaban en su vaso—. No lo hagas, por favor. Sé que no tienes un gran concepto de mí. Te preocupas de mí, pero no crees que yo valga gran cosa. Tal vez me lo merezco.

—Estamos empatados en eso, ¿no? Tú tampoco me valoras mucho.

¿Cómo iba a poder responder a eso, si ni siquiera ella estaba segura de lo que pensaba de Joshua Templeton? Se volvió a mirarlo. Él seguía allí, esperando; se sintió agradecida por ello; de que, aunque se hubiera alejado unos pasos, siguiera allí, esperando.

—Eres importante para mí —le dijo—. Más importante de lo que esperaba o quería que fueras. ¿Te basta eso?

—No sé, Margo. No lo sé.

¿Por qué le temblabla la mano? La respuesta de Josh había sido educada, ¿no? Ni más ni menos que lo que debía ser.

—Pero, si estás…, si crees que esto ha durado ya demasiado tiempo para ti, lo entenderé. —Dejó el vaso en la mesa—. Pero no quiero perderte por completo. No sé qué haría si tú no estuvieras en mi vida.

No era eso lo que él necesitaba: esa comprensión tranquila y amable. Quería que se enfureciera, que le lanzara el champán a la cabeza, que le gritara por haberse atrevido a pensar que podía seguir viviendo sin ella.

—Es decir que, si me marcho, ¿volveremos a ser amigos?

—Sí —Margo apretó los párpados y notó cómo se le encogía el corazón—. ¡No!

Aliviado, Josh regresó a su lado.

—Me odiarás si me voy. —La agarró por los cabellos y le echó la cabeza hacia atrás hasta que sus ojos se encontraron—. Me necesitas. Quiero oírtelo decir.

—Te odiaré si te vas. —Margo extendió sus manos y encuadró con ellas la cara de él—. Te necesito. —Luego acercó la boca de Josh a la suya—. Ven a la cama. —Era la mejor manera de demostrárselo, la única manera.

—La respuesta sencilla —murmuró él.

—Sí, debería ser sencilla. Hagámosla sencilla. —Y en el instante en que la tomó en sus brazos, tiró de su chaqueta y comenzó a murmurarle al oído ardientes promesas.

Pero Josh no pretendía hacerlo fácil esta vez, para ninguno de los dos. Se quedó en pie a su lado junto a la cama, dejó que ella lo desnudara con rápidos y ávidos movimientos. Y cuando Margo hubo tirado de él para que se tendiera en las sábanas, tibias aún por los focos y el cuerpo de ella, se arrimó bien y comenzó su ataque.

Un largo y perezoso beso en los labios que se prolongó y la dejó temblorosa y con la expectativa de algo nuevo. Simple ternura. Le agarró las manos y las bajó por el costado para colocarlas detrás de la espalda y mantenerlas sujetas allí con una de las suyas, para poder acariciarle el rostro con la otra, deslizarla por su garganta, hundirla en su pelo mientras su boca continuaba seduciéndola.

—Josh… —Su pulso resonaba lento y fuerte dentro de su cabeza—. Tócame.

—Lo estoy haciendo. —Cubría de besos sus labios, sus mejillas, su mandíbula—. Tal vez sea la primera vez que lo hago conscientemente. Es difícil sentir cuándo hay solo deseo. Pero tú me sientes ahora, ¿verdad? —Al ver que la cabeza de Margo caía desmayadamente hacia atrás, hundió la cara en el hueco de su cuello—. Quiero que nadie te haya hecho sentir lo que voy a hacer ahora que sientas.

A ella le parecía terrible la debilidad que parecía pesar ahora sobre sus miembros, nublar su cerebro. Deseaba el relámpago, la explosión. En eso estaba la sencillez. Y, por peligroso que fuera su ardor, también la seguridad. Pero con su debilidad estaba la negrura, la mareante sensación de sentirse tomada lentamente, tan lentamente que cada roce, cada caricia de sus labios parecía durar eternidades.

Josh habría jurado que notaba cómo se fundían los huesos de ella en el interior de su esbelto y consentido cuerpo. Los latidos del excitado pulso de Margo repercutían en las yemas de los dedos con que él mantenía sujetas sus manos. Graves y perplejos gemidos resonaban en su garganta allí donde las perlas destacaban sobre su piel. Le apartó el albornoz de los hombros para que nada ocultara aquellas blancas esferas luminosas que rodeaban su largo y delgado cuello.

—Descansa en mí —Levantó el brazo para recibirlo—. Descansa sobre mí.

Solo aquella voz, aquella voz ronca que salía de ella, podía poner de rodillas a un hombre. Y lo había hecho con él demasiado a menudo, pensó. Comenzó a acariciarle la espalda con sus manos, bajando, subiendo, con tentadores roces de las yemas de sus dedos que la hacían temblar y que consiguieron que sus labios se abrieran en lo que pudo haber sido una súplica y no lo fue porque él los cerró con los suyos y la acalló.

Cuando de nuevo la tuvo exánime a su lado, con las manos caídas sin fuerza a los costados, la tendió en la cama, sobre el mustio y resbaladizo satén de las sábanas. Pero no la tapó con ellas. Aprisionó de nuevo sus muñecas y las levantó por encima de su cabeza. Después, los suspiros de Margo comenzaron a sucederse uno tras otro mientras él iniciaba una lenta y completa exploración de su cuerpo.

Tenía la sensación de que el aire se había vuelto oro puro. ¿Cómo explicar, si no, que cada vez que respiraba, sintiera sus pulmones llenarse de oro? ¡Y su boca era tan dulce, cuando exploraba puntos débiles que ella ni siquiera sabía que tenía dentro de sí! Sus manos eran indescriptiblemente tiernas y pacientes, aunque la hacían arder. Y sollozar, también.

Era más que placer. No tenía palabras para describirlo. Era suave, más fuerte que el deseo, y más embriagador que cualquier sueño que hubiera albergado en su corazón. Sentía que su cuerpo ya no le pertenecía; que ya no era solamente de ella.

Y, por su parte, Josh podía sentir que ella se le abría: una rendición complaciente que estaba más allá de la pasión y era más excitante. La piel de Margo vibraba cuando él la acariciaba con la lengua: sus músculos se tensaban con la expectativa del clímax. Él, entonces, se retiraba perezosamente y la dejaba temblando.

Y cuando de nuevo se encontraban sus labios, las emociones se derramaban como vino. Se deslizó en su interior como un deseo.

—No —dijo. Empleaba su peso para retenerla mientras ella se movía sin pausa—. No me apresuraré esta vez. —Aunque la sangre se le agolpaba en el cerebro, mordió su boca con breves y torturadores mordiscos—. Soy yo quien te estoy llenando, Margo. Como ningún otro lo hace. Como no podría hacerlo nadie más que yo. —Se movió dentro de ella con largas y lentas caricias. Demoliendo cualquier resto de resistencia.

Margo no podía verle más que la cara, no sentir nada que no fuera aquella maravillosa fricción. Y, después, la gradual, la deliciosa, la espléndida y dolorosamente conseguida culminación del orgasmo.

Las manos de Margo soltaron ya sin fuerza los hombros de Josh.

—Ninguno te conoce como yo. Ninguno puede amarte como yo —dijo este.

Pero Margo estaba ya fuera del alcance de las palabras.

Tenía miedo de él. Era una sensación que la dejaba atónita, en especial en mitad de la noche, cuando yacía despierta a su lado. Algo había cambiado entre los dos, pensaba Margo. Algo que modificaba el equilibrio y la hacía sentirse vulnerable.

Y Josh lo había logrado simplemente mostrándole lo que era sentirse amada de verdad.

Silenciosa y cautamente, saltó de la cama y lo dejó durmiendo. El champán estaba aún sobre la mesa. Disipado ya; pero bebió igualmente. Buscó un cigarrillo, lo encendió, y se dijo a sí misma que tenía que tranquilizarse.

Estaba aterrorizada.

Ciertamente había sido un riesgo dormir con él. Pero un riesgo que ella había querido correr. Sin embargo, jamás había contado con que se enamoraría de él. Y aunque no importaba cuánto ni a qué velocidad pareciera estar cambiando su vida, aún era dueña de sus emociones.

No se podía permitir enamorarse de nadie, y muy en particular enamorarse de Josh. En realidad no sabía nada acerca del amor, acerca de esa clase de amor, por lo menos, y tampoco quería saberlo.

Se llevó la mano a la cabeza y dejó escapar una carcajada en silencio. ¡Por supuesto que era solo eso! No sabía nada acerca del amor, claro; pero, entonces, ¿por qué estaba tan segura de que era eso lo que estaba sintiendo? Tal vez se tratara solo de su sorpresa de ver que Josh podía mostrarse tan dulce y que ella podía ser tan susceptible a la dulzura... ¿Y si fuera tan solo porque era la primera vez que había querido profundamente a alguien como quería a Josh: la historia que entrelazaba a ambos, los recuerdos que compartían, el afecto...

Era muy fácil, una locura por su parte, mezclar todo aquello en su interior y confundirlo con amor. Más tranquila ya, apagó el cigarrillo y tomó una profunda bocanada de aire.

—¿No puedes dormir?

A su involuntario sobresalto respondió él con una carcajada.

—Lo siento..., no quería asustarte. —La luz del dormitorio se remansaba a su espalda al acercarse a donde estaba ella. Margo dio un paso atrás—. ¿Algún problema?

—No.

Él levantó la cabeza y adaptados ya sus ojos a la penumbra, la miró atentamente a la cara. Al momento se extendió por su rostro una sonrisa arrogante y masculina—. ¿Nerviosa?

—¡Por supuesto que no!

—Te estoy poniendo nerviosa.

—No me gusta que nadie me espíe cuando estoy intentando pensar. —Margo se apartó a un lado, evitándolo—. Tengo un montón de cosas en la cabeza con la recepción, y... —Se interrumpió palideciendo cuando la mano de él recorrió su brazo.

—Estás tensa —murmuró Josh—. Temblando. Me gusta.

—Tú también lo estarías. Necesito despejar la cabeza y una buena noche de sueño. Voy a tomar una pastilla para dormir.

—Probemos otra cosa. —Sacudió la cabeza al ver que Margo lo miraba con cara de pocos amigos—. Pero ¿es que no puedes pensar en nada más que en el sexo? Voy a darte un masaje en la espalda.

La duda se mezcló con el interés.

—¿Eso?

—Garantizado para relajar la tensión y acabar con el insomnio —le prometió mientras la conducía de nuevo a la cama—. Túmbate sobre el estómago, duquesa, cierra los ojos y déjame hacer.

Inquieta, torció la cabeza para mirarlo.

—¿Nada más la espalda? —preguntó.

—Y el cuello y los hombros también. ¡Buena chica! —La colocó bien, le separó las piernas y sonrió cuando aquellos largos y encantadores músculos se mostraron agarrotados como manojos de alambre. Presionó con los talones de las manos la base de su cuello—. ¿Qué te preocupa, cielo?

—Cosas.

—Dime una.

Tú fue la primera palabra que le vino a lengua, pero se la mordió para no decirla.

—Esos pagos trimestrales de impuestos están a punto de vencer, y las ventas siguen bajando.

—¿Cuánto?

—Aún no he contado las ventas de las dos últimas semanas. Kate dice que Candy no ha hecho mucho daño..., que es solo la estabilización normal de todo nuevo negocio. Pero temo que podría haber cometido un error dedicando a esta recepción un dinero que debería haber servido para los gastos corrientes. Dios, Josh, ¡qué manos tan maravillosas tienes!

—Es lo que dicen todas.

—La gargantilla con la que voy a contribuir estaba valorada en ocho mil quinientos dólares. Es un gran pellizco de nuestro inventario.

—También será una buena desgravación.

—Es lo que dijo Kate. —Su voz se iba haciendo más confusa mientras él relajaba la tensión de sus hombros—. Estoy cansada de tener miedo, Josh.

—Lo sé.

—Antes no tenía miedo de nada. Pero ahora todo me asusta.

—¿También yo?

—Humm. —Se estaba adormilando, demasiado cansada para negarlo—. No quiero confundir las cosas de nuevo.

—Y yo no permitiré que lo hagas. —Se inclinó para rozar su hombro con los labios.

—Duerme, Margo. Todo va por buen camino.

—No te vayas —logró decir antes de sumirse en el sueño.

—¿Cuándo lo he hecho?

17

Tenía que ser todo perfecto. Margo estaba decidida a que cada detalle de la velada saliera impecable. Dedicó horas a presentar de diferentes maneras sus existencias hasta quedar satisfecha de haber dado con la presentación más correcta, el mejor plan para circular por la tienda y el rincón más atractivo para que se situara el arpista, que ahora estaba ya afinando su instrumento.

Había vuelto a arreglar el escaparate, iluminando la gargantilla de perlas con unos cuantos frascos cuidadosamente elegidos, cajas de porcelana y chales de seda para dar una nota de colorido.

La barandilla dorada que rodeaba el piso superior centelleaba ahora con luces de colores.

Floreros y jarrones decorativos estaban en esa ocasión llenos de flores otoñales y rosas de invernadero, cortadas de los jardines y del vivero de Templeton, y elegantemente dispuestas por su madre. En la pequeña galería había más plantas, cuyos capullos florecían esplendorosos en macetas de cobre y de cerámica vidriada.

Ella personalmente había pasado la gamuza, limpiado y restregado todas las superficies de la tienda hasta dejarlas relucientes.

Solo era cuestión de controlar todos los detalles, se dijo a sí misma mientras fumaba obsesivamente un cigarrillo. Para asegurarse de que todo era de primera clase y no olvidar ningún detalle.

¿Se habría olvidado de algo?

Se volvió y se estudió a sí misma en la pared de espejos decorativos. Lleva el pequeño vestido negro que había elegido para su primera cena en Templeton House, el día de su llegada. La línea del cuello, recta y baja, era el marco perfecto para la gargantilla. Le había parecido un truco de vendedora retirarla del escaparate y exhibirla sobre una suave carne de mujer. Y se dio cuenta de que había acertado cuando eligió esa pieza para la subasta.

No solo porque era elegante y preciosa, se dijo, sino porque le recordaba una época de su vida que ya no volvería nunca. Y a un hombre anciano y solo por el que ella había sentido afecto.

¡Tan raro para Margo Sullivan tener un corazón capaz de sentir afecto por otro, por bondad y sin cálculo...!

«Docenas de Margos», pensó. Le había costado casi veintinueve años comprobar que existían docenas de Margos. Una que arrojaría al viento toda precaución, otra que se preocuparía interminablemente. Estaba la Margo que sabía cómo aplicar cera caliente a una mesa antigua y la que podía pasarse el día entero holgazaneando con una revista de modas. La que conocía el maravilloso placer de comprar una botella *art nouveau* sin más razón que la de poder verla en un estante. Y la que había aprendido a emocionarse vendiéndola. La que podía esbozar una sonrisa y conseguir que a los hombres les temblaran las piernas como si fueran de gelatina, con independencia de la edad que tuvieran.

Y la que de pronto solo era capaz de pensar en un único hombre.

¿Dónde estaría Josh ahora? Presa de los nervios, encendió un nuevo cigarrillo. Era casi la hora, casi la hora cero. Ya tenía que haber estado allí. Era un momento crítico en su vida, y Josh siempre estaba allí en los momentos críticos.

Siempre allí, pensó, con un extraño sobresalto de sorpresa. ¡Qué extraño que siempre hubiera estado allí en sus momentos cruciales!

—¿Por qué no te comes ese paquete, lo tragas y acabas con él de una vez? —sugirió Kate, que entraba por la puerta.

—¿Qué?

—Que si piensas comerte ese cigarrillo, lo hagas con los dientes. Hay un tráfico terrible ahí fuera —añadió—. He tenido que aparcar a tres manzanas de aquí, y no me hace ninguna gracia caminar con estos estúpidos zapatos que me hiciste comprar. —Se despojó de su práctico abrigo y levantó los brazos—. ¿Qué tal? ¿Estoy a punto de revista?

—Déjame que te eche un vistazo. —Margo apagó el cigarrillo y, frunciendo los labios, hizo una seña a Kate con el dedo para que diera una vuelta sobre sí misma. La perfecta caída del sencillo vestido de terciopelo negro iba bien con sus rasgos angulosos y el elegante cuerpo, con la amplia y profunda abertura del cuello, le prestaba suavidad, en tanto que por la espalda se hundía seductoramente.

—Sabía que te sentaría perfectamente —asintió—. A pesar de ser toda huesos y piel, y tener un busto completamente plano, casi estás elegante.

—Me siento una impostora y, además, voy a helarme. —A Kate casi le importaba menos la crítica acerca de su figura que la incomodidad de llevar desnudos los hombros—. No veo por qué no podía llevar mis propias ropas. El traje de noche que tengo está muy bien.

—Ese traje de noche te irá perfectamente para cuando vayas a la próxima convención de contables —dijo Margo, que frunció sus perfectas cejas—. Esos pendientes…

—¿Qué les pasa? —Como protegiéndose, Kate se llevó las manos a los lóbulos de sus orejas, adornadas con unas sencillas espirales de oro—. ¡Son los mejores que tengo!

—Ya, y comprados en unos grandes almacenes. ¿Cómo es posible que hayamos crecido tú y yo en la misma casa? —Y, diciendo esto, Margo se dirigió a la vitrina de las joyas. Tras una detenida consideración, eligió unos pendientes de estrás que llegaban hasta debajo de la mandíbula.

—Yo no pienso ponerme esos velones... Me veré ridícula.

—No discutas con la experta. Póntelos como una buena chica.

—Oh... ¡Aborrezco tener que disfrazarme! —Malhumorada, Kate fue hacia un espejo y realizó el cambio.

Aún aborrecía más que Margo tuviera razón. Los nuevos pendientes añadían luminosidad a su cara.

—¡La cocina está bajo control! —Laura comenzaba a bajar por la escalera con una bandeja de plata en la mano en la que se balanceaban tres copas de champán—. Pensé que debíamos brindar primero en privado. —Hizo una pausa al llegar abajo y sonrió—: ¡Uau! ¿Verdad que estamos fabulosas!

—No veo por qué teníamos que vestirnos todas de negro —se quejó Kate.

—Hagamos un brindis —Margo tomó una copa y la levantó—. ¡Por las socias! —Apenas bebido un sorbo, se llevó la mano al estómago—. Me parece que se me ha descompuesto todo por dentro.

—¿Quieres un comprimido de Almax? —le preguntó Kate.

—No. A diferencia de ti, no considero las pastillas contra la acidez de estómago un alimento básico de la humanidad.

—Oh, bueno... Tal vez te iría mejor el Xanax, si lo mezclas con un poco de Prozac.

—Yo no tomo tranquilizantes. —En realidad, llevaba uno en el bolso, por si acaso; pero no había ninguna necesidad de mencionarlo—. Y ahora lleva al cuarto trastero esa cosa a la que llamas abrigo, no sea que espante a los invitados. ¿Seguro que no hace falta que suba a ver cómo andan las cosas arriba, Laura?

—Está todo bien. No te preocupes tanto.

—No estoy preocupada. Esta fiestecita solo va a costarnos unos diez mil dólares... ¿Por qué debería estar preocupada? ¿Crees que me he pasado con las bombillas de colores?

—Quedan preciosas. Tranquilízate, Margo.

—Enseguida. Aunque quizá no me sentaría mal una tableta de Xanax… No, no… —Sacó otro cigarrillo del paquete que tenía en el mostrador—. Superaré esto sin la ayuda de productos químicos… —Captó la silenciosa mirada de Laura al vino y al tabaco, y añadió en un suspiro—: Pero no esperes milagros.

Aun así, se obligó a devolver el cigarrillo al paquete.

—Sé que me estoy obsesionando —dijo.

—Bueno…, mientras tú te des cuenta… —replicó Laura con una sonrisa.

—Lo que no entiendo es por qué temo que este acto pueda ser peor que el de nuestra inauguración. Tal vez sea porque tus padres han pospuesto su regreso a Europa para asistir a él…

—Y porque no haría ningún mal que Candy se diera de narices con un éxito clamoroso —añadió Kate, que regresaba en aquel instante del trastero.

—Así es —asintió Margo, y encontró algún consuelo en ello—. En resumidas cuentas, la tienda no está siendo meramente un medio para conseguir un fin, como yo esperaba que fuera. Y ahora yo ya no estoy preocupada por que perdamos todas lo que hemos puesto en ella. Se ha convertido en algo mucho más importante que el dinero. —Miró a su alrededor los expositores que contenían todos aquellos objetos que habían sido suyos—. Por cierto que, ahora que lo pienso, me siento un poco culpable de haber involucrado en este asunto a una organización benéfica, el interés de todos esos pobres niños, solo para poder mantener abiertas nuestras puertas…

—¡Bobadas! —dijo Kate sin ambages—. El dinero irá a parar a beneficencia. Sin bienhechores y actos para recaudar fondos que tuvieran muy presentes las desgravaciones fiscales, serían esas organizaciones las que tendrían que cerrar sus puertas.

—Acuérdate de decírmelo cuando veas un brillo de codicia en mis ojos… —Y ahora lo tenía—. ¡Maldita sea! Estoy deseando vaciar esta noche algunos bolsillos bien llenos.

—Eso ya está mejor —aprobó Kate levantando su copa—. Comenzabas a preocuparme. —Miró a su alrededor en el instante en que se abría la puerta—. ¡Oh, Dios...! ¡Mi corazón! —exclamó llevándose la mano al pecho—. No hay nada como un hombre de esmoquin para ponérmelo a cien.

—Tú también estás guapísima. —Josh, vestido de perfecta etiqueta, llevaba en la mano tres rosas blancas—. En realidad, las tres quitaríais el hipo a la totalidad de los hombres de la Séptima Flota.

—Ofrezcámosle un poco de champán a este caballero tan galante, Kate. —Y agarrando firmemente de la mano a su amiga, la arrastró hacia la escalera.

—No hacemos falta dos para eso.

—Capta la indirecta.

Kate miró hacia atrás, vio la forma cómo Josh y Margo se miraban el uno al otro y sacudió la cabeza...

—¡Señor...! ¿No es suficiente saber ya que duermen juntos, para que, encima, debamos presenciar cómo se consumen de pasión? La gente debería controlarse un poco...

—Tú ya tienes control para dar y vender —mumuró Laura, y la llevó a rastras el resto del camino.

—Temía que no llegaras a tiempo.

Josh levantó la mano de Margo y la llevó a sus labios. Después torció la muñeca para consultar su reloj de pulsera.

—Quedan quince minutos. Ya supuse que, si me presentaba elegantemente tarde, me asesinarías después durante el sueño.

—Buena suposición. Y ahora dime qué te parece. ¿Lo ves todo bien?

—¿De verdad esperas que me fije en algo que no seas tú?

Ella soltó una carcajada, aun cuando su pulso se agitó.

—Bueno —dijo—, tengo que estar en muy baja forma cuando un chiste tan gastado logra hacerme reír.

—Lo digo en serio —insistió él y observó cómo se difuminaba la risa en su rostro—. Adoro mirarte. —Puso una mano en su mejilla, se inclinó e hizo que a ella le temblaran las rodillas con un largo y lento beso—. La hermosa Margo. Mi Margo.

—Bueno… ciertamente has conseguido alejar mi mente de… Bésame otra vez.

—Encantado.

Más profundamente ahora, más largo…, hasta que desapareció de la mente de Margo todo lo que no fuera él. Cuando se separaron sus labios, Josh aún tenía la mano suavemente apoyada en la mejilla de ella.

—Es… diferente —consiguió decir ella.

—Lo vas entendiendo.

—No me lo esperaba. —Nuevos nervios, diferentes nervios, agitados—. No sé si puede ser.

—Demasiado tarde —murmuró Josh.

Volvía a sentir la punzada del pánico, que surgía a través de las brumas del placer.

—Tengo que… —Sintió casi un estremecimiento de alivio cuando se abrió la puerta.

—Pensé que no conseguiríamos evitar la aglomeración —dijo Thomas—. Quita tus manos de esa chica, Josh, y danos una oportunidad a los demás. —Cuando Margo fue corriendo a precipitarse en sus brazos, él enarcó una ceja y le dijo en tono burlón a su hijo—. Yo la vi primero.

Ser el primero importaba muy poco, pensó Josh mientras se apoyaba negligentemente en el mostrador: el último era el que contaba.

Al menos, eso era lo que estaba intentando creer.

Para las diez, dos horas después de que se hubieran abierto las puertas para la Primera Fiesta Anual y Subasta Benéfica de Vanidades, Margo estaba en su elemento. Aquello era algo de lo que entendía de veras: gente exquisitamente vestida conversando, codos cubiertos de seda que chocaban unos con otros mientras sus propietarias daban sorbitos de vino o de alguna elegante marca de agua mineral.

Era un mundo en el que ella había tratado de introducirse al principio. Y que en esta ocasión acudía a ella.

—Pensamos que lo bueno sería pasar un par de semanas en Palm Springs.

—No sé cómo puede seguir cerrando los ojos a esta aventura suya. ¡Es tan evidente…!

—No lo he visto desde la última vez que estuvimos en París.

Cotilleo de privilegiados, en suma, pensaba Margo; y ella sabía bien cómo participar en esas conversaciones. Ofrecer reuniones de este tipo había sido una de sus ocupaciones en Milán. Sabía cómo mantener tres conversaciones a un tiempo, vigilar a los camareros que iban de un lado para otro, y fingir que no tenía nada en su mente más que beber el siguiente sorbo de champán.

También sabía cómo hacer caso omiso, si era necesario, de los maliciosos y taimados retazos de conversación que llegaban a sus oídos.

—Imagínese lo que es tener que venderlo todo. Todo, quiero decir, querida…, hasta los zapatos.

—… hace tan solo una semana, Peter le pidió que presentara una demanda de divorcio, para poder salvar la cara. La pobrecilla es frígida. Y los médicos no han sido capaces de ayudarla.

Margo no habría ignorado esta, si hubiera podido identificar la fuente, pero, antes de que pudiera quedar libre para localizarla, escuchó otros retazos:

—¡Es tan inteligente esta idea de disponerlo todo como si se tratara de un interesante piso europeo…! A mí me encanta esa colección de polveras. Tengo que conseguir esa que tiene forma de elefantito…

—Pues en la habitación de al lado, querida, hay un vestido de Valentino que da toda la sensación de pregonar que es para ti. Deberías verlo.

«Dejémosles que charlen todo cuanto quieran —decidió Margo, y volvió a pintar una amplia sonrisa en su cara—. ¡Y que compren luego!»

—Una fiesta espléndida —comentó Judy Prentice al pasar por el lado de Margo.

—Gracias.

—Creo que Candice tenía un compromiso anterior.

Al advertir el brillo de la mirada de Judy, Margo sonrió.

—No estaba invitada —dijo.

—¿De veras? —Judy se acercó para decirle a Margo al oído—: Eso le escaldará el culo.

—Es lo que yo he pensado también.

—En ese caso, ¿te importaría apartarme ese bolsito de noche con flores hasta que pueda venir a recogerlo?

—¿El de Judith Leiber? Considéralo tuyo. Hay también un estuche para lápiz de labios a juego, y también una polvera. Forman un conjunto realmente precioso.

—A ti te ha enseñado el demonio a tentar a la gente, ¿verdad? —Judy levantó la mano—. Sepáralos también para mí. Vendré a buscarlos la semana que viene.

—Te agradecemos mucho tu aportación —dijo, y apoyó la mano en el hombro de Judy como tranquilizándola—. Oh, y no te olvides de guardar algo para pujar en la subasta por la gargantilla. Me ha parecido oírla gritar tu nombre.

—¡Eres el mismísimo diablo!

Con una carcajada, Margo fue hacia el siguiente grupo.

—¡Cuánto me alegro de que hayan podido venir…! Lleva usted una pulsera preciosa…

—Está muy natural, ¿verdad? —le murmuró Susan a su hijo—. Nadie diría que hay el más mínimo nervio en su cuerpo.

—Fíjate en la forma como mueve los dedos por el fuste de la copa. No puede tener las manos quietas cuando está tensa. Pero está venciendo sus nervios.

—Pues, entonces, menos mal. Porque acabo de separar

para mí dos chaquetas, un bolso y una decorativa cajita de rapé. —Agarrándose al brazo de Josh, Susan rió para sí—. ¡Eran unas chaquetas de Laura, por amor de Dios! ¡Resulta que estoy comprando cosas que ha descartado mi propia hija!

—Lo que demuestra sinceramente que Laura tiene un gusto excelente. Salvo en cuestión de hombres.

Susan le dio un golpecito en la mano.

—Era demasiado joven para tener mejor criterio, y estaba demasiado enamorada para poder llevarle la contraria. —«Laura es mayor ahora», pensó Susan, «y más sensible a las heridas, también»—. Te encargarás de no quitarle el ojo de encima, y también a las chicas, cuando tu padre y yo nos marchemos, ¿lo harás?

—Pienso que últimamente he estado cumpliendo muy bien mis deberes fraternos.

—Te lo has estado pasando muy bien y te has ganado el derecho de vivir tu propia vida. —La mirada sagaz y maternal de Susan exploró la estancia hasta encontrar a Laura—. Me inquieta un poco que lo esté sobrellevando demasiado bien.

—¿Preferirías que se desmoronara?

—No. Querría estar segura, más bien, de que, si eso le ocurre, y cuando le ocurra, tiene alguien a su lado dispuesto a ayudarla. —Sonrió al observar que Kate y Margo hacían en aquel instante un pequeño aparte con Laura—. Ellas estarán.

—Tenemos que hacer una especie de lista —susurró Margo—. Porque, si no, vamos a acabar prometiendo los mismos objetos a distintas personas. No puedo retener todo en la cabeza.

—Ya te dije que tuvieras en funcionamiento la caja registradora —gruñó Kate.

—Sería de mal gusto.

Kate la fulminó con la mirada:

—¡Esto es una tienda, compañera!

—Margo tiene razón —intervino Laura—: en una ocasión

como esta no puedes ponerte a registrar las ventas y a devolver el cambio.

—¡Dios me libre de tantos exquisitos miramientos! —explotó Kate soltando un bufido que sacudió con violencia sus pendientes. Me meteré en el trastero y anotaré las mercancías apalabradas. ¿Qué demonios es eso que has escrito aquí, «una minautera».

—Una *minaudière* —corrigió Margo con sonrisa de superioridad—. Pon «bolsito de noche con pedrería». Yo ya sé cuál es. Y no te pongas a jugar con el ordenador. Tienes que mezclarte con la gente.

—Ya me he mezclado. Pero solo se me ha pegado un chico... ese de ahí. Está bastante bien. —Estiró el cuello tratando de localizarlo—. Ahí está. Es el que tiene bigote y lleva hombreras. ¿Lo veis?

—Lincoln Howard. —Laura lo identificó al momento—. Casado.

—Se comprende. —Kate se alejó refunfuñando.

—Tendrías que conseguir que se quede ese vestido —comentó Laura—. Jamás le he visto con nada que le sentara mejor.

—Y aún estaría más elegante si no se empeñara en caminar como si llegara tarde a una auditoría. —Margo se contuvo en el instante en que estaba a punto de llevarse de nuevo la mano a su revuelto estómago—. Vamos a tener que comenzar ya la subasta, Laura... —Se agarró a la mano de su amiga—. ¡Dios, me está haciendo falta un cigarrillo!

—Apresúrate, entonces. El representante de El Miércoles del Niño me ha hecho señas ya de que empecemos dentro de diez minutos.

—No. Me sobrepondré y daré una vuelta más por la sala para que la gente pueda lanzar miradas codiciosas sobre las perlas. Después me las arreglaré para llegar hasta donde está el señor T., y le pediré que dé comienzo a la subasta.

Empezó su recorrido por el local deteniéndose aquí y allá

para tocar algún brazo, compartir alguna risa rápida, fijarse en si alguien necesitaba que le llenaran de nuevo la copa de champán. En el momento en que vio que salía del trastero, fue hacia donde se encontraba Thomas.

—Ya es la hora. Le agradezco de nuevo que haya querido usted ayudarnos en esto.

—Es por una buena causa y un buen negocio —dijo Thomas, y le dio una afectuosa palmadita en la cabeza—. Vamos a desplumarlos.

—Muy bien dicho. —Siguió con su mano en la de él mientras avanzaban a la parte delantera de la sala.

Sabía que arreciarían los murmullos a medida que los asistentes volvieran la cabeza para estudiarlos, pero también que debía dejar que se entregaran a esos cuchicheos mientras ella, a su vez, calculaba la concurrencia. Desde muy cerca de ellos dos, le llegó un curioso comentario en voz baja:

—No entiendo a qué venía eso de Candy… No se la ve débil ni desesperada.

—Tommy Templeton no habría permitido que las cosas fueran tan lejos con su hijo, si ella fuera la furcia intrigante que Candy dice que es.

—Querida…, si los hombres reconocieran a las furcias intrigantes en cuanto las vieran, su profesión no sería la más antigua del mundo.

Margo notó la mano tensa de Thomas en la suya, y alzó la vista para mirar su rostro sonriente y sus ojos llenos de vida.

—No se preocupe —le dijo. Se puso de puntillas sobre los dedos de los pies y le dio un beso en la mejilla—. Después de todo, estaban deseando ver a una mujer intrigante…

—Si yo no fuera un caballero, le pegaría un puñetazo en las narices a esa gata celosa. —Se le iluminaron los ojos—. Le pediré a Susie que lo haga…

—Tal vez otro día. —Le dio un nuevo apretón en la mano, y se volvió a la concurrencia—. Damas y caballeros, permítanme que reclame su atención un momento. —Esperó a que cesaran las conversaciones y, una vez que lo hubieron hecho, bajó discretamente la voz y siguió—: Ante todo quiero darles las gracias a todos por haber tenido la amabilidad de venir a esta primera fiesta de Vanidades.

Tenía el discurso en la cabeza, el que ella, Laura y Kate habían retocado a conciencia en todos los detalles, pero ahora se estaba apartando de él. Haciendo acopio de su coraje, paseó la vista por las caras de los reunidos.

—Queríamos agradecerles, en particular, que se hayan quedado hasta después de que se sirviera el champán. La mayoría de ustedes están al corriente de mi… accidentada carrera, de la forma como terminó con un pequeño y jugoso episodio de ese tipo de escándalo que tanto nos divierte leer en los periódicos.

Captó la mirada de Laura y la preocupación reflejada en ella, pero se limitó a seguir, sonriente:

—Cuando dejé Europa y regresé aquí no fue porque pensara que Estados Unidos es la tierra de las oportunidades y la libre empresa. Vine porque, cuando te sientes rota, es a tu hogar adonde vas. Y fui muy afortunada, porque encontré sus puertas abiertas. —Distinguió a su madre entre la multitud, y mantuvo los ojos fijos en los de Ann—. No puedo culpar a nadie por los errores que he cometido. Tenía una familia que me quería, que se preocupaba, que velaba por mí. No es este el caso de los niños que necesitan desesperadamente la ayuda que les ofrece El Miércoles del Niño. Tuvieron la desgracia de no ser queridos, de que no se les prestaran cuidados, de que nadie velara por ellos. Porque no se les dieron las mismas oportunidades que a los que estamos hoy reunidos aquí. Esta noche, junto con mis socias, Laura Templeton y Kate Powell, nos gustaría dar un pequeño paso para ofrecer a algunos de esos niños una oportunidad.

Echó la cabeza hacia atrás, abrió el cierre de la gargantilla y la dejó deslizarse entre sus dedos:

—Adiós, pequeña —murmuró y, después, en voz alta—:

Espero que pujen ustedes con generosidad. Es solo dinero, recuerden... —Por último, tras colocar las perlas sobre un fondo de terciopelo, se volvió a Thomas—: Señor Templeton...

—Señorita Sullivan... —Él le tomó la mano y la besó—. Es usted una buena chica. Vamos allá, pues. —Dirigió una cautelosa mirada al auditorio mientras Margo se retiraba al fondo del local. Y su voz resonó luego con fuerza, desafiante, mientras describía el único objeto que iba a subastarse y daba instrucciones a los licitadores, llamándolos por este nombre, de que mantuvieran sus carteras abiertas.

—Ha estado mejor que el guión —murmuró Laura.

—Mucho mejor —asintió Kate, que expresó su acuerdo pasando un brazo por el talle de Margo—. Esperemos que inspire a algunos de estos tacaños.

—Muy bien —anunciaba ya Thomas—. ¿Quién se decide a comenzar el baile y hace la primera oferta?

—Quinientos.

—¿Quinientos? —Thomas frunció el ceño—. ¡Jesús, Pickerling, eso es una miseria...! Si no fuera contra las normas, fingiría no haberlo oído.

—Setecientos cincuenta.

Dejó escapar un resoplido y sacudió la cabeza.

—Tenemos unos miserables setecientos cincuenta. ¿Alguien ofrece mil? —Asintió al ver que se alzaba una mano—. ¡Mil! Ofrecen mil dólares. Pongámonos serios ahora.

La puja proseguía; algunos decían una cantidad, otros se limitaban a hacer una señal..., un dedo alzado, un gesto de la cabeza, un ademán indiferente... Margo comenzó a relajarse cuando vio que pasaban por encima de los cinco mil dólares.

—Esto ya está mejor —murmuró—. Voy a hacerme a la idea de que no se lo llevarán por cuatro cuartos.

—Me está sacando de quicio —dijo Kate, que hurgaba ya en su bolso en busca de su tubo de pastillas.

—Tenemos ya seis mil doscientos —proseguía Thomas—. Tiene usted un cuello de cisne, señora... Estas perlas pudieron haber sido elegidas precisamente para usted.

La interpelada se rió:

—¡Eres un diablo, Tommy! ¡Seis mil quinientos!

—¿En cuánto dijiste que estaban valoradas? —quiso saber Kate.

—¿Vendidas en Tiffany's? En doce mil quinientos, tal vez. —Encantada, Margo trataba de identificar entre la multitud las manos que se alzaban—. Todavía siguen siendo una ganga.

Cuando la puja alcanzó los nueve mil, sintió deseos de bailar. Y cuando llegó a diez, deseó tener una silla a mano para subirse a ella y poder ver a los que pujaban.

—Jamás esperé que pudiéramos llegar tan arriba. Subestimé su generosidad —comentó en voz baja.

—Y su espíritu competitivo. —Kate trataba de ponerse de puntillas—. Parece que la cosa está entre dos o tres, pero no puedo verlos.

—Y ahora va ya en serio —murmuró Margo—: no hay que instarlos a que pujen.

—Tenemos doce mil dólares..., ¿alguien ofrece doce mil quinientos? —Los ojos penetrantes de Thomas iban de un lado para otro, guiando la puja—. Ofrecen doce mil quinientos. ¿Trece mil? —Al recibir por respuesta un gesto de negación con la cabeza, buscó otro licitante—: ¿Trece mil? Sí, ofrecen trece mil dólares. Trece mil es la oferta. ¿Alguien ofrece trece mil quinientos? Ahí está. ¡Trece mil quinientos! ¿Llegaremos a los catorce mil? ¡Ahí tenemos un caballero que sabe lo que quiere! ¿Alguien está dispuesto a pujar por catorce mil quinientos? Catorce mil es la cifra ofertada. Ofrecen catorce mil dólares a la una, catorce mil dólares a las dos y... ¡adjudicado por catorce mil dólares a ese caballero de exquisito gusto y buen ojo para el valor de las cosas!

Hubo unos corteses aplausos y risas amables. Margo estaba demasido ocupada en intentar ver, a través de la multitud ahora arremolinada, para advertir las miradas que le dirigían a ella.

—Deberíamos felicitar al vencedor. Asegurarnos de que el periódico saca una fotografía. La que consiga llegar primero hasta él, que trate de retenerlo.

—Margo, querida…

Aún no había dado dos pasos cuando fue ella misma quien se vio agarrada de un brazo. Miró el rostro de la mujer que la sujetaba y rebuscó desesperadamente un nombre en su memoria. Hasta que no le quedó más remedio que recurrir al habitual:

—Oh, querida… ¡Cuánto me alegro de verla!

—He pasado una maravillosa velada. Una fiesta muy agradable…, y esta tiendecita tan encantadora. Hubiera venido a visitarla hace semanas, pero estaba tan agobiada de trabajo… Si alguien me pide que forme parte de otra comisión, me cortaré las venas.

Una de las amigas de Candy, recordó Margo: Terri, Merri… Sherri.

—¡Qué bien que hayamos podido tener un huequecito en su agenda!

—Yo también lo celebro. Ha sido una noche magnífica. Y me he enamorado de unos lindos pendientes suyos: los que tienen un pequeño rubí y una perla. ¡Son tan encantadores…! ¿Puede decirme usted por cuánto los venden? Voy a insistirle a Lance que me los compre, ya que ha perdido la puja de la gargantilla con Josh.

—Tendré que mirarlo en… ¿Con Josh? —Su memoria dejó de rebuscar por entre las etiquetas de precios y se quedó en blanco—. ¿Que Josh ha comprado la gargantilla?

—¡Como si usted no lo supiera! —Los ojos de Sherri fulguraban cuando asió de nuevo el brazo de Margo—. Muy astuto por su parte hacer que él lo comprara para recuperarlo.

—Sí, ¿verdad? Apartaré los pendientes, Sherri. Venga usted cualquier día de la semana que viene cuando tengamos abierta la tienda, y écheles un vistazo. Ahora le ruego que me excuse.

Se abrió camino por entre la gente, dio las buenas noches a docenas de los que se iban, mientras trataba de mantener todo el rato en su rostro una sonrisa radiante y despreocupada. Hasta que finalmente encontró a Josh, que flirteaba sin ningún reparo con la hija adolescente de un miembro del consejo de administración de Templeton.

—Josh, ¿podrías dedicarme un minuto? —empezó a decir en el momento en que a la jovencita se le escapaba un involuntario mohín—. Necesito que me ayudes a mover algo en el trastero. —Apenas hubo logrado meterlo allí dentro, cerró la puerta—. ¿Qué es lo que has hecho?

—Solo darle a una chiquilla algo con lo que soñar esta noche. —Todo inocencia, levantó las manos con las palmas de cara al cielo—. No le he puesto la mano encima. Tengo testigos.

—No me estoy refiriendo a ese patético ligue tuyo con una niña que, por su edad, podría ser hija tuya.

—Tiene diecisiete años. No hagas bromas. Y la estaba dejando flirtear conmigo. Solo una clase práctica.

—Ya te he dicho que no me refiero a tu actitud con ella, aunque tendrías que avergonzarte de ti mismo. ¿Qué pretendías comprando la gargantilla?

—Oh…, era eso.

—Sí, eso —repitió Margo—. ¿Te das cuenta de lo que parece?

—Claro. Son tres vueltas de perlas perfectamente seleccionadas, con un cierre de oro de dieciocho quilates en forma de arco con pequeños diamantes engarzados.

Margo soltó un bufido que sonó como el chorro de vapor de una máquina.

—¡Ya sé cómo es esa maldita gargantilla!

—Entonces… ¿por qué me lo preguntas?

—No me vengas con juegos de abogados, Josh…

—La verdad es que la cosa tiene más de política que de leyes.

349

Ella levantó ahora las manos y cerró los ojos hasta asegurarse de que tenía su enfado bajo control.

—Parece como si te hubiera incitado a comprarla..., y a pagar por ella más de su valor en el mercado..., solo para poder conservar mi pastel y, a la vez, comérmelo.

Josh decidió que, si le respondía que allí no había servido nadie ningún pastel, sería como un divertido chiste.

—Tenía la impresión de que el producto de la subasta iba a parar a beneficencia.

—El dinero, sí, pero la gargantilla...

—Fue ofrecida al mejor postor.

—La gente cree que te pedí que la compraras...

Como interesado de súbito, ladeó la cabeza. Sí, definitivamente, Margo tenía el rostro ruborizado, y los ojos brillantes y ardientes. Aquella turbación era nueva en ella, y no le restaba atractivo.

—¿Desde cuándo te importa a ti lo que piense la gente?

—Estoy aprendiendo a hacer que me importe.

Josh consideró la respuesta.

—¿Por qué? —preguntó.

—Pues porque... —Margo cerró los ojos de nuevo—. No tengo ni idea. No tengo la más remota idea.

—Muy bien, entonces. —Sacó las perlas de su bolsillo, las pasó por la mano y las estudió—. No son más que granos de arena, pedacitos de carbón a los que el tiempo y la naturaleza dio una forma bella.

—Así hablaría de ellas un hombre.

Josh levantó la mirada, fijó sus ojos en los de ella y le hizo sentir como un temblor en el estómago.

—Resolví comprarlas —dijo— cuando estaba dentro de ti, eran lo único que llevabas puesto y me pareció como si no existiera en el mundo nada más que nosotros dos. También esto es hablar como un hombre, Margo. Un hombre que te ama, y que te ha amado siempre.

Aterrada y emocionada, se quedó mirándolo en silencio.

—No puedo respirar.

—Conozco esa sensación.

—No…, de verdad que no puedo respirar. —Enseguida se dejó caer en una silla y hundió entre las rodillas una cabeza que parecía estar dándole vueltas.

—Bueno —dijo Josh—, es toda una reacción singular a una declaración de amor. —Se guardó las perlas en el bolsillo para poder darle unos golpecitos en la espalda—. ¿Es la tuya habitual cuando se te declaran?

—No.

La sonrisa de él curvó un poco sus labios.

—Ya es algo, entonces.

—No estoy preparada. —Margo inspiró aire lentamente e intentó luego dejarlo escapar molécula a molécula—. Es que no estoy preparada. Para ti. Yo también te amo, pero no estoy preparada.

Josh había imaginado muchas veces cómo sería cuando ella le dijera por fin que le amaba, pero ninguna de aquellas situaciones imaginadas incluía a Margo diciendo esas palabras con la cabeza entre las rodillas.

—¿Te importaría incorporarte y decirme eso de nuevo? Solo el trocito ese de «te amo»…

Cautamente, ella levantó la cabeza.

—Te amo, Josh, pero… No, mejor que no me toques ahora.

—¡Al infierno con eso! —La levantó de la silla en volandas y aplastó su boca contra la de ella con mayor impaciencia que tacto.

18

Kate abrió la puerta del trastero y dejó escapar un largo y sonoro suspiro al ver a Josh y a Margo unidos en un apasionado abrazo. Tal vez aquello animara su corazón, pero no había ninguna razón para dejar que ellos lo supieran.

—¿Os importaría controlar vuestras hormonas para que podamos concluir la velada con un cierto sentido del decoro?

Josh separó su boca de la de Margo el tiempo justo para llenarse los pulmones de aire.

—¡Largo de aquí! —ordenó, y volvió a la faena.

—No me marcharé. Quedan aún más de una docena de personas que están esperando una afectuosa despedida por parte de las propietarias. De las tres propietarias. Y esto incluye a la mujer a la que en estos instantes estás sometiendo a una operación de amígdalas de emergencia.

Josh le dedicó una breve mirada por encima de la cabeza de Margo.

—¡Qué terriblemente romántica eres, Kate…!

—Lo sé. Es mi debilidad. —Avanzó un paso y se metió entre ellos para apartar al uno del otro—. Estoy segura de que los dos recordaréis en qué punto lo dejasteis. Vamos, socia. Ah, y tú, Josh, mejor que te quedes un rato aquí dentro hasta que estés un poco más… presentable.

Por muy poco no logró sonrojarlo.

—¡Se supone que las hermanas pequeñas no notan esta clase de cosas!

—Pues la que tienes aquí lo ve todo, lo sabe todo —replicó Kate, cuando empujaba ya a Margo a través de la puerta—. ¿Se puede saber qué pasa contigo? —murmuró—. Parece como si te hubieran noqueado.

—Lo han hecho, sí. Dame una de esas condenadas pastillas tuyas para el estómago, que tanto te entusiasman.

—En cuanto consiga dar con mi bolso. —Preocupada, Kate pasó su brazo por la espalda de Margo.

—Dime, cielo… cuéntame qué te ocurre.

—Ahora no puedo. Mañana. —Y, porque era consciente de su deber, formó en sus labios una radiante sonrisa y extendió ambos brazos a la mujer que se acercaba a ellas:

—¡Cuánto me alegra verla aquí! Confío en que haya disfrutado de la velada.

Repitió estos sentimientos, sin apenas variantes, durante casi una hora antes de que desfilaran los más remolones. La necesidad, junto con aspirinas y comprimidos contra la acidez de estómago, consiguieron mantenerla en pie. Necesitaba una habitación tranquila, un rato para ordenar todas aquellas emociones que bullían en su interior, pero tuvo que posponerlo porque los Templeton insistieron en llevar a toda la familia a celebrarlo.

Era casi la una de la madrugada cuando entró con Josh en el apartamento del ático. A aquellas alturas debería tenerlo todo pensado, se dijo. Debería saber exactamente qué decir y hacer. Pero cuando la puerta se cerró tras ellos y se quedaron solos, no sabía por dónde empezar.

—Voy a echarlos de menos…, a tus padres…, cuando vuelvan a Europa.

—Yo también. —Tenía una tranquila sonrisa en su cara. Su corbata de lazo esta suelta ahora, así como desabrochados los gemelos de la camisa de etiqueta. Margo se dijo que era un hombre elegante y amigo de las colonias varoniles y carísimas—. Has estado muy callada —le dijo.

—Lo sé. He estado tratando de pensar, de imaginar qué diría cuando habláramos acerca de esto.

—No deberías pensar tanto. —Josh fue hacia ella y comenzó a quitarle las horquillas del pelo—. Yo he estado pensado en cuándo estaría a solas contigo. Por fin. —Cuando el pelo de Margo cayó suelto, le lanzó las horquillas sobre el tocador—. No me ha costado mucho esfuerzo.

—Alguno de nosotros tiene que ser sensato.

—¿Por qué?

En cualquier otro momento, ella se hubiera reído.

—No estoy segura del motivo; solo sé que uno de nosotros tiene que serlo. Y no da la impresión de que vayas a serlo tú. Tampoco estoy segura de que alguno de los dos sepa cómo hemos de manejar esto, Josh.

—A mí se me ha ocurrido una idea bastante buena acerca de cómo empezar. —Pasó los brazos alrededor de ella, los subió por su espalda hasta abarcar sus hombros y tiró de ella hacia él.

—Esta parte es sencilla, tal vez demasiado sencilla para los dos. No creo que debamos cambiarla.

—¿Por qué íbamos a querer cambiarla? —Rozó con los labios la mandíbula de Margo y notó su tacto cálido y sedoso.

—Porque hemos embarrado las aguas. —¿Cómo esperaba Josh que ella pensara, cuando estaba saboreándola como si fuera una golosina escogida de entre las expuestas tras el cristal resplandeciente de una pastelería?—. Porque yo jamás he estado realmente enamorada antes, y creo que tú tampoco lo has estado nunca. —Le temblaba ya el pulso—. No sabemos qué estamos haciendo.

—Pues, entonces…, improvisaremos. —Su ánimo volaba muy alto y demasiado libre para dejar que el inesperado ataque de lógica por parte de Margo pudiera lastrarle las alas. Dio un tirón de la cremallera que cerraba la espalda de su vestido y, cuando la seda se abrió, deslizó las manos por su piel.

—¿Me estás diciendo que las cosas no deben cambiar?

—Unas burbujas de alivio comenzaron a batallar contra los alfilerazos del deseo en cuanto su vestido cayó al suelo.

Josh quería decirle que ya estaba decidido todo, pero la conocía lo suficiente como para saber que, si le hablaba de cambio, de compromiso para siempre, ella se mostraría reacia, rehuiría el tema o, simplemente, echaría a correr.

—No hay nada que necesitemos cambiar. No esto, por ejemplo —murmuró, mientras rozaba con sus pulgares la suave redondez blanca de sus pechos, que al sentir la caricia, se irguieron en toda su blancura, libres de los tirantes de encaje del body negro que los retenían. Sus medias le llegaban muy arriba en los muslos, creando allí otro seductor contraste de negro sobre blanco. Él recorrió con las yemas de sus dedos el camino de la media hasta la carne y el encaje, estremeciéndose en cada brusco cambio de textura. Ni un instante sus ojos dejaron de estar fijos en los de Margo.

—En el instante en que me tocas, te deseo. Es algo que no me veo capaz de controlar. —Y que la preocupaba, la preocupaba tanto que apartó voluntariamente de su mente cualquier consideración racional y empezó a abrirle la almidonada camisa para acariciar la piel levemente bronceada de su tórax—. Jamás he tenido un amante que me excitara tanto con el simple hecho de estar los dos en la misma habitación. ¿Cuánto podrá durar esto?

—Averigüémoslo. —La tendió en la cama y los cabellos rubios de Margo se derramaron sobre las sábanas, sumándose al contraste de la piel blanca como la leche con la seda negra y el encaje. Toda ella era promesas de fragancias y seductoras curvas y miembros largos y flexibles que se abrían para abrazar.

Y ella lo abrazó contra sí misma, deleitándose en la sensación del peso que la inmovilizaba, en la lenta fricción del sexo aprisionado bajo el sexo. Todo cuanto tenía que saber en aquel instante era que lo necesitaba. Y su boca buscó ávidamente la de él para el soñado maridaje de las lenguas.

¿Cuándo había empezado a necesitar su sabor, el olor y el

tacto de su piel? Después de tantos años, ¿cómo habían llegado a transformarse la amistad y los lazos familiares en pasión y deseo? Aunque…, ¿qué importancia podía tener esto, cuando sus cuerpos se fundían tan perfectamente?

Su piel vibraba bajo sus manos con aquellas largas y deslizantes caricias que le alteraban el pulso y lo hacían apremiante, posesivo. Pero semejante chisporroteo de vida dentro de ella tenía también demasiada hondura y complejidad para analizarlo. Se dejó, pues, dominar por la pasión.

Él, por su parte, era consciente de cada movimiento, de cada suspiro de ella. Sabía qué nervios había pulsado hasta obtener su asentimiento. Allí, en aquel amplio y blando lecho, no había preguntas. Tan solo, ahora y como siempre, su aceptación de todo cuanto él quisiera.

Los largos y delgados miembros, las suntuosas curvas, la piel lisa y fragante… Todo su cuerpo, en fin, estaba pensado para dar y recibir placer. Y él pensaba, mientras las bocas de ambos se fundían, que nadie más podría dárselo o recibirlo de ella en adelante. Porque nadie más comprendía su corazón, su mente y sus sueños como los comprendía él.

Ningún otro.

A ella, de pronto, el corazón le dio un brinco y se estremeció mientras a él lo invadía una sensación de urgencia. Unas manos ansiosas y una boca hambrienta iniciaron una loca carrera por el cuerpo de ella. Los suspiros se hicieron más profundos y se transformaron en gemidos, mientras trataba de acompasar cada latido suyo a los de él, cada ardor a su ardor.

Una deliciosa locura.

Margo dio media vuelta sobre sí misma para que sus manos se apresuraran también a conducirlo a donde la estaba conduciendo él. A alturas peligrosas. A un placer parecido a una titubeante clase de dolor. Se incorporó. Bajo las atenuadas luces del dormitorio, su piel brillaba como seda mate. Sus ojos azules, intensamente azules, estaban clavados en los de él. Un latido. Dos.

Ahora. La silenciosa petición pareció titilar en la atmósfera alrededor de ellos. En respuesta, él la agarró por las caderas clavando sus dedos en ellas. Y, con movimientos fluidos, ella lo recibió, honda, profundamente, y lo retuvo allí, mientras los dos permanecían temblorosos e inmóviles. Después, con un largo y felino gemido, arqueó la espalda y se pasó las manos por su propio cuerpo, desde el centro del torso hasta el pecho, donde notó los atronadores latidos de su corazón. Despacio, muy despacio y con vivísima conciencia de cada uno de los temblores de su cuerpo y de que los ojos de Josh seguían hasta el más mínimo de ellos, deslizó las manos por aquel cuerpo trémulo hasta que cubrieron y acariciaron la unión de los dos.

Hasta que, disfrutando plenamente de aquel aire glorioso que llenaba de gozo sus pulmones en cada respiración, volvió a subir las manos y las alzó por encima de la cabeza. Después, dio rienda suelta a su deseo.

El ritmo que ella misma le imponía era brusco, rápido, implacable. Josh notó cómo se lanzaba ella misma hacia el clímax, y se estremecía en él. Las sensaciones caían sobre él como un alud y empañaban su visión. Pero estaba seguro de que jamás había visto nada más glorioso que a Margo desbordada por su propio apasionamiento.

Y cuando ella gritó y se lanzó a sí misma hacia delante, con las manos aferradas a los hombros de él y los cabellos haciendo como de cortina delante de su cara, a Josh no le quedó otro remedio que perderse con ella.

—¿Por qué tengo siempre la sensación de lanzarme desde lo alto de una montaña cuando hago el amor contigo? —Margo, en realidad, no esperaba una respuesta. Pensaba que Josh estaba dormido o, cuando menos, en estado de coma, pero él se movió y sus labios rozaron la curva de uno de los pechos de ella, y después el otro.

—Porque tú y yo juntos somos una pareja peligrosa, duquesa. Y ya te estoy necesitando de nuevo.

Margo estaba dispuesta para flotar otra vez, y notó sus brazos ligeros y flexibles cuando los levantó para rodearlo.

—Jamás me había sucedido esto antes. —A través del aturdimiento que le producía la acumulación de nuevas sensaciones, advertía un cambio. Y enseguida comprendió el motivo—: Ahora sé cómo es eso.

—No importa —dijo Josh.

Él tampoco quería pensarlo. Solo deseaba tenerla, retenerla.

—Sí, es importante. Para los dos. —Se sintió de repente insegura: ella, que siempre había tenido tanta confianza en sí misma; y abarcó el rostro de él entre sus manos para levantarlo. Vio los ojos de él cargados de deseo, y una nota de irritación que afloraba en ellos—. De verdad creo que tenemos que hablarlo, Josh.

—Ninguno de los dos hemos hecho voto de castidad…

Lo cual era muy cierto. Margo sabía también que, aunque había tenido otros amantes con anterioridad, la prensa le había adjudicado una libido y un rosario de corazones rotos que estaban muy lejos de la realidad.

—Tenemos que hablar acerca de eso —repitió.

—Yo no te he hecho preguntas, Margo. Quienes sean, cuantos sean los que haya habido en tu vida antes, ahora ya no cuentan. Estoy solo yo.

En otras circunstancias, a ella la hubiera irritado su tono frío y posesivo. Así era Joshua Templeton: lo veo, lo quiero, lo tomo. Pero aún estaban unidos los dos, aún calientes el uno del otro.

—No han sido tantos como podrías pensar, Josh. No me he acostado con todos los hombres con los que he salido.

—Muy bien. Y yo no he dormido con todas las mujeres a las que he invitado a cenar —le replicó cuando ella se volvió de espaldas para apartarse el pelo de la cara—. En cualquier caso, lo que importa es el presente. ¿Estamos de acuerdo en esto?

Margo necesitaba que lo estuvieran, sí. Pero era la ira de él, y su frío control sobre esta, lo que la hacía sentir de otra manera.

—Mira, Josh… A mí, en realidad, jamás me ha importado mi reputación antes. De hecho, solo servía para que aumentara mi cuenta corriente en el banco. Pero ahora…, ahora sí me importa. —Sintió un súbito escalofrío, se incorporó y se envolvió en sus propios brazos—. Me importa ahora porque tú me importas. Y no sé cómo puedo manejar eso. Ni sé cómo vamos a manejarlo ninguno de los dos. Cuando se trataba solo de sexo…

—Para mí nunca fue solo sexo.

—Yo no lo sabía —replicó ella en voz baja—. No sabía cómo te sentías ni cómo me sentía yo misma hace un rato. ¡Y fue todo tan grande, tan importante…, tan aterrador…!

Aquello le sorprendió a Josh, no tanto por lo que decía, como por la forma como lo decía. Nervios, reproches, confusión… ¡Era tan raro en Margo todo esto tratándose de los juegos entre hombres y mujeres…!

—¿Estás asustada?

—Aterrada. —Susurró esa palabra casi sin aliento, y se levantó para sacar una bata del armario—. Y no me hace feliz esa sensación.

—Así me siento también yo.

Con un principio de irritación despuntando en sus ojos, Margo se volvió a mirarlo por encima del hombro. Un animal largo, delgado, pensó, un hombre con las manos enlazadas detrás de la nuca ahora, y cuya atractiva boca comenzaba a esbozar una sonrisa. No estaba muy segura de si quería abofetearlo o abalanzarse sobre él.

—¿Qué has dicho?

—Que yo también me siento aterrado y no precisamente feliz de sentirlo.

Margo se ajustó el cinturón de la bata, metió las manos en él y se volvió.

—¿De verdad?

—¿Sabes lo que pienso, duquesa?

—No. —Fue aquella sonrisa la que la hizo volver a sentarse en el borde de la cama—. ¿Qué es lo que piensas?

—Que todo nos resultó muy sencillo antes. Demasiado sencillo.

—Y que ahora ya no será así.

Él le tomó la mano, y sus dedos se enlazaron al punto.

—No da la impresión de que vaya a serlo. Tal vez tendré un pequeño problema, una complicación, cuando se trate de otros hombres... Después de todo, la mujer de la que me he enamorado ha estado prometida en cinco ocasiones...

—En tres. —Margo liberó su mano, consciente de que su pasado estaba a punto de aflorar y serle echado en cara—. Las otras dos fueron mero producto de una prensa demasiado ávida. Y los tres compromisos ciertos fueron... errores que me apresuré a rectificar enseguida.

—Pero la cuestión es —puntualizó Josh con lo que consideraba una admirable paciencia— que ninguna de mis relaciones fue jamás tan lejos.

—Lo cual se puede interpretar como simple temor a comprometerte por tu parte.

—Podría interpretarse así, en efecto —murmuró él—. Pero la explicación más simple es que llevo enamorado de ti casi media vida. Casi la mitad de mi vida —insistió, incorporándose también él para que sus ojos, negros como sombras, estuvieran al mismo nivel que los de ella—. Todas las mujeres a las que tocaba eran un sustituto de ti.

—Josh... —Margo se limitó a sacudir la cabeza.

No había nada que pudiera decir, nada que pudiera sobresalir de la oleada de emoción que la inundaba.

—Es desmoralizador, Margo..., ver que la mujer, la única mujer a la que realmente quieres, se vuelve a todos menos a ti. Esperar y ver.

Era emocionante pensar eso, pero también terrible saberlo.

—Pero… ¿por qué esperaste?

—Un hombre tiene que saber emplear las ventajas con las que cuenta. La mía era el tiempo.

—¿El tiempo?

—Yo te conozco, Margo —Deslizó un dedo por la curva de su mejilla—. Tarde o temprano, ibas a sacar la cabeza de todo eso o a aburrirte de esa vida de tanta *jet set*.

—Y tú estarías allí para recoger mis pedazos…

—Funcionó —dijo él alegremente, y la sujetó por la muñeca antes de que ella pudiera saltar de la cama—. No hay razón para que te piques ahora.

—Hay una espléndida razón. Que estás reconociendo que tú, arrogante y endiosado hijo de perra, te quedaste esperando tranquilamente hasta que Margo la cagara para poder intervenir luego. —Le habría atizado un puñetazo, si él no se hubiera adelantado a ella y le hubiese agarrado la otra muñeca.

—Yo no hubiera querido expresarlo exactamente de esta forma, pero… —Sonrió triunfante—. Lo cierto es que la cagaste.

—Sé lo que hice. —Tiró hacia fuera de sus brazos, pero lo único que consiguió fue una pobre imitación de un guiñol—. Y también que conseguí salir por mí misma de aquel embrollo con Alain, y… —Fue el brillo de sus ojos lo que la detuvo. Lo vio un instante y desapareció enseguida, pero ella conocía hasta el más mínimo detalle de su cara—. ¿Acaso no lo hice?

—Sí, claro que sí…, pero la cuestión es que…

—¿Qué hiciste tú? —Furiosa, golpeó con sus manos atrapadas el pecho de él—. Tú no estuviste en Grecia. Lo habría sabido si hubieras estado tú allí. ¿Cómo lo arreglaste?

—Yo no arreglé nada. Exactamente. ¡Maldita sea, Margo…! Mira: hice unas cuantas llamadas, moví algunos hilos. ¡Por Dios! ¿Esperabas que me quedara tumbado en la playa mientras jugaban con la idea de enviarte a la cárcel?

—No. —Lo dijo en voz baja, porque temía no poder controlar su voz y gritar—. Tengo una crisis y tú vienes corriendo a rescatarme. Suelta ahora mis manos.

—No, creo que no lo haré —dijo, observando la furiosa expresión de sus ojos—. Escucha: lo único que hice fue acelerar las cosas. No tenían nada contra ti, no querían tener nada en tu contra. Y tampoco tenía ningún sentido que te tuvieran en chirona más tiempo del necesario. Lo único que te podían echar en cara era que hubieses tenido el mal gusto y el poco sentido común de liarte con un baboso artista de mierda que te estaba utilizando como tapadera.

—Te lo agradezco mucho.

—No hay de qué.

—Y puesto que lo has mencionado una vez más, reconoceré que he tenido amplia experiencia de mi mal gusto y de mi falta de sentido común. —Trató de soltar los brazos, y se enfureció más aún al ver que él seguía sujetándolos con firmeza—. Pero todo eso ha pasado ya. Me he hecho cargo de mi vida, ¡maldita sea! Y volveré a recomponerla por completo, pieza a pieza. Lo cual es algo que tú nunca tuviste que hacer. Yo asumí el riesgo, yo me esforcé, yo...

—Y yo me siento orgulloso de ti. —Desarmándola por completo, se llevó a los labios las manos que seguía teniendo sujetas.

—No trates de darles la vuelta a las cosas.

—Orgulloso de la forma como encaraste lo que habías hecho y lo convertiste en algo único y excitante. —Le abrió los dedos de las manos y apretó los labios contra las palmas de sus manos—. Y conmovido también por ti. Por la forma como te comportaste allí anoche, por las cosas que dijiste.

—¡Maldita sea, Josh!

—Te amo, Margo. —Sus labios esbozaron una sonrisa—. Tal vez fue mi escaso sentido común lo que me hizo amarte antes. Pero estoy mucho más enamorado de la mujer con la que estoy ahora.

Vencida ya su resistencia, Margo apoyó su frente en la de él.

—¿Cómo consigues esto, animarme, hacerme volar? Ahora ya ni siquiera recuerdo por qué estaba furiosa contigo.

—Ven aquí —dijo él tendiéndole los brazos—. Veamos qué más cosas podemos olvidar.

Más tarde, cuando estaba acurrucada a su lado, sintiendo el peso de su brazo alrededor de ella y bajo la oreja los latidos fuertes y regulares de su corazón, lo recordó todo. Se dio cuenta de que no habían resuelto nada y la asombró que dos personas que se conocían desde hacía tanto tiempo y tan bien fueran tan incapaces de entender cada una los sentimientos de la otra. Hasta esa noche nunca se había avergonzado de los hombres a quienes había permitido entrar en su vida. Todo cuanto había buscado en ellos, lo que había soñado, era diversión, excitación, aventura romántica. La mayoría de las mujeres la habían visto como una competidora. Incluso de niña había tenido pocas amigas, aparte de Laura y de Kate.

Pero hombres...

Suspiró y cerró los ojos.

Entendía a los hombres: desde muy joven había deducido el poder que la belleza y el sexo podían ejercer sobre ellos. Y ella había disfrutado ejerciéndolo. Jamás para hacer daño, pensaba. Nunca había entrado en aquel juego afrontando el riesgo de que condujera a un dolor auténtico para cualquiera de las dos partes. No. Había puesto siempre mucho cuidado en elegir compañeros de juego que entendieran las reglas. Hombres maduros, experimentados..., hombres de trato fácil, carteras repletas y corazones bien guardados.

Ninguno de ellos interferiría en su carrera, en sus ambiciones, porque las reglas eran simples y se seguían siempre.

Diversión, excitación, romanticismo... Sin conflictos, sin enredos, sin duros reproches cuando ella seguía su camino.

Ningún sentimiento en absoluto. Pero una gran falta de

sentido común. Y ahora estaba allí Josh. Su fuerza era diferente con él, sus sueños diferentes también. Y asimismo distintas las reglas. Oh, sí... Seguían presentes la diversión, la excitación y el romanticismo... Pero ya había habido conflictos y enredos.

¿No se seguiría de esto que alguno fuera a resultar herido?

Por mucho que él la amara, ella aún no había conquistado su confianza. Y todavía algo más allá de la confianza estaba su respeto, pensaba ella.

No dudaba que amaba a la mujer con la que estaba ahora. Pero le habría gustado saber si no estaría a la espera de comprobar si ella se quedaría o si saldría corriendo. Y la propia Margo se preguntaba, en lo más hondo de sí misma, si ella no estaría aguardando a comprobarlo también.

Después de todo, Josh había nacido en una familia privilegiada, tenía la ventaja innata de poder elegir o descartar a su capricho cualquier cosa y a cualquier persona. Era cierto que la había querido durante mucho tiempo, que la había esperado y seguido y que, por ser precisamente como era, había disfrutado con aquel desafío.

Pero, una vez que había salido triunfante de aquel reto...

—Te odiaré por eso —murmuró Margo, y apretó los labios contra su hombro—. Quienquiera que sea el causante del dolor, te odiaré por él.

Se acurrucó más a él y deseó que despertara, que despertara y la hiciera perder la cabeza de nuevo para no tener que inquietarse ni hacerse preguntas.

—Te amo, Josh. —Apoyó la palma de la mano sobre el corazón de él y comenzó a contar sus latidos hasta que los del suyo se acompasaron a su ritmo—. ¡Y que Dios nos ayude a los dos!

19

Los acantilados eran siempre el lugar adonde iba Margo a pensar. Allí había tomado sus decisiones importantes: ¿A quién invitaría a su fiesta de cumpleaños? ¿Quería de verdad cortarse el pelo? ¿Con quién iría al baile de comienzos del curso, con Biff o con Marcus?

Aquellas decisiones le habían parecido tan colosales en aquel entonces… El estrépito de las olas, el olor del mar y de las flores silvestres, el desplomarse de las rocas desde aquellas alturas la calmaban y excitaban al mismo tiempo. Y las emociones que sentía allí estaban incluidas en sus decisiones.

Fue allí adonde había ido el día antes de escaparse a Hollywood. Justo después de la boda de Laura, recordaba. Tenía entonces dieciocho años, y era tan grande su convencimiento de que la vida, con todos sus misterios, pasaba por su lado sin detenerse. Necesitaba desesperadamente ver qué había allí fuera, ver qué podía depararle. Hacer de ella.

¿Cuántas discusiones había tenido con su madre durante aquellas últimas semanas?, se preguntó. Demasiadas para poder contarlas, se respondió ahora.

Tienes que ir a la universidad, niña, si quieres sacar algún provecho de ti misma.

Es aburrido. Es inútil. Allí no hay nada para mí. Necesito más.

Siempre has sido igual. Más… ¿de qué, esta vez?

Más de todo.

Y lo había encontrado, ¿no?, pensó Margo. Más excitación, más atención, más dinero. Más hombres.

Pero ahora que había completado el círculo…, ¿qué era lo que tenía? Una nueva oportunidad. Algo propio. Y a Josh.

Echó la cabeza hacia atrás y vio cómo una gaviota abatía el vuelo, surcaba el aire y se perdía como una bala hacia alta mar. A lo lejos, por las aguas de un color azul adamantino se deslizaba una embarcación blanca y brillante, de cuyos bronces arrancaba el sol poniente cegadores destellos dorados. El viento se arremolinaba y giraba como una bailarina, jugueteando con sus cabellos y azotando el tejido de seda de su casaca blanca.

Se sentía terriblemente sola allí, pequeña e insignificante sobre los altos y salientes cantiles, con la destrucción o la gloria solo a unos pocos pasos de distancia.

«¿Una metáfora del amor?», se preguntó a sí misma, divertida. Jamás habían sido su fuerte los pensamientos profundos. Pero ahora estaba allí sin él, solitaria. Si el compromiso con Josh fuera como el salto desde un acantilado, ¿volaría una mujer como ella o se precipitaría a la muerte?

Y si aquel era un riesgo que ella estaba deseando correr, ¿cómo lo tomaría Josh? ¿Confiaría en ella? ¿Podría hacerlo? ¿Creería en ella, resistiría con ella? Y, lo principal, ¿estaría dispuesto a superar los altibajos de una vida juntos?

«Pero… ¡por amor de Dios!…, ¿cómo era posible que haya pasado sin darme cuenta de estar pensando en el amor a pensar en el matrimonio?», porque ahora, en efecto, Margo pensaba, en el matrimonio…

Tuvo que sentarse.

Temblorosa aún, se sentó en un peñasco y aguardó a recuperar el aliento. El matrimonio no había sido nunca un objetivo en su vida. Sus anteriores compromisos fueron solo una payasada, una broma, no más serios que un guiño y una sonrisa.

Pero el matrimonio implicaba promesas que no podían ser

rotas con un mero encogimiento de hombros. Era para toda la vida, para compartir todo. Incluso unos hijos. Sintió un escalofrío y se llevó la mano al estómago. Ella no era la típica mujer maternal. No, no…, los cochecitos de niño y los parques para sentarlos con sus juegos quedaban a años luz de sus dominios.

«No —se dijo, riéndose casi de sí misma—, de eso, nada de nada.» Viviría con él. La situación era perfecta tal como era ahora. Y era también, naturalmente, la forma que él quería. No le cabía en la cabeza que hubiera llegado a agobiarse tanto por aquel tema. La suite del ático era perfecta para sus necesidades, sus estilos de vida, y les daba a los dos la oportunidad de escapar, juntos o separados, cuando les apeteciera hacerlo.

Nada permanente, nada que supusiera una obligación. Aquella había sido siempre la respuesta. Josh llevaba en la sangre la vida de hotel y esta formaba asimismo parte de la vida que ella había elegido. ¿Que te cansabas de ver siempre el mismo paisaje? Pues hacías las maletas con tus cosas y buscabas otro.

No cabía duda de que él querría eso. Con lo cual ella también se sentiría cómoda.

Pero entonces se volvió y levantó la vista, más arriba aún: a la casa, con sus cimientos firmes como la roca en que se asentaba, su fortaleza y su belleza. Las torres añadidas por las nuevas generaciones, las tejas de color con que la techaron las primeras. Sabía que los recuerdos surgidos allí duraban para siempre. Que los sueños soñados allí no se desvanecían nunca. Que las palabras de amor pronunciadas en ella florecían libres y tan silvestres como las buganvillas que se entrelazaban con las parras.

Aquella, sin embargo, no era su casa. Un hogar propio era algo de lo que siempre se había sentido privada. Se volvió de nuevo a mirar al mar, sorprendida de notar que le escocían los ojos.

«¿Qué es lo que quieres, Margo? ¡Di de una vez qué es lo que quieres, por amor de Dios!»

Más. Más de todo.

—Supusimos que estarías aquí —dijo Kate, que se dejó caer en una roca a su lado—. Precioso día para contemplar el mar.

—Debes de sentirte a cien esta mañana —dijo Laura apoyando la mano en su hombro—. Anoche fue un exitazo de principio a fin.

—Está cavilando —observó Kate volviendo los ojos a Laura—. Nunca satisfecha del todo.

—Me he enamorado de Josh. —Margo seguía mirando al frente al anunciarlo, como si sus palabras fueran dirigidas al viento.

Kate apretó los labios, pensativa. Como las gafas de sol de Margo la impedían verle los ojos, se las bajó por el puente de la nariz.

—Ese «me»… ¿es con mayúsculas o con minúsculas?

—Kate, que ya no estamos en el instituto… —murmuró Laura.

—Sigue siendo una pregunta relevante. ¿Cuál es la respuesta?

—Me he enamorado de Josh —repitió Margo—. Y él está enamorado de mí. Nos hemos vuelto locos los dos.

—¿Lo dices en serio? —preguntó Kate, despacio, y pasó luego su mirada de los ojos de Margo a los de Laura—. Lo dice en serio.

—Tengo que dar un paseo. —Margo se puso en pie de un salto y comenzó a caminar por el borde en curva de los acantilados—. Tengo dentro tanta energía que no sé qué hacer con ella. Y los nervios, que dan vueltas bajando desde mi cabeza al estómago, para desandar de nuevo el recorrido.

—Eso no tiene por qué ser una mala cosa —le dijo Laura.

—Tú estuviste enamorada de Peter, ¿no?

Laura bajó la vista a sus pies, diciéndose a sí misma que tenía que vigilar dónde pisaba.

—Sí, es verdad. Lo estuve. En otro tiempo.

—Pues esa es la cuestión. Te enamoraste de él, comenzasteis a vivir juntos, y después todo se vino abajo. ¿Tienes idea de cuántas relaciones he visto deshacerse o simplemente romperse? No podría contarlas. Nada dura para siempre.

—¿Y mis padres? —Son la excepción que confirma la regla.

—Aguarda un minuto. ¡Aguarda un minuto…! —dijo Kate agarrándola por el brazo—. ¿Estáis pensando en casaros Josh y tú?

—¡Santo cielo! ¡No! ¡Ni hablar! Ni él ni yo somos de esos que van repitiendo «hasta que la muerte nos separe». —Como deseaba estar más cerca del mar, Margo eligió el sendero que discurría bajo el reborde de las primeras rocas.

—¿Quieres estar enamorada de él?

A esta pregunta de Kate, Margo levantó la vista, impaciente, enojada.

—No tengo elección.

—¡Claro que la tienes! —Kate no creía que el amor, ni ninguna otra emoción, fuera incontrolable.

—El amor no es un vestido de verano que te puedas probar a ver si es de tu talla —intervino Laura.

Kate se limitó a encogerse de hombros y saltó con agilidad por la cornisa al sendero de Margo.

—Por lo que a mí respecta, si no te sienta bien, has de dejarlo a un lado. Di, Margo: ¿te sienta o no te sienta bien?

—No lo sé. Pero lo estoy llevando.

—Tal vez crezcas tú dentro de él. O fuera de él —pensó inquieta.

Fue el tono lo que hizo que Margo se detuviera. La preocupación era un nivel más grave que la simple duda.

—Lo amo de verdad —dijo en voz baja—. Aún no sé exactamente cómo he de manejar este sentimiento, pero es lo que siento. Tal vez aún no seamos capaces de hablar con sensatez de ello. Sé, puedo ver que él está aún preocupado en parte por la vida que he llevado. Por los hombres con los que he estado…

—¡Oh, bueno…! Como si él se hubiera pasado los diez últimos años copiando manuscritos en un monasterio... —Kate se cuadró de hombros e hizo ondear bien alta la bandera de su feminismo—. No tiene ningún derecho a pedirte cuentas ni aunque hubieran pasado por tu cama todos los hombres de la Quinta, la Sexta y la Séptima Flotas. Una mujer puede, si quiere, mostrarse tan estúpida e irresponsablemente promiscua como un hombre.

Margo abrió la boca, pero por el momento solo pudo reírse de aquella declaración de apoyo sin reservas que tenía un inteligente punto de insulto.

—Muchas gracias, sor Inmaculada...

—Siempre a su disposición, sor Pelandusca.

—Lo que quiero decir —prosiguió secamente Margo— es que no se trata de una cuestión de celos entre Josh y yo. Algo que yo pueda pasar por alto o que me enfurezca. En este caso, él tiene sobrados motivos para dudar, y yo no estoy segura de cuánto tardaremos en convencernos los dos de que esa parte de mi vida ha pasado.

—Me parece que estás siendo demasiado blanda con él —murmuró Kate.

—¿Y demasiado dura conmigo misma?

Kate sonrió jovialmente:

—Yo no he dicho eso —protestó.

—Pues lo diré yo —dijo Laura, a la vez que le daba a Kate un codazo en las costillas.

—No tiene solo que ver con los otros hombres. —Margo seguía contemplando el mar, tratando de desentrañar el sentido de todo aquello—. Supongo que eso es solo una especie de síntoma. Dice que se siente orgulloso de mí, de lo que he hecho para poner mi vida en orden. Pero yo diría que está más sorprendido que otra cosa. Y precisamente por eso —añadió despacio— me doy cuenta de que no es probable que espere en realidad que yo siga por ese camino, que resista y siga. ¿Por qué tendría que esperarlo? —murmuró al recordar la viva reacción de él cuando su reciente sesión fotográfica—. Está esperando que yo me marche de nuevo, que escape corriendo en busca de algo más aparatoso, más fácil.

—Yo diría que eres tú quien no tienes suficiente fe en él —dijo Kate, que frunció el ceño y estudió la cara de Margo—. ¿Estás pensando en escapar?

—No. —Era algo de lo que, por fin, estaba completamente segura—. He acabado de escapar. Pero…, con mi historial…

—Los dos haríais mejor en concentraros en el presente —intervino Laura—. En donde estáis ahora y en lo que cada uno sentís por el otro. Lo demás…, bueno…, eso solo se aprende cuando te das cuenta de dónde estás y con quién estás.

Sonaba todo tan sencillo, tan claro… Margo se esforzó en creerlo.

—De acuerdo —decidió—, pienso que lo mejor es ir paso a paso. Ir recuperando despacio cada cosa, marcha atrás. —Se agachó, recogió un guijarro del suelo y lo lanzó al mar—. Mientras tanto, estamos en un intermedio. Puede que incluso resulte divertido.

—Se supone que el amor es divertido —observó Laura sonriendo—. Cuando no, es un infierno.

—Tú eres la única de nosotras tres que has vivido ese infierno —dijo Margo, y miró a Kate como pidiendo su confirmación.

—Así es.

—Si no te resulta violento hablar de ello, ¿te importaría explicarme cómo se llega al otro extremo? Quiero decir… ¿cómo caíste en él?

Se le hacía violento, sí. Hurgaba en su herida por dentro y la hacía sentir una sensación de fracaso. Pero nunca lo admitiría.

—Fue algo gradual, como el mar que se estrella contra una roca y la va deshaciendo poco a poco. No fue un relámpago, como si me despertara una mañana y viera de pronto que no estaba enamorada de mi marido. Fue un proceso lento, desagradable, una especie de petrificación de las emociones. Al final, no sentía por él nada en absoluto.

Un pensamiento aterrador, decidió Margo. ¡No sentir nada por Josh...! Ella estaba segura de que lo odiaría más bien, antes que no sentir nada por él.

O peor, mucho peor, se dijo, antes de darme cuenta de que él ya no sentía nada por mí.

—¿No podías haber detenido ese proceso?

—No. Tal vez hubiera sido posible detenerlo, pero yo no pude. No sola, al menos. Él nunca me amó. —¡Cuán doloroso era reconocerlo!—. Esa es la gran diferencia entre lo que ocurre entre tú y Josh.

—Lo siento mucho, Laura.

—No lo sientas. —Más tranquila ya, Laura buscó el apoyo del brazo de Margo—. Tengo dos hijas maravillosas. Visto así, me parece un buen trato. Y a ti se te ofrece la oportunidad de tener algo especial, exclusivamente tuyo.

—Podría aceptarla... —Recogió otro guijarro y lo arrojó por el precipicio.

—Bueno..., si estáis pensando en montar un nidito de amor, una firma de la que me ocupo está tratando de deshacerse de una finca a menos de un kilómetro de aquí, por el sur. —Contagiada por aquel espíritu, Kate se puso también a lanzar piedras—. Con una casa muy linda, también. De estilo californiano español.

—Estamos la mar de felices en la suite. —A salvo en la suite, le susurró una vocecita en su cabeza. En el limbo.

—Como queráis. —Kate se encogió de hombros. Creía firmemente en el valor de la inversión inmobiliaria. Una cosa era un hogar en el que vivir: no podía medirse en términos de rendimiento de capital a corto o largo plazo. Pero una finca bien elegida era un elemento imprescindible en una cartera de valores bien compensada—. Aunque es una lástima, porque tiene una vista excepcional.

—¿Cómo lo sabes?

—Fui allí una vez a entregar unos documentos. —Sorprendió la sonrisa de Margo—. No seas mal pensada. El cliente es una mujer. Le correspondió la finca en los acuerdos de divorcio y quiere venderla para comprar algo más pequeño, que cueste menos de mantener.

—¿Es la casa de Lily Farmer? —preguntó Laura.

—La misma.

—Oh, sí… Es preciosa. Dos pisos. Estuco y cerámica. La restauraron por completo hará dos años.

—Sí. Justo a tiempo para decirse adiós. Él se quedó con el barco, el BMW, su perro labrador y la colección de monedas. Ella, con la casa, el Land Rover y el gato siamés. —Kate sonrió—. No hay secretos para una contable titulada…

—Eso es precisamente lo que yo estaba diciendo, y la razón de que no quiera una casa, un todoterreno o un perro. —Solo de pensarlo, a Margo se le descomponía el estómago—. He simplificado mi vida, la he racionalizado, en todo caso, ¡y que me condene si voy a complicármela otra vez! —Ahora tenía un montón de piedras en la mano y las estaba lanzando como proyectiles por el borde del precipicio—. ¿Cómo era lo que me decía siempre mi madre? «¿Empieza tal y como pretendas seguir?» Bueno, pues eso es exactamente lo que voy a hacer. Empezar sencillamente, seguir sencillamente. A Josh tampoco le gustan esas responsabilidades más que a mí. La dejaremos, y…

—¡Espera! —Laura la agarró por la muñeca antes de que pudiera arrojar el siguiente guijarro—. ¿Qué es esto? No es una piedra…

Margo frunció el entrecejo y comenzó a restregarla con el pulgar.

—A alguien se le debe de haber caído lo que llevaba en el bolsillo. No me había dado cuenta. Es solo un… ¡Oh, Dios mío!

Al limpiarlo de tierra y de arena, se encontró en la palma de la mano un pequeño disco brillante.

—¡Es oro! —Kate cerró también su palma sobre la de Laura, y las tres quedaron unidas por las manos—. Es un doblón. ¡Cielo santo, es un doblón de oro!

—No, no... —Conteniendo el aliento, Margo sacudió la cabeza—: Tiene que ser una de esas imitaciones de plástico que reparten en los salones recreativos de la ciudad... —Pero pesaba mucho para ser de plástico, y tenía un brillo tan especial—... ¿No os parece?

—Mirad esa fecha —señaló Laura—: 1845.

—Serafina —dijo Margo, que se llevó una mano a la cabeza para evitar que siguiera dándole vueltas como un tiovivo—. ¡La dote de Serafina! ¿Podría ser?

—Tiene que serlo —insistió Kate.

—Pero ¡si estaba ahí mismo! Hemos pasado por este camino centenares de veces. Registramos a fondo el terreno cuando éramos niñas. Y jamás encontramos nada.

—Supongo que nunca buscamos en el lugar justo. —Los ojos de Kate danzaban de entusiasmo cuando se inclinó para darle a Margo un fuerte y sonoro beso—. Miremos ahora.

Tan risueñas y animosas como las niñas que fueron antaño, se pusieron en cuclillas sobre la tierra y las rocas, destrozando manicuras y llenándose de arañazos los dedos.

—Tal vez no dejó escondida su dote, después de todo —sugirió Margo—. Tal vez cuando supo que él no volvería y decidió que no viviría sin él, optó por desenterrarla y arrojar las monedas al mar.

—Cierra el pico. —Kate se enjugó el sudor de la frente con un antebrazo lleno de tierra—. Las tres juramos que la encontraríamos, y ahora que realmente hemos conseguido una pizca de ese tesoro, ¡tú quieres que lo arrojemos al mar con ella!

—No creo que Serafina lo hubiera hecho. —Laura se arañó uno de sus nudillos con una piedra y se sentó sobre sus talones—. Para ella, la dote no era importante ya. No era nada. ¡La pobre era solo una niña! —Se apartó el pelo de la cara—. Por cierto que, hablando de niñas, ¡fijaos en nosotras!

No fue su orden lo que hizo que Kate y Margo interrumpieran la búsqueda: fueron más bien las carcajadas que salieron de su garganta; un sonido muy raro desde hacía meses: el alegre y profundo estallido de risa de Laura…

Y al fijarse bien en aquella muchacha con los cabellos revueltos, la cara surcada por churretes de tierra húmeda y su antes perfectamente planchada blusa de algodón sucia ahora de sudor y de barro, que era una de las damas más respetadas de la sociedad, Margo sumó sus risas a las de ella.

Luego se llevó la mano al estómago y señaló a Kate, que estaba a gatas mirando fijamente a las dos. Y tuvo suerte de poder agarrarse a una roca antes de que el siguiente estallido de risas la hiciera rodar por el acantilado.

—¡Dios santo, Kate! ¡Estás sucia de tierra hasta las cejas!

—Pues tú no vas precisamente de punta en blanco, chica. Solo a ti se te podía ocurrir ponerte a buscar tesoros llevando puesto un vestido de seda blanco.

—¡Oh, mierda! Lo olvidé. —Con gesto de contrariedad, Margo bajó la vista para mirarse a sí misma. Lo que antes era un vaporoso e impecable vestido estaba ahora mugriento y se le pegaba a la piel. Dejó escapar un gemido—: ¡Fue antes un Ungaro! —exclamó.

—Pues ahora es un trapo sucio —dijo ingeniosamente* Kate—. La próxima vez prueba a venir con camiseta y tejanos, como el resto de los mortales. —Se puso en pie y se sacudió de encima la tierra—. Así jamás encontraremos nada. Tenemos que organizarnos. Necesitamos un detector de metales.

—¡Esta sí que es una buena idea! —decidió Margo—. ¿De dónde lo sacamos?

---

* El ingenio de la réplica está en que, mediante un sencillísimo cambio de las letras, Kate transforma el nombre del creador del vestido, el conocido modisto francés Ungaro, en «un rag», convirtiéndolo en «un trapo». (N. del T.)

Para cuando Margo regresó al apartamento del ático, ya había oscurecido. Entró por la puerta cojeando y empezó a desnudarse mientras iba derecha a la bañera.

Josh se estaba sirviendo una copa de Pouilly-Fuissé, pero lo dejó de inmediato.

—¡Santo Dios!, ¿qué has estado haciendo? —El vidrio se rompió contra la madera al levantarse él y correr a su encuentro—. ¿Ha ocurrido algún accidente? ¿Estás herida?

—No ha habido ningún accidente, pero me duele todo. —Gimió al extender el brazo para abrir el mando del agua caliente. Tenía los dedos dolorosamente agarrotados—. Mira, Josh…, si realmente me quieres, tráeme una copa de lo que sea que te estabas sirviendo y, sobre todo, prométeme que, por muchas ganas que te vengan, no te reirás de mí.

Josh no pudo ver ni una gota de sangre cuando Margo metió el cuerpo en el agua. Tranquilizado, salió y regresó con dos copas llenas del vino de color oro pálido.

—Dime una cosa… ¿Te caíste de algún peñasco?

—No exactamente. —Tomó la copa que le ofrecía y bebió el vino de unos pocos y sedientos sorbos. Luego inspiró profundamente, le tendió la copa vacía y le quitó de entre las manos la que estaba llena—. Gracias.

Él se limitó a enarcar una ceja, y fue a por la botella.

—Ya sé… Te llevaste a las niñas a la playa y dejaste que te enterraran con la ropa puesta.

Ella se echó hacia atrás, refunfuñando.

—Ahora trabajo con regularidad… ¿Cómo puede ser que haya todavía músculos en mí que aún no esté empleando? ¿Querrás pedir una sesión de masaje para mí?

—Te lo daré yo mismo, si dejamos de jugar a las adivinanzas.

Margo abrió los ojos. Quería ver si se estaba riendo. Porque, si hubiera descubierto en Josh siquiera un temblor de risa, habría tenido que matarlo.

—He estado con Laura y con Kate —dijo.

—¿Y…?

—Y estuvimos buscando tesoros.

—¿Que estuvisteis…? —Se pasó la lengua por los dientes—. Humm.

—¿Ha sido una risita eso?

—No. Ha sido simplemente un «Humm.» O sea, ¿que habéis pasado la tarde y parte de la noche buscando tesoros?

—En los acantilados. Teníamos un detector de metales.

—¿Que teníais un…? —Josh intentó valientemente disimular la risa tras una tosecilla, pero se le contrajeron la pupilas—. ¿Sabías tú cómo funcionan esos trastos?

—No soy boba —protestó; pero hizo un mohín y cuando el agua alcanzó el nivel suficiente, apretó el botón que ponía en movimiento los chorros—. Lo hizo Kate. Y antes de que se te ocurra algún otro comentario chistoso, ve a mirar en el bolsillo de mis pantalones; están ahí fuera. —Se hundió más en el agua, bebió otro sorbo de vino como si, después de todo, aun valiera la pena vivir—. Ah, y después puedes pedirme disculpas.

Deseoso de seguir el juego, Josh dejó su copa en el borde de la bañera y se dirigió a la habitación contigua. Los pantalones de Margo estaban cerca de la puerta, a poco más de un palmo de donde se había quitado los zapatos. Y estaban lo suficientemente sucios como para tener que levantarlos del suelo cautamente con solo dos dedos.

—Vas a necesitar un nuevo equipo de cazadora de tesoros, cariño. Has dejado este para el arrastre.

—Calla la boca, Josh. Mira en el bolsillo.

—Probablemente Kate encontró un diamante que se le habrá caído a alguien de un anillo —murmuró—, y pensará haber dado con la veta madre…

Pero sus dedos se cerraron sobre la moneda. La sacó y la miró con cara de asombro. Una moneda española, de más de un siglo de antigüedad, y reluciente como el verano.

—No oigo ninguna risa ahí —dijo Margo levantando la

voz—. Ni tampoco que alguien pida disculpas. —Empezó a canturrear para sí mientras el agua en movimiento relajaba sus músculos. Al notar la presencia de él en el umbral, le dirigió una mirada por debajo de las pestañas—. No tienes que humillarte públicamente. Un sencillo «Perdóname, Margo. He sido un tonto» será suficiente.

Josh lanzó al aire la moneda y la recogió limpiamente antes de sentarse en el borde de la bañera.

—Un doblón no hace un tesoro —sentenció.

—¿Rudyard Kipling?

—No. J. C. Templeton —dijo sonriente.

—¡Oh… ese…! —Margo cerró los ojos—. Siempre he pensado que es un cínico y un presuntuoso.

—Respira hondo, querida —la avisó, y la sumergió bajo agua.

Cuando reapareció en la superficie escupiendo agua, él seguía con la moneda en la mano, dándole vueltas.

—Reconozco que es intrigante. ¿Dónde la encontrasteis, exactamente?

Margo estaba resoplando y cegada por el agua que le caía aún sobre los ojos.

—No veo por qué tendría yo que decírtelo. La dote de Serafina es cosa de chicas.

—Está bien. —Se encogió de hombros y tomó su copa de vino—. Entonces…, ¿qué más hicisteis hoy?

—Por lo menos podrías intentar sonsacármelo —dijo Margo, disgustada.

—He acortado esa parte. —Le pasó el jabón—. Lo que ahora necesitas es esto.

—Ah, bueno, entonces… —Una larga y torneada pierna salió del agua. Josh se puso a enjabonársela generosamente—. Fue en el acantilado, delante de la casa. Kate puso un montón de piedras allí para marcar el lugar. Pero estuvimos buscando allí durante horas después de haber descubierto yo la moneda, y no encontramos nada que valiera un chavo.

—¿Y cuánto vale exactamente un chavo? Es solo una pregunta retórica —dijo, cuando Margo le soltó un bufido—. Mira, duquesa…, no voy a estropearos la diversión. Habéis conseguido un precioso botín con esto. Y la fecha es correcta. Así que… ¿quién sabe?

—Yo lo sé. Y Kate y Laura lo saben también. —Se pasó los dedos por entre los cabellos mojados—. Y te diré algo más. Significó mucho para Laura. Le desapareció de pronto esa expresión de sus ojos: la expresión herida que dan la sensación de tener siempre cuando no sabe que la estás mirando.

Cuando Margo notó que Josh fruncía el ceño, lamentó lo que acababa de decir. Cubrió la mano de él con la suya, y añadió:

—Yo también la quiero.

—Despedir a ese bastardo no fue suficiente.

—Le rompiste la nariz, además…

—Eso es algo. Pero no quiero que sufra. Nadie merece tanto como Laura que nada ni nadie la haga sufrir.

—Aunque lo sobrelleva maravillosamente —añadió Margo. Le dio un breve apretón en la mano—. Tendrías que haberla visto hoy. Estaba riendo, excitada… Incluso metimos a las niñas en ello. No he visto a Ali sonreír así desde hace semanas. ¡Fue tan divertido! Aunque no fuera más que por la emoción de nuestras propias esperanzas.

Josh miró la moneda de nuevo antes de dejarla, brillante, en la repisa del baño.

—Entonces…, ¿cuándo pensáis volver a intentarlo?

—Decidimos convertirla en una excursión habitual los domingos. —Arrugó la nariz dentro del agua—. Podría ser como mi baño de barro semanal… —Tiró del tapón de desagüe—. Estoy muerta de hambre. ¿Te importa que cenemos aquí esta noche? Aún tengo que ducharme y lavarme el pelo.

Él la vio levantarse en la bañera, con el agua abriendo regueros al deslizarse por su suave piel.

—¿Podríamos cenar desnudos? —preguntó.

—Depende —rió mientras se encaminaba a la ducha—. ¿Qué menú tenemos?

A la mañana siguiente, relajada por el amor, se desperezó en el coche mientras Josh conducía a través del tráfico.

—No tenías que haberme llevado —le dijo—, pero te lo agradezco.

—Quiero pasar por el centro de vacaciones. He de comprobar unas cuantas cosas.

—No has hablado de ningún viaje pronto.

—Las cosas van bien.

Margo miraba por la ventanilla, como si estuviera enfrascada en la contemplación del paisaje:

—Una vez hayas sustituido a Peter, me imagino que tendrás que volver a Europa.

—Es posible. Pero de momento estoy llevando las cosas bastante bien desde aquí.

—¿Es eso lo que quieres? —Necesitaba que la pregunta surgiera con naturalidad, por los dos—. ¿Quedarte aquí?

Josh se mostró tan cauto como ella:

—¿Por qué lo preguntas?

—Nunca has permanecido mucho tiempo en el mismo lugar…

—No tuve ninguna razón para hacerlo.

—Eso está muy bien —dijo Margo a la vez que afloraba a sus labios una sonrisa—. Pero no querría que te sintieras atado. Los dos debemos entender que el trabajo del otro tiene sus exigencias. Si Vanidades sigue yendo bien, tendré que empezar a hacer algunos viajes para adquirir género.

Josh ya había considerado eso, y había empezado a pensar una solución.

—¿Qué es lo que tienes en la cabeza?

—No estoy segura. Las subastas locales me parece que no servirán. Y en lo que se refiere a ropa, quiero probar primero con mis contactos. Tal vez logre más éxito si lo hago en persona. En Los Ángeles, naturalmente, pero también en Nueva York y en Chicago. Y si las cosas siguen rodando bien, volvería a Milán, a Londres, a París.

—¿Es eso lo que quieres?

—Quiero que la tienda reluzca. A veces echo de menos Milán…, estar allí, la sensación de sentirme en el centro de algo. De tener a mi alrededor todo su bullicio. —Se le escapó un suspiro—. Se me hace duro haberlo dejado por completo. Tengo la esperanza de poder ir allí un par de veces al año, hacer compras de vez en cuando; eso bastará. ¿No la echas de menos tú también? —Se volvió a mirarlo—. ¿La gente, las fiestas…?

—Alguna vez —respondió. Aunque había estado demasiado ocupado en cambiar su vida y la de ella para pensar en eso. Sin embargo, al hacerlo ahora, tenía que reconocer que aquel bullicio se le había metido también en la sangre—. No hay razón para que no podamos coordinar tus viajes de compras con mis negocios. Solo necesitamos un poco de planificación.

—Estoy progresando mucho en eso de planificar. —Cuando Josh detuvo el coche delante de Vanidades, se inclinó para darle un beso—. Y eso es bueno, ¿verdad? ¿Te parece bueno?

—¡Y tanto! —asintió él, al tiempo que retenía el cuello de Margo entre sus manos para prolongar el beso—. ¡Es fabuloso!

Todo lo que tenían que hacer, pensó Margo, era seguir por el mismo camino.

—Tomaré un taxi para volver. No, no…, insisto. —Lo besó de nuevo para acallar sus protestas—. Supongo que regresaré hacia las siete, así que no trabajes hasta muy tarde. Me gustaría ir a cenar a algún sitio maravilloso donde podamos darnos el lote entre cóctel y cóctel de champán.

—Creo que podré arreglar eso.

—No sé que me hayas fallado nunca.

Josh le sujetó la mano cuando Margo se disponía a bajar.

—Te amo, Margo.

Ella le dirigió una sonrisa radiante.

—Lo sé.

20

Fue una sensación muy agradable pasar todo el día en su propia tienda, entre sus cosas, recogiendo los frutos de su primera y concurrida fiesta. Y así se lo dijo a su madre cuando Ann se dejó caer por la tienda hacia mediodía con una caja de una de las golosinas preferidas de Margo: galletas con trocitos de chocolate.

—Casi no me lo puedo creer —decía Margo, a la vez que mordía con fruición una galleta—. La gente no ha parado de llegar durante todo el día. Este es el primer descanso que he podido tomarme desde que abrí. ¿Sabes, mamá…? Ahora sí pienso que tengo realmente un negocio. Entiéndeme…, lo he querido pensar desde el primer momento; casi lo sentí así el primer día, cuando fue todo tan estupendamente… Pero el sábado por la noche… —Cerró los ojos y se metió en la boca el resto de la galleta—. El sábado por la noche me convencí de veras.

—Hiciste un buen trabajo. —Ann bebió un sorbo del té que había preparado en la cocina del piso de arriba. Pero, aunque no pudo evitar fruncir el entrecejo ante la elección que había hecho su hija, champán… ¡champán a la hora del almuerzo!, no le hizo ningún comentario—. Has hecho un buen trabajo. Todos estos años…

—Todos estos años he estado desperdiciando mi vida, mi tiempo, mis recursos. —Margo se encogió de hombros—. ¿Una repetición de la vieja fábula de la cigarra y la hormiga, mamá?

A su pesar, Ann notó que se le escapaba de los labios una sonrisa.

—Tú jamás prestaste atención a esa fábula. Jamás llenaste tu despensa para el invierno. O eso creía yo... —Se puso en pie para acercarse a la puerta y miró el tocador, decorado con gusto—, porque parece que en realidad sí has estado ahorrando.

—No. Esa es otra historia…, diferente. «La necesidad es la fuente de la invención.» O tal vez haya que decirlo, más bien, de la desesperación. —Ya que estaba trabajando con sinceridad en la forja de la nueva Margo, ¿por qué no empezar por ahí?—. No lo planeé de esta forma, mamá. O no lo quise así.

Ann se volvió a mirarla. Estudió a la mujer sentada frente a ella en la decorativa silla que parecía hecha de helado con su cojín de color rosa vivo como guinda. Sus rasgos parecían más suaves ahora, pensó Ann. Se le notaba en los ojos y en la boca. Le extrañaba que Margo, siempre tan consciente de cada centímetro de su rostro, no se hubiera dado cuenta del cambio.

—O sea que no lo quisiste —repitió Ann tras un largo silencio—. ¿Y ahora?

—Ahora voy a conseguir que salga bien. No…, digo mal. —Tomó otra galleta y la hizo chocar contra la copa como si fuera un brindis—. Ahora voy a hacer que sea fabuloso. Vanidades va a crecer, en uno o dos años. Abriré una sucursal en Carmel. Y, después…, ¿quién sabe? Tal vez una tiendecita elegante, con un buen escaparate, en San Francisco, o algo más informal en Los Ángeles.

—¿Todavía soñando, Margo?

—Sí, tienes razón. Soñando aún. Viajando a otros lugares. Solo por el hecho de ser diferentes. —Se alisó los cabellos hacia atrás y sonrió, aunque había una nota de firmeza en su voz—. Ya ves: a pesar de todo, sigo siendo la misma Margo de siempre.

—No, no lo eres —dijo Ann, que se acercó a ella y alzó con la mano la barbilla de su hija—. No lo eres, aunque todavía reconozco en ti mucho de la niña a la que crié. ¿De dónde te vendrá? —murmuró—. Tus abuelos vivían de la pesca. Tus abuelas barrían los suelos y colgaban las coladas con pinzas de madera para que las secara el viento. —Tomó la mano de Margo en la suya y estudió aquella mano larga y fina, sus delgados dedos adornados con lindos anillos—. En la mano de mi madre hubieran cabido dos como la tuya. Una mano fuerte y capaz, como la mía.

Vio la expresión de sorpresa en los ojos de Margo, su sorpresa porque la hablara con tanta naturalidad y franqueza de personas de las que nunca le había dicho una palabra. «Por egoísmo», había comprendido finalmente Ann. Porque, si no les hablaba de ellas, no sentiría tan profundamente su falta.

¡Oh, sí…! También Ann había cometido muchos errores, se reprochaba ahora a sí misma. Grandes y graves errores con la única hija que Dios le había dado. Y era justo que le doliera ahora hasta el intento de repararlos.

—Mi madre se llamaba Margaret —Ann tuvo que aclararse la garganta para poder pronunciar ese nombre—. No te lo había dicho antes porque murió a los pocos meses de haber dejado yo Irlanda. Y porque me sentía culpable de haberla abandonado enferma y de no haber sido capaz de volver a su lado para darle el último adiós. Por eso no te hablaba de ella ni de ninguno. La hubiera entristecido saberlo.

—Lo siento —fue todo lo que Margo pudo decir—. Lo siento mucho, mamá.

—Y yo también…, por eso y por no haberte contado antes lo mucho que te quiso el poco tiempo que te tuvo con ella.

—¿Cómo…? —La pregunta pugnaba por salir, pero Margo temía hacerla, por miedo a que su madre la rechazara una vez más.

—¿Que cómo era? —Los labios de Ann se curvaron esta vez en una tranquila sonrisa—. Solías acosarme con preguntas como esta cuando eras pequeña. Hasta que dejaste de hacerlo porque yo nunca respondía. Debí haberlo hecho.

Dio la vuelta y se alejó para acercarse a las graciosas ventanas con moldura curva que ofrecían los ruidos y la vista de las calles llenas de gente. Se daba cuenta ahora de que su culpa había sido por cobardía y por haberse mostrado indulgente consigo misma. Si el castigo era simplemente el dolor de recordarlo, era pequeño, pero doloroso.

—Antes de responder quiero decirte que, si no lo hice antes, fue porque me había propuesto no mirar atrás. —Y con un sencillo gesto de pesar, se volvió de nuevo hacia su hija—. Porque me dije que lo más importante era educarte bien, más que llenarte la cabeza con recuerdos de personas desaparecidas. Aparte de que... ¡la tenías ya tan llena de cosas!

Margo tocó un instante el dorso de la mano de su madre.

—¿Cómo era?, dime.

—Era una buena mujer. Muy trabajadora, pero de buen carácter. Le encantaba cantar, y no paraba de hacerlo mientras trabajaba. Le gustaban las flores y era capaz de cultivar cualquier cosa. Nos enseñó a sentirnos orgullosas de nuestro hogar y de nosotras mismas. No quería tonterías de nuestra parte, y nos repartía tortas y abrazos a partes iguales. Se sentaba a esperar que mi padre regresara del mar con una expresión en sus ojos que yo no comprendí hasta que fui mayor.

—¿Y mi abuelo? ¿Cómo era?

—Un hombre fuerte, con una voz grave. Le gustaba renegar, para que mi madre lo reprendiera. —Una sonrisa asomó a la boca de Ann—. Llegaba a casa del mar oliendo a pescado, a agua y a tabaco, y nos contaba historias. ¡Y qué estupendas historias sabía contar!

Ann se serenó y recogió unas migajas de galletas que habían quedado en la mesa.

—Te llamé Margo por mi madre. Era así como la llamaba mi padre cuando bromeaba con ella. Aunque ahora, la verdad, no descubro en ti ningún parecido con tu abuela, ni conmigo si te he de ser sincera. Los ojos, a veces —prosiguió mientras Margo seguía mirándola en silencio—. Pero no por el color, sino por su forma y la terquedad que en ocasiones se muestra en ellos. Este rasgo es mío, pero el color es el de los de tu padre. Él tenía unos ojos capaces de arrastrar a cualquier mujer. ¡Y la luz que resplandecía en ellos…! Señor… ¡Una luz así era capaz de cegarte!

—No hablas nunca de él…

—Me hacía daño hablarte de él. —Ann dejó caer la mano y se sentó de nuevo con gesto de cansancio—. Me hacía daño, y por eso adopté la costumbre de no hablarte de él, de robártelo, Margo… Fue un error de mi parte no querer compartirlo contigo. Quería guardar mis recuerdos para mí sola, y por eso te negué un padre. Lo quise todo para mí —añadió con voz trémula.

Margo respiró entrecortadamente. Sentía como si un gran peso, enorme, oprimiera su corazón.

—No creo que lo amaras, mamá —dijo.

—¿Que no lo amaba? —Primero la sacudió la sorpresa, y a ella siguió después una carcajada, larga y sostenida—. ¡Santa Madre de Dios! ¿Que no lo amaba, dices, niña? Sentía un amor tan grande por él que mi corazón no era capaz de contenerlo. Cada vez que lo miraba, se agitaba en mí como un pez que hubiera arrojado al fondo de la barca tras capturarlo. Y cuando me tomaba en sus brazos como le gustaba hacer y bailaba conmigo, yo no me mareaba por las vueltas sino por el olor que emanaba de él: olor a lana húmeda, a pescado y a hombre.

Margo trató de imaginar la escena: a su madre, joven y risueña, bailando feliz en los brazos fuertes del hombre del que estaba locamente enamorada.

—Pensaba…, daba por supuesto que te habías casado con él porque habías tenido que hacerlo.

—Bien…, ¡claro que tuve que hacerlo! —empezó Ann, pero se quedó a media frase con los ojos muy abiertos… ¡Oh, ya te entiendo…! Pero, niña…, si hubiera sido por eso, mi padre le hubiera dado una paliza que lo habría dejado a un dedo de concluir su vida mortal. Y no es que mi Johnny no lo intentara —añadió con una fugaz sonrisa—. Después de todo, era un hombre y tenía sus cosas. Pero yo también tenía las mías, y fui a mi lecho de bodas como una recatada, aunque impaciente, virgen.

—O sea que yo no… —Margo tomó su copa y bebió un tonificante sorbo—…, que yo no fui la razón de que él se casara contigo.

—¡La razón de que se casara conmigo fui yo! —dijo Ann con una nota de orgullo en su voz—. Y todavía siento más el tener que decírtelo, que el no haberme dado cuenta hasta este mismo instante de la absurda idea que se te había metido en la cabeza.

—Yo pensaba…, me preguntaba… —¿Cómo expresarlo, se preguntó Margo, cuando había tantas emociones en juego?—. Eras tan joven… y estabas en un país extraño, con una niña de la que tenías que ocuparte tú sola…

—Tú jamás fuiste una carga para mí, Margo. Una prueba sí, muchas veces —añadió con una mueca de ironía en la boca—, pero nunca una carga. Ni tampoco un error. Así que hazme el favor de quitarte por completo esa idea de la cabeza. Tuvimos que casarnos, porque nos amábamos el uno al otro. Porque estábamos desesperadamente enamorados. Dulzura, desesperación, juventud…: fue ese amor dulce y desesperado lo que te engendró, Margo.

—Oh, mamá… ¡Lo siento tanto!

—¿Sentir? ¿Que los cuatro años que Dios nos concedió estuvieran más llenos de felicidad de la que podría tener una mujer menos afortunada sumando dos vidas?

—Pero lo perdiste.

—Sí, lo perdí. Y tú también. No pasaste mucho tiempo con él, pero era un buen padre, y… ¡Señor!…, ¡cómo adoraba hasta el más mínimo detalle de ti! Solía contemplarte dormida y te tocaba la cara con la yema del dedo como si temiera romperte. Y cuando sonreía, daba la sensación de que la sonrisa lo abría por dentro. —Ann se llevó la mano a la boca porque podía imaginar perfectamente aquella escena. Sentirla aún demasiado bien—. Siento no habértelo contado nunca, hija mía.

—No importa. —Había desaparecido la opresión de su pecho, pero ahora tenía los ojos inundados de lágrimas—. Está bien, mamá. Ahora ya me lo has contado.

Ann cerró los ojos unos momentos. ¿Cómo iba a poder explicarle que el dolor, el amor y la alegría podía convivir en un mismo corazón durante toda una vida?

—Él nos amaba a las dos, Margo..., un hombre bueno, amable, lleno de sueños para las dos, para los demás hijos que íbamos a tener. —Buscó en el bolsillo un kleenex, y se enjugó las lágrimas—. Es tonto llorar ahora por ello. ¡Al cabo de veinticinco años!

—No es una tontería. —Para Margo era incluso una revelación, bella, dolorosa. Porque, si podía conservarse el dolor al cabo de un cuarto de siglo, también era posible mantener intacto el amor. Un amor dulce y desesperado y, más aún: duradero—. Ya no es preciso que sigamos hablando de eso.

Pero Ann sacudió la cabeza y pestañeó con los ojos secos. Quería seguir y contarle a su hija, a la hija de Johnny, lo que tenía derecho a saber acerca de su padre.

—Cuando regresaron a casa esa noche, en plena tormenta... ¡Dios, qué tormenta aquella con el viento ululando y soplando, y los rayos abriendo el firmamento en pedazos!... —siguió, buscando la mirada de Margo— , yo supe enseguida que él había muerto, aun antes de que me lo dijeran. Lo supe aquí —dijo llevándose la mano al corazón—. No quería creerlo, pero algo se había roto y se había perdido con él. No era que *pensara* que no podía vivir sin él: era que *sabía* que no quería vivir sin él.

Ann enlazó fuertemente los dedos, porque sabía que iba a resultarle más difícil aún decir lo que seguiría.

—Yo estaba ya casi de tres meses, embarazada con otra criatura.

—¿Que tú…? —Margo se secó las lágrimas—. ¿Estabas embarazada?

—Quería un hijo para Johnny. Él decía que le parecía bien, porque teníamos ya la hija más preciosa del mundo. Aquella mañana se despidió de nosotras con un beso. Primero a ti, luego a mí, y después apoyó la mano sobre mí, donde estaba creciendo el bebé. Y sonrió. Nunca regresó. Y tampoco encontraron su cadáver para que yo pudiera verlo de nuevo. Una última vez para mirarlo. Esa noche perdí al bebé, en mitad de la tormenta, del luto y del dolor. Perdí a Johnny al bebé, y solo tú sobreviviste.

«¿Cómo puede alguien sobrellevar eso y arreglárselas para seguir viviendo? —se preguntó Margo—. ¿Qué clase de fortaleza es necesaria para afrontar algo semejante?»

—¡Ojalá lo hubiera sabido, mamá! —Tomó entre las suyas las manos juntas de su madre—. ¡Ojalá hubiera podido conocerlos! Habría intentado ser… mejor.

—No, eso son tonterías. —Al cabo de tantos años, Ann se dio cuenta de que aún no lo estaba haciendo bien—. Me callo muchas cosas buenas. Porque no todo fue dolor y tristeza. La verdad es que Johnny estuvo en mi vida durante muchos años. La primera vez que me fijé en él, yo tenía seis años y Johnny, nueve. ¡Y qué gran chico y qué buen mozo era ya entonces Johnny Sullivan, con una sonrisa pícara de diablillo y unos ojos de ángel! Así que me propuse conquistarlo. Y fui tras él, buscando que se fijara en mí.

—¿Tú? —Margo se sorbió la nariz—. ¿Tú flirteaste con él?

—Desvergonzadamente. Y cuando cumplí los diecisiete años, ya lo tenía en el bote y me apresuré aceptar su propuesta de matrimonio antes de que él hubiera acabado de pronunciar las palabras. —Ann suspiró de nuevo, larga, profundamente—. Entiéndeme y créeme, Margo, yo lo amaba, apasionadamente. Y cuando murió, y murió el bebé dentro de mí, deseé morir también yo. Pudiera haberlo hecho…, de no ser por ti. Porque tú me necesitabas y yo te necesitaba a ti.

—¿Por qué dejaste Irlanda? Tenías allí tu familia. Sin duda la necesitabas también.

Aún podía afrontar también eso, los rompientes contra las rocas, el mar tempestuoso…

—Había perdido a alguien que confiaba en tener siempre a mi lado. Alguien al que amaba, al que había deseado toda mi vida… No podía siquiera soportar aquel aire sin él. No podía respirar aquella atmósfera. Había llegado el momento de empezar algo diferente; algo nuevo.

—¿No tenías miedo?

—Solo a la muerte. —Sus labios se curvaron de nuevo y de pronto le entraron ganas de probar el champán. Tomó la copa de su hija, bebió un sorbo—. Salvé todos los obstáculos. Así que tal vez haya en ti más de mí de lo que creía… He sido dura contigo, Margo; no lo he entendido así hasta hace muy poco. Pero he rezado mucho por ti. Eras una niña tremendamente hermosa y obstinada, además. Una combinación muy peligrosa. Y una parte de mí se sentía también asustada de quererte tal vez demasiado, porque… Bueno, amar tan plenamente de nuevo era como tentar a Dios. No podía demostrártelo, no podía atreverme a pensarlo siquiera…, porque, si te hubiera perdido, nunca habría podido seguir viviendo.

—Yo pensé siempre… —Margo no concluyó la frase y sacudió la cabeza.

—No…, dilo. Deberías decir siempre lo que llevas dentro.

—Pensaba que no me veías digna de ti.

—Esa ha sido mi culpa. —Ann apretó los labios y se preguntó cómo podía haber dejado pasar tantos años con aquel malentendido entre ellas—. Jamás hubo nada de eso, Margo. Tú me preocupabas y temía por ti. Nunca pude entender por qué querías tener tanto. Y me inquietaba que estuvieras creciendo en un lugar donde había tantas cosas, pero todas ellas propiedad de otros. Y quizá ni siquiera consigo entenderte ahora, pero te quiero. Debería habértelo dicho más a menudo.

—No siempre es fácil decirlo o sentirlo. Pero siempre he sabido que me querías.

—¿Y no te has dado cuenta también de que me siento orgullosa de ti? —Ann suspiró; después de todo, también era su propio orgullo lo que la había llevado a mantener eso en silencio—. Me sentí orgullosa la primera vez que vi tu cara en una revista. Y todas las demás veces después. —Bebió de nuevo, como si se dispusiera a hacerle una confesión—: Las tengo todas.

Margo pestañeó.

—¿A qué te refieres?

—A tus fotografías. El señor Josh me las enviaba todas, y yo las guardaba en un álbum. Bueno…, álbumes —se corrigió—. Porque, con el tiempo… ¡fueron tantas! —Sonrió sin venir a cuento, con la mirada fija en su copa vacía—. Me parece que me estoy achispando un poquito.

Sin pensarlo, Margo se puso en pie para sacar la botella del frigorífico, retiró el tapón plateado y sirvió más champán a su madre.

—O sea que guardabas mis fotos y las ponías en álbumes…

—Y también los artículos, los recortes y gacetillas que se referían a ti. —Hizo un ademán con la copa—. De estos no siempre me sentía orgullosa, lo reconozco. Tengo la sensación de que el chico se quedaba los que te dejaban en mal lugar.

Margo comprendió que «el chico» en cuestión era Josh, y sonrió.

—Debía de estar preocupado por ti.

—No, él siempre pensaba en ti —dijo Ann e inclinó la frente—. Es un hombre enamorado hasta los tuétanos, si alguna vez ha habido alguno. ¿De qué pasta estás hecha, Margo? ¿Eres tan lista como tu madre para atrapar al hombre fuerte y apuesto que podrá volverte loca en la cama y fuera de ella? —Se obligó a callar cuando oyó el bufido de Margo, y trató de recomponer su acostumbrado tono de dignidad—. Es el champán. Es un pecado beber champán a mediodía.

—Toma otra copa y vuelve a casa luego en taxi.

—Pues ahora que lo dices, quizá lo haga. Bueno…, ¿qué me respondes? ¿Piensas dejar colgado a ese hombre o lo pescarás como Dios manda?

Colgarlo le había parecido una buena idea, la mejor de todas. Pero ahora Margo ya no estaba segura.

—Voy a tener que pensarlo, mamá. Y gracias por haberme devuelto a mi padre.

—Yo debería…

Un poco sorprendida de sí misma, Margo sacudió la cabeza.

—No…, dejémonos ahora de «deberíamos», o nos pasaremos aquí todo el día reprochándonos eso la una a la otra. Pongámos en marcha ahora mismo.

Ann tuvo que recurrir al kleenex de nuevo.

—Hice contigo un trabajo mucho mejor de lo que tú y yo misma hemos sabido reconocer. Tengo una buena hija.

Conmovida, Margo llevó los labios a la mejilla de su madre.

—Digamos que aún te queda mucho trabajo que hacer conmigo… Y, hablando de trabajo —añadió, consciente de que las dos estaban de nuevo a punto de echarse a llorar—, te dejo aquí para que acabes de beberte tu copa. Mi hora del almuerzo ha pasado. He de bajar a abrir la tienda.

—Tengo las fotos —manifestó Ann, que se apresuró a tragar el contenido de la copa—. Me gustaría enseñártelas algún día.

—Y a mí me gustaría mucho verlas. Me encantará verlas. —Margo fue hacia el umbral y se detuvo en él—. ¿Sabes, mamá…? Yo también estoy orgullosa de ti y de lo que has hecho de tu vida.

Josh escuchó el sonido de risas infantiles cuando dio la vuelta a la terraza en dirección a la piscina. Los chillidos y el chapoteo lo pusieron de buen humor. Y, en cuanto apareció ante sus ojos la superficie curvada del agua, sonrió. Se estaba disputando una carrera.

Era obvio que Laura se estaba dejando ganar, manteniendo sus brazadas cortas y lentas. Porque cuando se ponía a nadar en serio, no había nadie capaz de ganarla. A él lo enfurecía que su hermana pequeña lo dejara atrás. Pero Laura había participado en las competiciones interestatales, como capitana de su equipo de natación, e incluso había estado a punto de ir a los juegos olímpicos.

Ahora dejaba que sus hijas la adelantaran, lejos de esforzarse en llegar hasta el borde, mientras Ali se lanzaba a un furioso arranque de velocidad.

—¡Gané! —exclamó Ali saltando en el agua—. He llegado al borde antes que tú. —Pero luego se pintó en su cara la decepción—: Me has dejado ganar…

—Te he dado un hándicap —Laura pasó la mano por los mojados y lisos cabellos de Ali, y sonrió al ver que Kayla asomaba la cabeza en el agua boqueando como un pececillo—. Igual que tú se lo dabas a tu hermana porque eres mayor, más veloz y más fuerte.

—Yo quiero ganar sin ayuda.

—De la forma como progresas, lo harás. —Se inclinó para besar a Kayla entre los ojos—. Nadáis las dos como un par de sirenas.

Aquel pensamiento apagó la lucecita de rebeldía que mostraban los ojos de Ali, y Kayla comenzó a nadar de espaldas con una sonrisa soñadora en la cara.

—Yo soy una sirenita —dijo—, y nadaré todo el día con los delfines.

—Y yo nado más deprisa que tú. —Ali iba a lanzarse al agua de nuevo cuando distinguió un movimiento por el rabillo del ojo. Vio a un hombre alto, el traje, el brillo de sus cabellos…Y el corazón le dio un vuelco. Pero, cuando parpadeó para quitarse el agua de los ojos, vio que no se trataba de su padre—. ¡Tío Josh!

—¡Tío Josh! Tío Josh está aquí. —Kayla batió el agua con los pies, lanzando un montón de salpicaduras—. Ven a nadar con nosotras. Somos sirenas.

—Eso puede verlo cualquiera. Pero me temo que no voy vestido para jugar con sirenas. Aun así, me encantará veros.

En honor de su visitante, Kayla hizo el pino y dio volteretas. Para no verse superada, Ali se dirigió a la plancha para demostrarle cuánto habían mejorado sus zambullidas. Josh silbó, aplaudió y ofreció consejos en todas aquellas actuaciones mientras Laura salía del agua y se envolvía en una toalla.

Había adelgazado. Hasta un hermano podía ver eso. Josh tuvo que hacer un esfuerzo para mantener su sonrisa en atención a las niñas y evitar que le rechinaran los dientes.

—¿Tienes un minuto? —le preguntó, mientras ella se ponía un albornoz de felpa.

—Pues claro. Niñas…, id al otro extremo de la piscina, donde hagáis pie. —Aquello provocó algunas protestas, pero las dos nadaron hacia allí—. ¿Algún problema en el trabajo?

—No precisamente. Mencionaste que querías tener una participación más activa en él. —Su cara de preocupación reapareció a medida que se acercaban a un macizo de gardenias en el jardín. Quería estar lejos del alcance de los oídos de las niñas—. Tienes a tu disposición todo lo que quieras, Laura.

—No quiero tu puesto, Josh. —Sonrió y se pasó los dedos por los cabellos que el agua había ondulado espontáneamente—. Solo que he pensado que ya va siendo hora de prestarle atención. Antes dejaba que las cosas me resbalaran. Eso no volverá a suceder ya.

—Conseguirás ponerme de mal humor si empiezas a censurarte a ti misma.

—Hacen falta dos para eso —suspiró Laura, y se aseguró de tener a la vista a sus hijas mientras iban los dos hacia el final del jardín.

A lo lejos estaban las cuadras, una hermosa construcción antigua de paredes de estuco y vigas de madera oscura, encajada tras el terreno empinado de la ladera. Deseó que hubiera caballos en el interior o retozando en la hierba. Deseó tener tiempo para cuidarlos, como hacía de niña.

—No voy a aceptar eso, Josh. Lo que hizo Peter no tiene excusa. Fue ya malo que ignorara a sus hijas, pero que, encima, les robara lo que era suyo…

—Y tuyo —le recordó Josh.

—Sí, y mío. Voy a conseguir que lo devuelva. Va a costarme algún tiempo, pero haré que lo devuelva.

—Cariño…, ya sabes que, si necesitas dinero…

—No. —Sacudió la cabeza—. No voy a aceptar dinero de ti, ni de papá o mamá. No emplearé un dinero de Templeton que yo no he ganado para solucionar mi vida. No mientras las niñas no lo necesiten. —Sonrió un poco y pasó la mano por el brazo de Josh mientras caminaban—. Seamos realistas, Josh. Tenemos las tres una hermosa casa y comida en la mesa. Sus gastos de enseñanza están cubiertos. Hay muchas mujeres en mi misma situación que se encuentran con que su marido las ha dejado sin nada.

—Eso no hace que tu situación sea menos mala. ¿Cuánto tiempo vas a poder seguir pagando a la servidumbre, Laura, y los gastos de enseñanza de las niñas, si estás decidida a emplear solo la parte que te corresponda de los beneficios de la tienda?

Ella ya se había preocupado por el personal al servicio de la casa. ¿Cómo iba a poder despedirlos, si la mayoría de ellos llevaban años viviendo en Templeton House? ¿Qué sería de la señora Williamson o del viejo Joe, el jardinero, si se viera obligada a recortar la plantilla?

—Vanidades está dando dinero ya. Y yo recibo los dividendos de las acciones de Templeton, que deseo empezar a ganarme. Tengo ahora todo el tiempo del mundo, y estoy harta de comités, almuerzos y actos para recaudar fondos. Ese era el estilo de vida de Peter.

—¿Quieres un trabajo?

—En realidad, pensaba que podría trabajar a tiempo parcial. No estoy en la miseria. Es solo que se me ha pasado con creces la hora de comenzar a seguir mi propio camino. Me fijo en Kate y en la forma como ha trabajado siempre para conseguir lo que deseaba. Y en Margo... Y luego me veo a mí...

—Calla. No sigas.

—Tengo algo que demostrar —dijo, sin énfasis—. Y bien sabe Dios que lo haré. Tú no eres el único Templeton de esta generación que entiende de hoteles. Y yo soy buena organizando actos, servicios, diversiones... Tendré que dedicar también algún tiempo a la tienda y a las niñas, por supuesto.

—¿Cuándo puedes empezar?

Ella se quedó estupefacta.

—¿Lo dices en serio?

—Mira, Laura..., tú tienes tanto interés en Templeton como yo mismo.

—Jamás he hecho nada por Templeton, ni en relación con el negocio. No en muchos años, por lo menos.

—¿Por qué?

Laura hizo una mueca.

—Porque Peter no quería eso. Solía decirme a menudo que mi trabajo era ser la señora de Peter Ridgeway. —Ahora entendía que era humillante admitir eso—. ¿Sabes de qué me di cuenta hará un año o así, Josh? Pues de que mi nombre no era nada allí, de que yo estaba por completo fuera de allí.

Incómodo, Josh miró a la piscina donde sus sobrinas estaban desafiándose a ver quién aguantaba más sin respirar.

—Supongo que el matrimonio es una pérdida de identidad.

—No, no lo es. No debería serlo. —Admitir aquello era echar más sal en la herida, pero...—. Yo dejé que lo fuera. Siempre quise ser perfecta: la perfecta hija, la esposa perfecta, la madre perfecta. Fue todo un bofetón para mí comprobar que no podía ser ninguna de esas cosas.

Él apoyó las manos en sus hombros y la sacudió un poco.

—¿Y qué tal la hermana perfecta? No oirás ninguna queja de mí.

Conmovida, Laura colocó sus manos encima de las de él.

—Si fuera la hermana perfecta, te preguntaría por qué no le has pedido ya a Margo que se case contigo. —Le apretó más las manos al notar que él quería liberarlas—. Os queréis el uno al otro, os entendéis el uno al otro… Yo diría que tenéis más en común que cualesquiera otras personas que yo conozca, incluido el temor a subir el siguiente escalón.

—Quizá yo prefiera permanecer en el escalón en que estoy.

—¿Es suficiente para ti, Josh? ¿De verdad es suficiente para ti o para Margo?

—¡Maldita sea, Laura…! No me avasalles.

—Ah… Este es solo un requisito imprescindible para una hermana perfecta…

Inquieto, Josh empezó a alejarse, pero se paró a juguetear con un rosal de flores de color rosa pálido.

—He pensado en ello. En el matrimonio, unos niños, todo el paquete. Un gran y hermoso paquete —murmuró—, con montones de sorpresas dentro.

—A ti solían gustarte las sorpresas…

—Sí. Pero una cosa que tenemos también en común Margo y yo es el valor que le damos a poder recoger nuestras cosas y mudarnos cuando nos apetezca. Yo he vivido en hoteles los últimos doce años porque adoro la interinidad, la comodidad. ¡Maldita sea! —Partió el tallo del capullo y se lo entregó a Laura con un gesto ausente—. Llevo esperándola toda mi vida. Siempre imaginé que, cuando concluyese la espera, jugaría mis bazas: un año o dos de diversión y juego…, que es exactamente lo que ella espera de mí, lo que piensa que busco. Y que luego empezaría a meterle lentamente en la cabeza la idea del matrimonio.

Con una media sonrisa, Laura sacudió la cabeza:

—¿Estás pensando en una relación o en una partida de ajedrez, Josh?

—Ha sido una partida de ajedrez hasta hace muy poco.

Movimientos y contramovimientos. Para conseguir que se enamorara de mí.

—¿De verdad crees eso? —Laura chasqueó la lengua y le deslizó el capullo en la solapa de la chaqueta—. ¡Sois tan bobos los hombres! —Se puso de puntillas para darle un beso en la cara—. Pregúntale a ella. ¿A que no eres capaz de hacerlo?

Josh tuvo que reprimir una mueca.

—¡Ojalá no me lo hubieras planteado así!

—Otro elemento más de la hermana perfecta es conocer al dedillo los puntos más débiles y mejor guardados de su hermano.

Felizmente ignorante de los planes que estaban en marcha, Margo seguía con la mirada los pasos de una clienta satisfecha al salir de la tienda. El dolor que sentía en los pies se le alivió al recordar que al día siguiente Laura la sustituiría en la tienda media jornada. Y, puesto que ya eran las seis menos cuarto, consideró que sería una buena idea hacer caja por aquel día: así tal vez podría llegar unos cuantos minutos antes al apartamento y ponerse guapa para la fabulosa cena que Josh le había prometido.

Las ventajas de su nueva vida empezaban a acumularse, decidió mientras pasaba al otro lado del mostrador y se quitaba los zapatos. No solo estaba demostrando que tenía cerebro además de una linda figura, sino que comenzaba a descubrir un nuevo aspecto de sus orígenes que estaba deseando explorar.

Resultaba, pues, que sus padres se habían querido. Quizá fuera una locura para una mujer adulta encontrar consuelo y alegría en esa circunstancia, pero ella sentía que le había abierto de alguna manera el corazón. Algunas cosas sí podían durar para siempre, se dijo. El amor las mantenía.

Y esa noche iba a decirle a Josh lo que sabía, lo que creía y lo que deseaba: una vida real, una vida llena.

Una vida de pareja casada.

La divertía imaginar la cara que pondría él cuando se lo propusiera. Tendría que ser hábil en la forma de planteárselo, se dijo mientras transfería dinero de la caja a un sobre para ir a depositarlo en el banco. Era un reto sutil para ella. Aunque no demasiado sutil.

Ella deseaba hacerlo feliz. Viajarían juntos por todo el mundo, visitarían todo aquellos lugares excitantes que los dos amaban. Pero siempre volverían allí. Porque aquel era el hogar para ellos dos.

Le había costado mucho, demasiado tiempo, aceptar eso.

Alzó la vista al abrirse la puerta; la bajó impaciente, con sonrisa de comerciante. Y se le escapó un grito:

—¡Claudio! —Al instante siguiente estaba ya al otro lado del mostrador, con las manos extendidas hacia un hombre alto y apuesto, de porte distinguido—. ¡Eso es maravilloso! —Le estampó dos besos en las mejillas antes de atraerlo hacia sí para observarlo de cerca.

Estaba, por supuesto, tan atractivo como siempre. Los mechones plateados que salían de sus sienes se transformaban en cabellos negros y espesos. Tenía el rostro bronceado y perfectamente rasurado, presidido por su larga nariz romana y sus luminosos ojos marrones del color del chocolate.

—*Bella.* —Se llevó las manos de Margo a los labios—. *Molto bella.* Empezaba a ponerme furioso contigo, *Margo mia,* pero ahora, viéndote, me flaquean las piernas.

Ella rió, apreciando el piropo.

—¿Qué está haciendo en mi rinconcito del mundo el más famoso productor de cine italiano?

—Buscarte a ti, mi único y verdadero amor.

—Ah. —Era una broma, por supuesto. Pero ellos dos siempre se habían entendido perfectamente en ese tono—. Pues ahora ya me has encontrado, Claudio.

—Así es. —Y comprendió de inmediato que no había habido ningún motivo real para preocuparse por ella. Estaba radiante—. Ya veo que todos esos rumores que me contaron cuando volvimos del rodaje eran ciertos, después de todo: la Margo está llevando una tienda.

Con un brillo desafiante en sus ojos, ella levantó la barbilla:

—¿Y…?

Él extendió las manos en un gesto expresivo y repitió:

—¿Y…? ¡Pues que me parece muy bien!

—Déjame que te ofrezca una copa de champán, cielo, y mientras te lo bebes me cuentas qué es lo que de verdad te ha traído a Monterey.

—Ya te digo que vengo en busca de mi perdido amor —insistió, al tiempo que le guiñaba un ojo al aceptar la copa—. Tenía un negocio que resolver en Los Ángeles. ¿Cómo podía estar tan cerca y no venir a verte?

—Muy amable de tu parte. Y yo me alegro mucho de verte.

—Deberías haberme telefoneado cuando te encontraste en apuros.

Parecía haber pasado una eternidad. Se limitó a encogerse de hombros.

—Logré salir de ello.

—Ese Alain… ¡Es un cerdo!

Claudio se puso a caminar por la tienda con aquellas largas y flexibles zancadas que empleaba para recorrer un plató. La palabra del argot italiano que empleó para llamar a Alain era mucho más sonora y expresiva que la que designa a un simple cerdo doméstico.

—No puedo estar más de acuerdo contigo —dijo Margo cuando por fin él se detuvo.

—Si hubieras llamado a mis oficinas, al estudio, me lo habrían dicho, y yo, entonces hubiera montado mi corcel alado para ir a salvarte.

Margo podía imaginar la escena. Claudio era uno de los pocos hombres que no parecerían locos cabalgando en un corcel alado.

—Conseguí salvarme yo misma, pero, de todas formas, gracias.

—Perdiste Bella Donna. Me sabe mal por ti.

—Y a mí también. Pero ahora tengo esto.

Él inclinó la cabeza y torció la boca.

—Tú una vendedora, *Margo mia.*

—Una vendedora, Claudio.

—Ven. —Le tomó de nuevo la mano y esta vez, aunque su voz era burlona, tenía una expresión seria en los ojos—. Déjame que te saque de esto. Ven a Roma conmigo. Tengo un nuevo proyecto, para empezar dentro de unos pocos meses. Hay un papel ideal para ti, *cara.* El de una mujer fuerte, atractiva, elegante. Implacable.

Margo rió, encantada.

—Me halagas, Claudio. Hace seis meses, me hubiera dado prisa en tomarte la palabra, sin preocuparme de si soy o no actriz. Pero ahora tengo un negocio.

—Pues, entonces, deja que otro lo lleve. Ven conmigo. Yo cuidaré de ti. —Alargó la mano y se puso a jugar con sus cabellos, pero tenía los ojos muy serios—. Hagamos realidad esa aventura que siempre hemos querido tener.

—Tú y yo nunca tuvimos una aventura, ¿no? Por eso seguimos llevándonos bien entre nosotros. No, Claudio, aunque de veras me siento muy emocionada, muy… agradecida,

—No te entiendo, Margo. —Empezaba a dar vueltas por la tienda otra vez—. Tú no estás para vender baratijas por cuatro chavos… Esto no es… *Dio!* ¡Son tus platos! —Se detuvo frente a un estante y se quedó como embobado—. ¡Tú me has servido pasta en estos platós!

—Tienes buen ojo —murmuró Margo.

Un ojo que empezó a salírsele de su órbita en cuanto, una vez devuelto el plato a su lugar, comenzó a reconocer otros objetos que había admirado como visitante en el piso de Margo en Milán.

—Pensé que era una broma, una mala broma, lo que decían acerca de que estabas vendiendo tus cosas. No deberías haber llegado a este extremo, Margo.

—Haces que suene como si estuviera viviendo en un callejón con un carrito de la compra para llevar todo de un lado a otro.

—Es humillante —dijo Claudio entre dientes.

—No, no lo es —saltó y se calmó a sí misma. Él lo decía pensando solo en ella. En la mujer que había conocido. Ella, Margo Sullivan, sí se hubiera sentido humillada—. No lo es. Pensé que lo sería, pero me equivocaba. ¿Quieres saber cómo es en realidad, Claudio?

Él asintió, y consideró seriamente otra vez la posibilidad de subirla a la grupa de su caballo y sacarla al galope de allí.

—Sí —dijo—, me gustaría saber cómo es.

Margo se le acercó hasta aproximar su cara a la de él y mirarlo prácticamente de hito en hito.

—Es… divertido.

Casi se atraganta al repetirlo:

—¿Divertido?

—Estupendo, maravilloso, alucinantemente divertido. Y… ¿te digo otra cosa? Soy francamente buena en esto.

—¿Lo dices de verdad? ¿Estás contenta?

—No, no estoy contenta. Soy feliz. Es mío. Yo lijé los suelos, pinté las paredes.

Claudio se puso pálido y se llevó una mano al pecho.

—Por favor, Margo… Mi corazón…

—Fregoteé a conciencia el baño y el aseo —soltó una carcajada y le plantó un alegre beso en la mejilla—. Y me lo pasé en grande, además.

Él trató de asentir, pero no conseguía recuperarse.

—¿Me darías un poco de vino, por favor?

—De acuerdo, pero tendrás que ayudarme a ordenar todo esto. —Llenó su vaso y el de ella antes de enlazar su brazo con el de él—. Y, mientras lo arreglamos, te diré algo que puedes hacer por mí.

—Cualquier cosa.

—Tú conoces a mucha gente… —La cabeza de Margo trabajaba a pleno rendimiento mientras lo conducía hacia la escalera—. Personas que se han cansado de la moda del año pasado o de las chucherías que compraron. Podrías darles mi nombre. Me gustaría ser la primera en echar un vistazo a las cosas de las que quieren desprenderse.

Lo primero que vio Josh al entrar en la tienda fue el sobre para depositar en el banco. Sacudió la cabeza ante aquella inconsciencia por parte de Margo y cerró la puerta después. Pasó detrás del mostrador para dejar el sobre en la caja registradora… y vio en el suelo sus zapatos.

Debería tener una pequeña conversación con ella acerca de las precauciones más elementales que convenía tomar, pero lo dejaría para otro momento. Llevaba en el bolsillo el anillo de su abuela, y aún vivía la excitación del momento en que lo sacó de la caja de seguridad en que estaba guardado. Aquel diamante blanco ruso de talla cuadrada bien podía haber sido diseñado pensando en Margo. Era elegante, atractivo y daba la impresión de tener en su interior fuego frío.

Iba a deslumbrarla con él. Incluso llegaría al extremo de hincar la rodilla en el suelo para dárselo…, después de haberla engatusado con un poco de champán. Un hombre necesitaba algún apoyo para llegar a Margo.

Probablemente se espantaría ante la idea del matrimonio, pero él la convencería con buenas palabras. La seduciría incluso, si era necesario. Pero no haría falta que se sacrificara tanto. La imagen de ella llevando puesto solo aquel anillo era suficientemente atractiva como para calmar los nervios que sentía en la boca del estómago.

«Basta de diversión y juegos», se dijo a sí mismo. Ya había llegado el momento de ponerse serios.

Empezó a subir los escalones, y estaba a punto de llamarla en voz alta cuando oyó su risa que bajaba del piso de arriba como una neblina. Iba a sonreír cuando escuchó a continuación otra risa, ahora masculina, grave.

Un cliente, se dijo, furioso, en una súbita punzada de celos. Pero cuando cruzó el umbral del tocador, la punzada se transformó de repente en un golpe asestado con toda fuerza y toda maldad. Margo estaba atrapada en los brazos de un hombre y el beso que le daba fue lo suficientemente apasionado como para abrasar los oídos de Josh donde aún se hallaba de pie.

Por su cabeza pasaron imágenes de muerte, de sangre, de huesos quebrados, de sesos criminalmente desparramados por el suelo. Sus manos se cerraron y se convirtieron en puños, un gruñido ascendía ya a su garganta. Pero el orgullo era casi una emoción tan violenta como la venganza. Cayó sobre él como como un vendaval mientras Margo se apartaba del otro.

—Claudio... —su voz era como un arrullo sedoso—, ¡estoy tan contenta de que hayas venido! Espero que podremos... —Vio entonces a Josh, y miles de emociones se desparramaron por su rostro. Sorpresa, placer, culpa, diversión... La diversión fue muy breve. Los ojos de él se mostraban duros y fríos, y resultaba demasiado fácil leerlos—. Josh...

—Sí, ya veo... No me esperabas —dijo con frialdad—. Lo sé. Pero no pienso disculparme por haberos interrumpido en mitad de la faena.

—Es un amigo de Roma... —empezó ella, pero Josh cortó las explicaciones con una mirada que cortaba hasta el hueso.

—Ahórrate las presentaciones, Margo. No pienso impedir que te entretengas con tu amigo.

—Josh ... —Estaba ya a mitad de la escalera cuando ella llegó al descansillo—. Espera.

Josh le dirigió una última y letal mirada cuando estaba ya descorriendo el cerrojo de la puerta de la entrada.

—Que te vaya bien, Margo. Aléjate de mí.

—*Cara...* —Claudio apoyó una mano en el hombro de

Margo cuando la vio tiritar en la base de la escalera—. Me sorprende que nos haya dejado vivir.

—Tengo que arreglarlo. He de conseguir que me escuche. ¿Has venido en coche?

—Sí, naturalmente. Pero te aconsejaría que le dieras un poco de tiempo para que se calme…

—No son así las cosas con Josh. —Le temblaba la mano cuando agarró su bolso, olvidando los zapatos—. Por favor, Claudio… Necesito que me lleves.

21

Había descargado una buena cantidad de vapor cuando irrumpió en el apartamento del ático. Estar enfadada, estar furiosa, era mejor que estar aterrada.

Y Margo se había sentido aterrada cuando pudo ver en sus ojos aquella mirada de frío disgusto, y percibir el tono de rechazo en su voz. No iba a tolerar eso. No señor, por nada del mundo. Iba a tener que arrastrarse por el suelo para pedirle perdón.

—¡Josh Templeton, bastardo! —Cerró violentamente la puerta detrás de sí y se precipitó al dormitorio con los pies descalzos—. ¿Cómo te atreves a tratarme de esa manera? ¿Cómo te atreves a ponerme en ridículo en presencia de un amigo mío?

Reprimió su estallido con un sobresalto cuando lo vio delante del armario, trasladando ropas a una bolsa de viaje.

—¿Qué haces? —preguntó.

—La maleta. Tengo que ir a Barcelona.

—¡Al infierno con eso! Tú no te vas de aquí por las buenas. —Había dado dos pasos adelante con intención de sacar a tirones las ropas cuando él se dio la vuelta para mirarla.

—No lo hagas —fue todo lo que dijo, y la ira de ella se trocó de nuevo en temor.

—Es una chiquillada —empezó, pero los dientes le castañeteaban a medida que el pánico atenazaba con dedos helados su espina dorsal—. No te mereces explicaciones, pero estoy dispuesta a pasar por alto tu vergonzosa actitud y a darte una. Claudio y yo...

—No te he pedido ninguna explicación. —Con movimientos rápidos, cerró la cremallera de la bolsa.

—No, claro —dijo Margo despacio—. Tú ya has interpretado por tu cuenta lo que viste, lo que significaba. Y lo que soy.

—Te diré lo que vi. —Hundió las manos en los bolsillos para tenerlas lejos de la garganta de Margo. Pero sus dedos rozaron el terciopelo del estuche que llevaba en ellos y aquello redobló su furia y su dolor—. Te vi en el dormitorio, con un par de copas de champán, bajo la suave luz que se filtraba por las cortinas de encaje. Un escenario de lo más romántico. Tenías tu boca sobre la de otro hombre; tu tipo habitual, si no me equivoco; cincuentón, rico, extranjero. —Bajó la bolsa del colgador y la dobló—. Lo que eso significa, Margo, es que entré en el primer acto. Tú misma deberías poder imaginar qué es lo que hace de ti todo eso.

Margo habría preferido que Josh hubiese empleado sus puños contra ella. Con seguridad la hubiera causado menos dolor que de esta otra manera.

—¿Tú crees eso?

Él dudó. ¿Cómo podía mostrarse tan ofendida? ¿Cómo se atrevía a declararse herida, después de haberle arrancado el corazón y de pisotearlo mientras aún latía?

—Has vendido sexo toda la vida, duquesa. ¿Por qué iba a ser diferente ahora?

Aquello apagó cualquier toque de color que aún le quedara en las mejillas.

—Supongo que tienes razón. Yo diría que mi error fue entregarme a ti gratis.

—No hay nada gratis. —Josh masculló las palabras como si fueran un pedazo de carne correosa—. Y tú te divertiste, además. Yo cumplía parte de los requisitos, ¿no? No tengo edad suficiente para ser tu padre, pero, en cuanto al resto, los tengo todos. Rico, inquieto, irresponsable. Otra piraña social que vive a costa de la fortuna de la familia.

—Eso no es cierto —replicó Margo furiosa y cegada por el pánico—. Yo no creo…

—Los dos sabemos bien lo que piensa cada uno del otro, Margo. —Hablaba tranquilamente ahora; tenía que hablar tranquilamente—. Tú jamás has tenido mayor respeto por mí que por ti misma. Pensé que podría vivir con eso, pero me equivocaba. Ya te dije al principio que yo no comparto y que no quiero una mujer que piense que soy tan estúpido o tan calzonazos como para tolerar que se siga entendiendo con sus viejos amigos.

—Josh… —Margo dio un paso adelante, pero él se echó al brazo la bolsa de viaje.

—Me gustaría que estuvieras fuera de aquí para el fin de semana.

—Claro.

Margo se quedó inmóvil donde estaba cuando él la rozó al salir. No lloró, ni siquiera cuando oyó que se cerraba la puerta. Simplemente se dejó caer al suelo y se quedó temblando.

—Byron De Witt aceptó ocupar el puesto de Ridgeway. Está dispuesto a trasladarse a California dentro de seis u ocho semanas.

—Estupendo. —Thomas sorbió su café de después de cenar e intercambió una mirada con su esposa, mientras su hijo daba vueltas por el despacho de su villa—. Es un buen elemento. Agudo. Tenaz.

—Tendrás que volver —dijo Susan mientras cruzaba las piernas—. Para la etapa de transición.

—En realidad, no hará falta. Las cosas vuelven a funcionar correctamente. No conseguí convencer a nuestro antiguo chef de que volviera. —Sonrió fugazmente—. Pero el que les quité a los del BHH está desempeñando bien su trabajo.

—Humm. —«Necesita volver», pensó Susan. Pero ya se encargaría ella de convencerlo—. ¿Cómo le va a Laura con las convenciones?

—Es una Templeton. —Sintió el impulso de echar mano

de la botella de brandy, pero se recordó a sí mismo que aquello era demasiado sencillo y se contentó con el café—. Tiene maña para tratar con la gente.

Susan enarcó una ceja: la señal de que se disponía a lanzar la pelota al campo de su marido. Este la recogió con suavidad.

—¿Y le queda tiempo para dedicarlo a la tienda? No estará trabajando demasiado, ¿o sí?

—Kate dice que no, y es una fuente digna de crédito.

—Preferiría que alguno de nosotros pudiera tener la vista en ella durante un tiempo más. Está pasando un trance muy duro.

—Lo está llevando bien, papá. Y yo no puedo ir a hacer de niñera.

—Pareces cansado —observó Susan con dulzura—. Esa es probablemente la razón de que estés tan malhumorado. ¿Recuerdas, Tommy, cómo se enfurruñaba cuando no podía dormir su siesta?

—¡Señor…! No estoy malhumorado. Estoy tratando de concertar un negocio. Debo estar en Glasgow mañana por la tarde, y no tengo tiempo para… —Se pilló a sí mismo mirando cómo sus padres lo observaban con indulgencia. No hay nada peor que ver que le sonrían a uno como si fueras un chiquillo quejica. A menos que seas un chiquillo quejica—. Lo siento…

—No le des importancia. —Thomas se puso en pie y le dio una palmada en la espalda—. Lo que necesitas es una copa, un cigarro y una buena partida de billar.

Josh se restregó sus cansados ojos. ¿Cuánto hacía desde la última vez que había dormido, dormido de veras? ¿Dos semanas? ¿Tres? No le haría daño, decidió.

—Adelántate tú, Tommy, y encarga a la asistenta que os prepare las cosas. —Susan dio unas palmaditas en el almohadón del sofá que tenía a su lado—. Me apetece que Josh me haga compañía unos minutos más.

Tommy se alejó, comprensivo.

—A cincuenta pavos la bola —dijo desde fuera.

—Me dará una paliza —murmuró Josh al sentarse—. Siempre lo hace.

—Todos tenemos nuestro juego favorito —dijo dándole un golpecito en la rodilla. El suyo era un hábil e implacable don para el interrogatorio—. Y ahora... ¿vas a contarme lo que sucedió entre tú y Margo?

—¿No te ha dado ya Kate un informe completo?

Ella ignoró el enfado de su tono. Estaba preocupada por la amargura que traslucía.

—Los informes dejan cabos sueltos. Por lo visto, Margo se niega tercamente a soltar prenda. Todo lo que Kate ha podido sonsacarle es que vosotros dos decidisteis romper.

—Bueno, pues, entonces...

—¿Y tú esperas que me crea que es tan simple como todo eso, cuando te veo aquí sentado con un humor de perros y sintiéndote miserable?

—La sorprendí con otro hombre.

—¡Joshua! —Susan dejó de golpe su taza en la mesa—. No —dijo tajantemente—. No es posible.

—Entré en el maldito dormitorio y allí estaban los dos.

Le dolía por él; no podía evitarlo, pero le dolía por él. Aun así, sacudió la cabeza:

—Malinterpretaste algo —dijo.

—¿Qué demonios había allí que se pudiera malinterpretar? —replicó Josh, y se puso de pie para volver a dar vueltas por la sala—. Entré y la encontré besando a otro hombre. Jodiendo a Claudio.

—¡Josh! —Su protesta no se debía tanto a que aquella palabra la escandalizara, como al hecho de que ella hubiera tomado las palabras de su hijo al pie de la letra*—. Eso no me lo creo.

---

* Hay un equívoco aquí. Josh ha dicho *Fucking Claudio* (el jodido Claudio), pero su madre ha entendido «jodiendo a o con Claudio», que en inglés se diría con las mismas palabras, pero que, evidentemente, no es lo mismo. *(N. del T.)*

—No. No me entiendas mal… —Lleno de frustración, se pasó las manos por los cabellos—. La cosa no había llegado a tanto aún. He querido decir que ella lo llamó Claudio.

—Oh. —Aquello tranquilizó un poco el corazón de Susan—. Bueno… ¿qué explicación te dio?

Josh detuvo su paseo y se quedó mirándola:

—¿De verdad crees que iba a quedarme a esperar sus explicaciones?

Susan dejó escapar un largo suspiro y volvió a tomar su taza de café.

—No, claro que no lo hiciste. Saliste de estampía, deseándoles a los dos que se fueran al infierno. Me sorprende que no se te ocurriera arrojarlo por la ventana, de paso.

—Pensé hacerlo —dijo Josh con fruición—. Pensé arrojarlos por la ventana a los dos. Pero me pareció… más civilizado marcharme.

—Más cabezón —corrigió ella—. Oh, Joshua…, siéntate de una vez. Me cansa verte dar tantas vueltas. Sabes que deberías haberle dado la oportunidad de explicarse…

—No quería…, no quiero excusas y explicaciones. ¡Maldita sea! Disculpé las hordas de hombres que la rondaban antes, pero…

—¡Ah! —dijo Susan, asintiendo satisfecha. Ahora habían llegado al punto crucial—. ¿Lo hiciste? ¿Lo hiciste de verdad?

—Estaba intentándolo. —Sintió de pronto que, después de todo, necesitaba una copa de brandy y se sirvió una generosa ración antes de obedecer la orden de su madre de que se sentara—. Cuando llegué a casa y la encontré posando desnuda en nuestra cama, me lo tomé con calma… —Captó la mirada de su madre—. Bueno, con bastante calma. Era una cuestión de negocios. Y cuando vamos a un restaurante o al club y a todos los hombres en un kilómetro a la redonda se les cae la baba mirándola, me encojo de hombros. Casi siempre.

—¡Qué vergüenza…! ¡He criado un loco celoso!

—Gracias por apoyarme, mamá…

—Escúchame bien. Comprendo que, hasta cierto punto, tiene que ser difícil amar a una mujer que tiene la belleza de Margo. La clase de mujer que atrae a los hombres, que les inspira fantasías…

—Bueno… —asintió Josh, tras apurar su copa de brandy—. Ahora me siento mejor.

—El quid de la cuestión es que resulta que es la mujer de la que estás enamorado. Déjame que te haga una pregunta… ¿Te enamoraste de ella porque tiene una cara bellísima y un cuerpo asombroso? ¿Es eso todo lo que ves cuando la miras?

—Eso es lo que te entra por los ojos —suspiró Josh, rendido—. Pero no, no es solo eso lo que yo veo. No es la razón por la que me he enamorado de ella. Es afectuosa, inconsciente y testaruda. Pero tiene más redaños y cerebro de lo que ella misma cree. Es generosa, y es leal.

—¡Ah…, leal! —dijo Susan sonriendo con aire de suficiencia—. Esperaba que no hubieras pasado eso por alto. Es uno de sus rasgos más admirables. Y una mujer con el sentido de la lealtad que tiene Margo no habría hecho jamás eso de que la estás acusando. Así que vuelve a casa, Josh, y aclara las cosas con ella.

Josh bebió el brandy de su copa y cerró los ojos.

—No eran solo los hombres —dijo—. Era el mirarla así y darme cuenta, al hacerlo, de lo que teníamos y de lo que no teníamos nosotros dos. Decirle que la amaba no parecía suficiente. Demostrárselo tampoco parecía bastar. Ella no quiere lo que yo quiero y se asombraría hasta quedar sin habla si supiera el alcance de mis deseos.

—¿Qué es lo que tú quieres, Josh? —preguntó con una sonrisa, y le acarició los cabellos—. Tranquilo, que yo no me quedaré muda.

—Todo —murmuró él—. Normalmente, Margo entiende todo muy bien, pero no es así esta vez. Cuando me ve a mí, no entiende que le hablo de matrimonio, de una familia, de entrega mutua: ve en mí solo a un idiota consentido, más interesado en perfeccionar su revés en el tenis que en aportar algo a su herencia o en construir una vida.

—Pienso que os estáis subestimando los dos. Pero, si lo que dices fuera cierto, con retirarte sin haber aclarado las cosas no hiciste más que demostrar que ella tenía toda la razón acerca de ti.

—La hubiese matado si me hubiera quedado. No pensaba que podría herirme de esta forma. Ignoraba que alguien pudiera hacerlo.

—Lo sé. Y me sabe muy mal. Cuando eras pequeño y te hacías daño, yo podía conseguir que te sintieras mejor sentándote en mi regazo para que te tranquilizaras…

Josh la miró y sintió su cariño.

—Probemos de esta otra forma —dijo. La levantó para sentarla en sus rodillas y la sostuvo en ellas—. Creo que también servirá.

Kate se presentó en la tienda a media tarde. Había tenido que tomarse una hora libre, pero le encantaba ser la mensajera de buenas noticias.

—¿Cómo va todo por aquí, soldados?

Laura levantó la vista al tiempo que dejaba bajo el mostrador la máquina de las tarjetas de crédito. Consultó maquinalmente el reloj para estar segura de que no había perdido un par de horas. A las seis y media en punto tenía que ir a recoger a las niñas de su clase de danza.

—Está yendo bastante bien hoy. ¿Qué haces tú por aquí a estas horas del día?

—Tomarme un descanso. ¿Dónde está Margo?

—En el probador, con un par de clientas. Kate… —bajó la voz y se inclinó sobre el probador—, ¡hemos vendido mis rubíes!

A Kate le dio un vuelco el corazón.

—¡El collar! Pero, Laura… A ti te encantaba ese collar…

Laura se limitó a encoger los hombros:

—Peter me lo dio por nuestro quinto aniversario…, pagándolo con mi dinero, por supuesto. Me alegra haberlo perdido de vista. —Y, aunque no lo dijo, de que su participación en la venta sirviera para pagar una parte de la matrícula de sus hijas el próximo año—. Pero aún hay más: ¡mi supervisor me ha llamado esta mañana y me subió el sueldo!

Kate encajó la noticia.

—La hija de los propietarios tiene un supervisor y consigue un aumento de sueldo. La verdad es que no entiendo la vida.

—Quise empezar como todo el mundo: por abajo del todo. Es lo justo.

—Está bien, está bien. —Kate levantó una mano para hacerla callar. Comprendía esa necesidad de probarse a una misma; ella lo había estado haciendo a lo largo de toda su vida—. ¡Enhorabuena, compañera! Así que no me equivocaré mucho si pienso que todo el mundo es feliz aquí hoy…

Laura dejó escapar un suspiro al mirar hacia la habitación del probador.

—No todo el mundo —dijo.

—¿Sigue aún obstinada en callar estoicamente?

—Ya puedes sacudirla —dijo Laura, desesperada—. Se pasa el día entero trabajando aquí como si todo fuera bien en el mundo. O como si un par de manos de base de color marfil pudieran ocultar las sombras que tiene bajo los ojos.

—¿Sigue negándose a volver a la casa?

—En el centro de vacaciones tiene todo lo que necesita y le gusta estar allí —Laura aspiró con fuerza aire por la nariz—. La próxima vez que me responda eso, voy a tener que darle una torta. Y ya está poniendo excusas para escaquearse de la búsqueda del tesoro este fin de semana. Dice que el domingo es el único día que puede encontrar tiempo para ir a la manicura. ¡Menuda bobada!

—Oh, oh… Estás enfadada. Bueno…, pues te va a encantar lo que pasará en cuanto la pesque.

Con una rapidez y una fuerza sorprendentes, Laura se inclinó sobre el mostrador y asió la mano de Kate.

—¿Qué ocurre? ¿Qué es lo que sabes? ¿Podemos conchabarnos tú y yo contra ella?

—Esa es la idea… Escucha. Yo… ¡Ojo! Aquí viene. Tú sígueme la corriente.

Margo advirtió la presencia de Kate y le dirigió una mirada inexpresiva mientras seguía hablando con sus clientas.

—Me parece que no podría haber encontrado nada más pefecto para usted. Ese St. Laurent rojo atraerá todas las miradas.

La mujer que lo tenía agarrado se mordió el labio.

—Aun así, todavía es un poco temprano comprarlo ahora para las fiestas en verano —objetó.

Margo se limitó a sonreír, y Laura captó en sus ojos un destello de acero.

—Nunca es demasiado pronto. Al menos, no para algo tan especial.

—Y está muy bien de precio. —Mientras lo extendía en el mostrador, pasó con mucho cuidado la mano por la falda de satén—. Nunca he tenido nada realizado por un diseñador.

—Razón de más, entonces. Y para eso es lo que está Vanidades: para dar a cualquiera la oportunidad de sentirse esplendorosa.

—No te vuelvas atrás —ordenó la compañera de la mujer, animando a su amiga con un pequeño codazo—. A mí no me arrancarían este de terciopelo verde ni con una palanca. —Se rió y le tendió el vestido a Margo—. Bueno, envuélvalo y métalo en una caja. Pero no la precinte —pidió—: Voy a extasiarme mirándolo cuando esté en el coche.

—Esa es la idea. —Margo tomó la tarjeta de plástico y la

expresión de sus ojos se suavizó—; le sienta maravillosamente. Lamento que no tengamos unos zapatos a juego.

—Ya encontraré algunos…, o iré descalza. —Con el rostro encendido por el placer de la caza, la mujer le dio un nuevo codazo a su amiga—. Dale tu tarjeta de crédito, Mary Kay, y anímate un poco.

—Vale, vale… Después de todo, los zapatos de los chicos puedo comprarlos el mes que viene. —Cuando Margo hizo un gesto de asombro, Mary Kay dejó escapar una carcajada larga y jovial—. Era solo una broma. Pero… si pudiera usted rebajármelo otro diez por ciento…

—Jamás en la vida. —Registró las dos ventas mientras Laura envolvía con soltura los dos vestidos y los metía en cajas—. Yo sí que debería cargarle un diez por ciento más por el susto que me ha dado.

—¿Qué tal si lo dejamos en tablas y le digo que me ha encantado este lugar? Cuando borre este peso de mi conciencia, volveré a por ese bolso de noche plateado en forma de elefante.

—Cómprelo ahora y le rebajo ese diez por ciento.

—Yo… —La boca de Mary Kay dudó unos momentos, luego cerró los ojos y apretó los párpados—. Cárguelo también. Hágalo, pero sin que yo lo vea.

Minutos después, Margo contemplaba cómo se cerraba la puerta. Se frotó las manos entonces:

—Otra víctima satisfecha…, quiero decir otra clienta…

—¡Muy bien, asesina! —Laura se ocupaba ya en rellenar los resguardos del crédito—. Le has hecho un buen trato.

—Sí, pero las dos volverán por aquí, y eso que la más seria es realmente difícil de persuadir. ¿Qué ocurre, Kate? ¿Te has quedado sin tinta roja?

—Oh, siempre puedo encontrar una nueva provisión. En realidad, tenía que hacer un par de gestiones y he decidido escaparme un poco antes. Aparte de que me gusta ver qué tal va mi inversión.

—¿Vas a revisar los libros?

—No hasta el primero de año —respondió risueña—. ¿Cuál sería mi descuento como socia por esos vasos de vino que tenéis ahí, los del borde dorado? El nieto de mi jefe va a casarse, y...

Margo decidió pisparle un cigarrillo.

—Pagas lo marcado, y después ya te quedarás tu porcentaje de los beneficios.

—¡Santo Dios!, ¡realmente eres dura! Haced un bonito paquete con ellos. Pero que los envuelva Laura. Tú aún romperías algo...

Margo sonrió con dulzura.

—¡Lo siento mucho! —dijo—. Es mi hora de descanso. Mételos tú misma en una caja.

—¡Ya no hay forma de conseguir una ayuda decente! —murmuró Kate. Pero se pasó la lengua por los dientes, tomó la caja que Laura le tendía y se puso a empaquetar cuidadosamente los vasos—. ¡Ah! ¿A que no adivináis quién ha venido a verme a la oficina antes de marcharme?

—Donald Trump, buscando un nuevo contable.

—¡Ojalá! —Miró como por casualidad a Margo y llevó la caja al mostrador—. Josh.

Observó por el rabillo del ojo cómo la mano de Margo se congelaba a mitad de camino de sus labios, sufría una sacudida y continuaba luego. La espiral del humo del tabaco que salía de ellos mostró sensiblemente la sacudida.

—Más vale que vaya a guardar bien las ropas que Mary Kay y su amiga se probaron —dijo.

Pero se puso a apagar el cigarrillo con nerviosos golpes en el cenicero, mientras Kate añadía:

—Ha vuelto a la ciudad.

—¿Que ha vuelto? —El cigarrillo seguía quemándose cuando Margo dejó caer la mano y la apartó—. ¿Está aquí?

—Bueno, en el hotel. Ponle las campanitas de plata, Laura, con una cinta plateada también. Dijo que tenía que resolver un asunto… —sonrió a Margo dulcemente—. Algo que, por lo visto, dejó pendiente aquí.

—Y tú has venido corriendo a decírmelo para restregármelo por la cara…

—No. He venido inmediatamente a decirte que hagas lo que tengas que hacer.

—Una ruda pero eficaz forma de despertarte —comentó Laura, y se ganó una mirada de extrañeza.

—Esperaba algo más de ti.

—No deberías. —Con movimientos rápidos y competentes, añadió a la caja un lacito plateado brillante—. Si no quieres contarnos lo que ocurrió entre Josh y tú…, vale. Pero no puedes esperar que nos quedemos sentaditas aquí en silencio mientras tú te pasas el día moqueando.

—Yo no he estado moqueando.

—Bueno, chica…Llevamos semanas limpiando la sangre que se te derrama del corazón. —Kate le pasó a Laura su tarjeta de crédito—. Encáralo, mujer, esto ya no nos divierte.

—¿Así que eso es a lo que se reduce la amistad? ¿A diversión? Pensaba que podría conseguir de vosotras un poco de apoyo, de simpatía, de compasión.

—Lo siento —dijo Laura al tiempo que, con un rápido movimiento, pasaba la tarjeta por la máquina—. Se agotó.

—Bueno, pues al infierno contigo. —Agarró su bolso—. ¡Al infierno con vosotras dos!

—Te queremos, Margo.

Aquello la detuvo. Dio media vuelta para fulminar a Kate con la mirada.

—Es una cochinada decir eso. ¡Arpía! —Al ver que Kate sonreía, intentó devolverle la sonrisa. Pero, en lugar de eso, dejó caer el bolso detrás del mostrador y estalló en llanto.

—¡Oh, mierda! —Sorprendida, Kate dio un salto para correr al lado de Margo—. ¡Maldita sea! ¡Mierda! Cierra la puerta, Laura. Lo siento mucho, Margo. Lo siento muchísimo. Ha sido un mal plan. Pensé que conseguiría ponerte furiosa y que saldrías corriendo para ir a partirle el culo de un puntapié. ¿Qué te hizo ese bastardo, cielo? Dímelo y yo le partiré el culo por ti.

—Me despreció. —Desquiciada por la vergüenza, estalló en desconsolados sollozos en el hombro de Kate—. ¡Me odia! Querría estar muerta. ¡Ojalá me hubiera acostado con Claudio!

—Aguarda… ¿Quién dices? —Con firmeza, Kate la obligó a ponerse derecha mientras Laura le traía una taza de té—. ¿Quién es ese Claudio y cuándo no te acostaste con él?

—Es un amigo, solo un amigo. Y nunca me he acostado con él. —Sus lágrimas eran tan abrasadoras que sentía como si sus ojos estuvieran ardiendo—. Desde luego, no cuando Josh nos encontró en el dormitorio.

—Oh, oh —Kate hizo un gesto con los ojos a Laura—. ¿De qué va todo esto? ¿Es un vodevil francés o una tragedia griega? Júzgalo tú.

—Cierra la boca, Kate. Y tú, Margo, ven. Siéntate aquí. Y esta vez cuéntanoslo todo.

—¡Señor…, me siento como una tonta! —exclamó Margo. Ahora que todo había salido a relucir, no solo se sentía como una tonta, sino también vacía.

—Él sí que es el tonto —corrigió Laura—. Por haberse precipitado a sacar conclusiones.

—Dadle al chico una tregua —Kate le tendió a Margo otro kleenex—. Los indicios eran muy acusadores. Claro que no debería haberse marchado sin escucharla —añadió rápidamente al oír resoplar a Margo—. Pero tienes que considerar las cosas también desde su punto de vista.

—Ya las he mirado desde su punto de vista —comenzó Margo, y acabó diciendo entre sollozos—: Y la verdad es que no puedo reprochárselo.

—Eso no nos llevaría demasiado lejos —observó Kate.

—No, no puedo reprochárselo. Toda mi historia estaba allí. ¿Por qué tenía él que confiar en mí?

—Porque te ama —dijo Laura—. Porque te conoce.

—Eso es lo que yo me decía a mí misma cuando estaba dedicada a odiarlo. Pero ahora, al decirlo en voz alta, se me hace difícil creerlo…, hasta a mí misma. Josh piensa que yo veo en él, y toda nuestra relación, una aventura amorosa más excitante. Y probablemente sea mejor que esto haya ocurrido antes de que yo…

—Antes de que tú… ¿qué? —la apremió Kate.

—Antes de que yo le pidiera que se casara conmigo. —De pronto se tapó la cara con las manos, pero esta vez era risa lo que salía de ella—. ¿Os imagináis? ¡Iba a declararme yo! Pensaba montar toda la escena…, candelabros, vino, música… y, cuando lo tuviera bien prendido de mi dedo, iba a hacerle la gran pregunta. ¡Menuda empanada mental!

—Pues a mí me parece maravilloso. ¡Lo encuentro perfecto! —Esta vez eran los ojos de Laura los que se desbordaban.

Kate sacó otro kleenex para ella:

—Y yo pienso que conseguirías pescarlo.

—¿Pescarlo? —resopló Margo—. Pero si ni siquiera quiere mirarme.

—Chica…, arréglate esa cara, ponte de nuevo en movimiento, y no le dejarás ninguna posibilidad de escapar.

Era un riesgo tan enorme, que Margo se dijo que Josh ni siquiera vendría y que, si lo hiciera, no querría escucharla. Pero… ¡estaba tan decidida a seguir soñando una vez más…! Acariciando la moneda de oro que tenía en el bolsillo, caminaba por el prado que se extendía delante de la casa.

Era, tal como la había descrito Kate, un magnífico ejemplo de arquitectura española californiana, con sus elegantes ventanas en arco, el color rojo apagado de las tejas fabricadas a mano en el tejado. La puerta de acceso a la torre, un poco metida con relación a la fachada, estaba enmarcada por una hilera de azulejos de flores. Las buganvillas trepaban alborotadamente por las paredes.

Y el paisaje… Margo se volvió hacia él y aspiró una larga y codiciosa bocanada de aire. Todo era mar, y las rocas de los acantilados, más allá de la serpenteante carretera. Tal vez Serafina hubiera estado allí, o caminado hasta allí llorando su perdido amor. Pero Margo quería pensar que había ido hasta allí con él, con sus esperanzas y sus sueños todavía vivos. Necesitó toda esta esperanza ahora, al ver que el coche de Josh bajaba a toda prisa por la carretera y los neumáticos rechinaban al tomar las curvas.

¡Oh, Dios, una oportunidad más! Todo o nada.

El corazón se puso a golpearle como el oleaje al batir los rompientes cuando lo vio bajar del coche. El viento alborotaba sus cabellos y el sol daba de lleno en los cristales oscuros de las gafas que llevaba puestas. No podía verle los ojos, pero la expresión de su boca era firme y fría.

—No estaba segura de que vinieras.

—Dije que lo haría. —Estaba aún sorprendido por su llamada, que le había llegado cuando estaba maldiciéndose a sí mismo y en el preciso momento en que se disponía a marcar el número del móvil de Margo para llamarla —. ¿Vives aquí ahora?

—No, no he llegado a tanto en mi carrera. Es de una clienta de Kate. Se ha mudado. Está vacía. —Su respiración era casi normal, y la complacía notar que podía emplear un tono fácil y medido—. Pensé que a lo mejor era un terreno neutral.

—Me parece bien. —Josh necesitaba tocarla, solo tocarla, tan desesperadamente que las manos le dolían, ansiosas—. ¿Empezamos por algunas trivialidades? Por ejemplo: ¿Cómo estás? ¿Cómo marcha el negocio?

—No. —Era más fácil pasear que mirarlo y ver cómo sus ojos la buscaban. Ahora podía sentir su propia humillación, y la aceptaba. Ya lo había perdido una vez. Ahora podía superar lo que fuera—. Antes quiero decirte una cosa, aclararla, para que podamos olvidarnos de ella. No me acosté con Claudio.

De hecho, nunca me he acostado con él. Es uno de esos raros hallazgos que se dan en la vida: un auténtico amigo. No te estoy diciendo esto para volver a dejar las cosas como estaban antes. No deseo que sean como antes. Lo único que quiero es que no pienses que te fui infiel.

—Te pido disculpas —dijo él, tenso. Seguía necesitando tocarla, aunque solo fuera pasar las manos por su garganta. Había acudido a la cita sabiendo que se arrodillaría ante ella para suplicarle que lo aceptara de nuevo, que le perdonara por haberse mostrado un celoso e insensible imbécil. Pero ahí estaba ella, diciéndole ya de entrada que no le quería.

—No quiero ninguna disculpa. Yo también habría reaccionado de la misma manera que tú, de haberse dado la situación a la inversa. —Se volvió hacia el y le sonrió—. Después te habría arrancado los ojos y te habría pisoteado la garganta.

—Estuvimos a un paso de hacerlo los dos —dijo, intentando mantener el tono ligero de ella.

—Lo sé. —La sonrisa de Margo se animó—. Te conozco lo suficiente como para reconocer en tus ojos el instinto asesino cuando lo veo. —Ahora, en cambio, no deseaba otra cosa que poder verle los ojos de nuevo—. Y creo entender por qué te marchaste tal como lo hiciste, antes de hacer o de decir alguna cosa con la que ya no pudiéramos vivir ninguno de los dos.

—Dije más de lo que debía haber dicho, y ciertamente mucho más de lo que tenía algún derecho a decir. Te pido perdón por eso también.

—Y yo añadiré que lamento en el alma haber besado a Claudio, aunque fue solo un beso de amigos y para demostrarle mi gratitud. Había venido a ofrecerme su ayuda y un papel en su próxima película.

Josh necesitó solo un momento para encajarlo.

—Oh, el Claudio ese… —Sus emociones se enroscaban unas con otras, lo apretaban y amenazaban con estrangularlo—. Bueno…, es una oportunidad para ti.

—Pudiera serlo —dijo Margo con un gesto de indiferencia, y se puso a caminar de nuevo—. En cualquier caso, visto en retrospectiva, comprendo cómo lo interpretaste tú y por qué reaccionaste como lo hiciste.

—¡Caray! ¿En qué medida quieres que me declare culpable?

—Probablemente, ya es suficiente. —Margo se volvió, y esta vez apoyó una mano en el hombro de Josh—. Pero necesito decirte que estabas equivocado también en otra cosa más. Yo no te veo a ti de la manera como tú pareces creer que lo hago. Sé que no eres un hombre malcriado e insensible. Quizá alguna vez te vi así, y quizá alguna vez me dolió que hubieras nacido con todas las ventajas que yo creía desear… ¡Que deseo, demonios! —se corrigió a sí misma con una rápida sonrisa—. Solía irritarme que tú no hubieras tenido que luchar por ellas.

—Siempre me dejaste eso muy claro.

—Supongo que sí. Pero lo que no te he dejado claro es lo mucho que admiro al hombre en que te has convertido. Sé cuán importante eres para Templeton y lo importante que es Templeton para ti. Y he llegado a entender cuántas responsabilidades tienes y con qué seriedad te las tomas desde que… bueno, desde que hemos estado juntos. Es muy importante para mí que me creas en esto.

—Haces que me sienta un imbécil, Margo. —Había tenido que apartarse un poco de ella al cruzar la terraza con baldosas para mirar el acantilado desde la casa—. Me importa —logró articular—. Lo que piensas de mí me importa mucho. —Volvió a su lado ahora—. Yo me sentía fascinado, y a menudo irritado, por la muchacha que eras tú, Margo.

Ella también enarcó una ceja ahora:

—¡Tú siempre me dejaste eso muy claro a mí!

—Y sigo estándolo, fascinado e irritado con alguna frecuencia, pero admiro a la mujer en que te has convertido. Te admiro muchísimo.

«Había esperanza, pues», se dijo Margo cerrando un instante los ojos. Y, puesto que había esperanza, también podía haber confianza y respeto, y ciertamente amor.

—Quiero que volvamos a ser amigos, Josh. Eres demasiado importante en mi vida para no estar en ella. Antes solíamos ser buenos amigos. Necesito que volvamos a serlo.

—Amigos... —La palabra casi lo ahoga.

—Pienso —siguió Margo— que, con el tiempo, los dos podremos olvidar esa parte de nuestra historia. No querría que ocurriera otra vez.

Margo le sonreía, el viento hacía aún más atractiva su original trenza, el sol daba de lado sobre sus ojos mientras se hundía perezosamente por el oeste...

—¿Puedes quedárte ahí tan tranquila y decirme que la amistad es la respuesta?

—Es una de ellas. E importante, además.

Josh no podía volver a las andadas y empezar de nuevo. Eso lo mataría. La furia del amor que sentía jamás iba a calmarse con algo tan paciente como la amistad. Se acercó a ella despacio.

—Uno de nosotros dos ha perdido el juicio.

—Démonos algún tiempo para recuperarlo. Podemos empezar por algo tan sencillo como dejarme yo aconsejar por ti como si de un buen amigo se tratara. —Pasó su brazo por el de él y, con la suavidad de la seda, comenzó a guiarlo hacia un lado de la casa—. ¿Verdad que es un lugar maravilloso? Pues aguarda a ver el surtidor que hay detrás. Es encantador. Deberían haber construido una piscina, claro. Hay terreno suficiente para una pequeña, de la forma que se desee. ¿Y la vista desde esa galería de arriba...? Debe de dar al dormitorio principal, ¿no crees? Apuesto a que el paisaje será maravilloso desde allí. En el interior debe de haber por lo menos un par de chimeneas. Aún no he estado dentro, pero espero que habrán puesto una en el dormitorio principal.

—Aguarda un minuto, Margo. Más despacio. —Josh comenzaba a tener la sensación de que le daba vueltas la cabeza. El perfume de ella le nublaba el cerebro y sus palabras se amontonaban hasta el extremo de embotar casi su conciencia.

—Y fíjate en esa buganvilla. En realidad deberían podarla, pero me encanta que crezca así, salvaje. La terraza es perfecta para fiestas, ¿no? Y la situación de la finca no podría ser mejor: muy cerca de la tienda, tomando la carretera de la costa, y prácticamente al lado de Templeton House.

—Te ruego que pares un momento. —La hizo dar media vuelta sobre sí y la sujetó firmemente por los hombros—. ¿Estás pensando en comprar esta casa?

—Es una oportunidad de esas que solo se te presentan una vez en la vida. —Y la única también para ella, pensó—. Kate dice que es un negocio fabuloso, una inversión sólida, y tú ya sabes lo pesimista que es ella. No saldrá a la venta hasta la semana que viene, ha habido un pequeño problema con las escrituras, en fin... Mira: la planta baja.

—¡Jesús, duquesa…! Tú no cambias nunca.

A Margo se le encendió una lucecita en el corazón ante la divertida exasperación que dejaba traslucir el tono de Josh.

—¿Te parece que debería cambiar?

—Escucha… Esta casa se irá, como mínimo, a los trescientos mil dólares.

—Trescientos cincuenta, pero Kate piensa que cerrarían el trato por trescientos mil.

—Estás soñando —murmuró Josh.

—Sí.

—Llevas en tu negocio menos de un año, y un mes antes estabas al borde de la bancarrota. No hay un banco en todo el planeta que vaya a aprobar un préstamo de este calibre. No puedes permitírtelo, Margo.

—Lo sé. —Recurrió a su mejor sonrisa, a la que le había valido sus efímeras fama y fortuna—: Pero tú sí puedes.

A Josh se le hizo un nudo en la garganta.

—¿Me estás diciendo que quieres que compre esta maldita casa para ti?

—Más o menos. —Jugueteaba con el botón de la camisa de Josh, le lanzaba miradas por debajo de las pestañas—. Pensaba que, si la comprabas y te casabas conmigo, podríamos vivir aquí los dos.

Josh no consiguió articular palabra. Cuando salió de su aturdimiento y recuperó la visión, se dio cuenta de que tampoco respiraba.

—Necesito sentarme —dijo.

—Sé cómo te sientes, Josh. —Juntó las manos mientras él tomaba asiento en un banco, y las notó húmedas.

—¿Quieres que compre una casa y me case contigo para que puedas vivir en ella?

—Para que podamos vivir en ella los dos —lo corrigió—. Juntos. Cuando no estemos viajando.

—Pero ¡si acabas de decirme que no querías que las cosas volvieran a ser como antes!

—Y no quiero. Antes eran demasiado fáciles. Demasiado fácil sumergirnos en ellas, demasiado fácil vivirlas. Necesito ponerlas difíciles. Necesito ponerlas muy, muy difíciles. Te amo. —Y, porque notó que se le estaban llenando los ojos de lágrimas, se volvió de espaldas—. ¡Te quiero tanto, Josh! Puedo vivir sin ti… Si te vas, no has de temer que me arroje por el acantilado como Serafina. Pero no quiero vivir sin ti. Necesito estar casada contigo, tener una familia contigo, construir algo contigo aquí. Y eso es lo que tengo que decir.

—Eso es todo lo que tienes que decir —repitió Josh. Volvía a tener el corazón en su sitio, pero ahora le daba la sensación de que ocupaba demasiado espacio. Tanto que incluso le dolía el pecho. Igual que le dolía en la cara la amplia sonrisa que se abría en ella—. Pues yo diría que ahora me toca a mí hablar.

—Nunca te engañaría.

—Calla, Margo. Ya perdiste tu oportunidad de ver cómo

me arrastraba delante de ti para pedirte perdón por eso. Me equivoqué. Fui un estúpido y desatento contigo, pero eso no volverá a suceder. Y añadiré ahora que siempre he tenido un concepto de ti infinitamente mejor que el que tenías tú acerca de ti misma. Y eso es todo lo que tengo yo que decir.

—Muy bien, entonces. —Margo buscaba ya una manera digna de concluir aquel encuentro cuando Josh apoyó la mano en su hombro y le puso delante mismo de la nariz lo que tenía en la otra.

El anillo era un estallido de fuego, de luz y de promesas. Margo se tapó la boca con la mano al sentir que se hacían reales tantos sueños que deslumbraban sus ojos.

—¡Oh, Dios mío!

—El anillo de compromiso de la abuela Templeton. Te acuerdas de ella, ¿verdad?

—Yo… Sí, sí.

—Ha venido a parar a mí. Lo saqué de la caja de seguridad y lo llevaba en el bolsillo el día que fui a verte y te encontré con tu amigo italiano.

—Oh. Oh.

—No. No pienso dejar que te sientes ahora. —La levantó y la sostuvo entre sus brazos—. Quiero ver cómo flaquean tus rodillas. Y no me importaría que balbucearas un poco, ya que estropeaste mis románticos planes de ofrecértelo de rodillas a la luz de las velas.

—Oh. —Margo dejó caer la cabeza en el pecho de Josh—. Oh, oh.

—No llores. No puedo soportar verte llorar.

—No estoy llorando. —Y, para demostrárselo, alzó hacia él un rostro sonriente—. Yo me disponía a pedirte una cosa.

—¿Qué cosa?

—¡Señor…! ¿Por qué no podemos ponernos de acuerdo el uno con el otro? —Se enjugó las lágrimas con los dedos—. Esa noche yo iba a pedirte que te casaras conmigo. Suponía que me iba a costar bastante trabajo y muchas palabras ardientes para convencerte. Así que lo tenía todo muy bien planeado. Iba a desafiarte.

—Estás bromeando.

—¡Quítate esas malditas gafas! —Se las arrebató ella misma y, sin pensarlo más, las arrojó al suelo por encima del hombro; oyó cómo se hacían añicos contra las baldosas de terracota—. Y todavía hoy te desafié. Todavía hoy aposté a que serías tú el primero en dar el «sí». —Antes de que Josh pudiera reaccionar, Margo le quitó el anillo y lo puso lejos de su alcance—. Y tú lo diste. Aquí tengo la prueba.

—Yo aún no he dicho nada —la corrigió, e hizo ademán de apoderarse de ella—. ¡Maldita sea! ¡Ven aquí de una vez, Margo! Si no puedo ponerte las manos encima, explotaré.

—Di que sí. —Margo danzaba fuera de su alcance, sosteniendo en alto el anillo como si fuera una antorcha—. Di que sí primero.

—De acuerdo..., sí. ¡Qué demonios! Ya te pillaré por mi cuenta.

Y lo hizo agarrándola al vuelo, y obligándola a girar en redondo. Margo sintió entonces que algo danzaba en su interior.

«No, no son las vueltas, mamá...: ¡es el hombre!», pensó.

La boca de Josh estaba ya en sus labios antes de que los pies de Margo tocaran el suelo.

—Para toda la vida —murmuró él, enmarcándole el rostro con sus manos.

—No. Para siempre —dijo Margo, buscando con su boca la de él—. Quiero que sea para siempre.

Josh le tomó la mano y sostuvo su mirada mientras le deslizaba el anillo en el dedo. Encajó como un sueño.

—Trato hecho —dijo.

Esta edición de 4.000 ejemplares
se terminó de imprimir en
Quebecor World Pilar S.A.,
Parque Ind. Pilar, Ruta 8, km 60, Calles 8 y 3, Bs. As.,
en el mes de abril de 2006.